1천 동사 5천 문장을 듣고 따라 하면 저절로 암기되는 스페인어 회화(MP3)

정호창

1천 동사 5천 문장을 듣고 따라하면 저절로 암기되는 스페인어 회화(MP3)

머리말
1천 동사의 5천 문장들 듣고 따라하면 저절로 암기되는 스페인어 회화(한국어와 스페인어 MP3 파일)

스페인어 회화 마스터하기: 단계별 학습으로 완성하는 언어의 여정

어서 오십시오, 스페인어 학습의 새로운 차원으로의 초대입니다. "스페인어 회화 마스터하기"는 기초부터 심화 학습까지, 여러분의 스페인어 회화 능력을 체계적으로 발전시킬 수 있는 완벽한 가이드입니다.

이 책과 함께 제공되는 MP3 파일들은 한국어와 스페인어 학습자를 위해 특별히 설계되었습니다.

1천 개의 동사와 명사를 활용하여 구성된 5천여 문장들은 일상생활에서 자주 접할 수 있는 표현들로, 초등학교 수준의 기본 문장부터 시작하여 점차 난이도를 높여갑니다.

소개글

학습자 중심의 혁신적인 접근법

"스페인어 회화 마스터하기"는 1천개의 동사의 문장들 듣고 따라하면서, 자연스럽게 암기할 수 있도록 설계되었습니다.

이 책은 암기 훈련, 말하기 훈련, 듣기 훈련을 통합적으로 할 수 있도록 구성되어 있으며, 학습자가 한국어로 단어를 듣고 머릿속으로 이미지를 연상한 후, 스페인어로 동시에 따라하며 학습할 수 있도록 돕습니다.

말하기와 듣기 능력의 동시 향상

이 책과 함께 제공되는 MP3 파일들은 말하기와 듣기 능력을 동시에 향상시키는 데 중점을 두고 있습니다.

스페인어가 주어진 횟수만큼 반복됨으로써, 학습자는 스페인어의 정확한 발음을 익히고, 한국어와의 비교를 통해 단어의 의미를 더욱 명확히 이해할 수 있습니다.

이 과정을 통해, 학습자는 자신도 모르는 사이에 스페인어 회화 능력을 자연스럽게 개발하게 됩니다.

스페인어 학습의 새로운 시작

이제 "스페인어 회화 마스터하기"와 함께라면, 스페인어 학습이 더 이상 어렵지 않습니다.

학습자 중심의 접근법과 효과적인 학습 지원 도구를 통해, 여러분은 스페인어를 보다 쉽고 재미있게 배울 수 있을 것입니다.

MP3 파일을 통한 효과적인 학습 지원

본 교재에 포함된 MP3 파일들은 한국어 단어를 한 번 듣고, 스페인어로 3번, 2번, 1번 반복하여 듣는 패턴으로 구성되어 있습니다.

또한 듣기 훈련을 위해 스페인어 3번, 한국어1, 스페인어 2번, 한국어 1번, 스페인어 1번, 한국어 1번으로 나오도록 구성되어 있습니다.

이는 학습자가 스페인어 발음과 억양을 정확히 익히고, 단어의 뜻을 깊이 이해할 수 있게 함으로써, 보다 효과적으로 언어를 습득할 수 있도록 합니다.

또한, 여러분이 단어와 문장을 외울 수 있도록 MP3 파일들이 한 단어(문장)으로 나누어져 있어서 학습자가 이미 알고 있는 단어는 건너뛰고, 모르는 단어는 반복하여 들을 수 있도록 하여 개별적인 학습이 가능합니다.

그리고 먼저 명사, 동사의 단어들을 외우고, 그 다음 이 단어들을 가지고 문장들을 암기하도록 구성되어 있습니다.

하나의 동사마다 5문장이 있습니다. 문장은 과거, 현재, 미래, 의문문, 의문문의 대답, 인칭대명사(나는, 너는, 그는, 그녀는, 우리는, 당신들은, 그들은)이 나오도록 구성되어 있습니다.

mp3 샘플- 밑의 주소를 클릭하시면 보실 수 있습니다.
https://naver.me/xC1v1qoM
또는 큐알코드를 스마트폰으로 찍으시면 보실 수 있습니다.

MP3 파일들 다운로드는 맨 마지막 페이지에 있습니다.

1. 1. 명사 단어들 외우기, 필수 10개 동사의 단어들을 가지고 50문장 연습하기 -
1. memorizar palabras sustantivas, practicar 50 frases con 10 palabras verbales esenciales
2. 학교 - escuela
3. 공원 - parque
4. 집 - casa
5. 여기 - aquí
6. TV - TV
7. 전시회 - Exposición
8. 주말 - fin de semana
9. 영화 - cine
10. 음악 - música
11. 콘서트 - concierto
12. 클래식 - clásico
13. 친구 - amigo
14. 이야기 - historia
15. 회의 - encuentro
16. 발표 - presentación
17. 여행 - viaje
18. 경험 - experiencia
19. 저녁 - cena
20. 점심 - almuerzo
21. 아침 - mañana
22. 피자 - pizza
23. 물 - agua
24. 커피 - café
25. 주스 - zumo
26. 음료 - bebida
27. 녹차 - té verde
28. 의자 - silla
29. 소파 - Sofá
30. 벤치 - Banco
31. 창가 - ventana
32. 시간 - hora

33. 문 - puerta

34. 줄 - línea

35. 해변 - Playa

36. 산책로 - sendero

37. 가다 - ir

38. 나는 학교에 갔다. - Fui a la escuela.

39. 너는 지금 가고 있다. - Te vas ahora.

40. 그는 내일 공원에 갈 것이다. - Mañana irá al parque.

41. 그녀는 언제 학교에 가나요? - ¿Cuándo va al colegio?

42. 그녀는 매일 학교에 갑니다. - Va al colegio todos los días.

43. 오다 - Ir

44. 나는 집에 왔다. - Voy a casa.

45. 너는 지금 오고 있다. - Ahora vienes.

46. 그녀는 내일 여기에 올 것이다. - Ella vendrá mañana.

47. 당신들은 언제 집에 오나요? - ¿Cuándo volvéis a casa?

48. 우리는 저녁에 집에 옵니다. - Volvemos a casa por la tarde.

49. 보다 - Ver

50. 나는 TV를 봤다. - He visto la televisión.

51. 너는 지금 무언가를 보고 있습니다. - Ahora estás viendo algo.

52. 우리는 내일 전시회를 볼 것이다. - Mañana veremos la exposición.

53. 그들은 주말에 무엇을 보나요? - ¿Qué ven los fines de semana?

54. 그들은 주말에 영화를 봅니다. - Ven películas los fines de semana.

55. 듣다 - Escuchar

56. 나는 음악을 들었다. - He escuchado música.

57. 너는 지금 무언가를 듣고 있습니다. - Ahora estás escuchando algo.

58. 그는 내일 콘서트에서 음악을 들을 것이다. - Escuchará música en el concierto de mañana.

59. 그녀는 어떤 음악을 듣고 싶어하나요? - ¿Qué tipo de música quiere escuchar?

60. 그녀는 클래식 음악을 듣고 싶어합니다. - Quiere escuchar música clásica.

61. 말하다 - Hablar

62. 나는 친구와 이야기했다. - He hablado con mi amigo.

63. 너는 지금 무언가를 말하고 있습니다. - Ahora estás diciendo algo.

64. 우리는 내일 회의에서 발표할 것이다. - Mañana nos presentaremos en la

reunión.

65. 그는 무엇에 대해 말하고 싶어하나요? - ¿De qué quiere hablar?

66. 그는 여행 경험에 대해 말하고 싶어합니다. - Quiere hablar de sus experiencias de viaje.

67. 먹다 - comer

68. 나는 저녁을 먹었다. - He cenado.

69. 너는 지금 점심을 먹고 있다. - Ahora está comiendo.

70. 그는 내일 아침을 먹을 것이다. - Desayunará mañana.

71. 그녀는 무엇을 먹고 싶어하나요? - ¿Qué quiere comer?

72. 그녀는 피자를 먹고 싶어합니다. - Quiere comer pizza.

73. 마시다 - beber

74. 나는 물을 마셨다. - He bebido agua.

75. 너는 지금 커피를 마시고 있다. - Ahora estás bebiendo café.

76. 우리는 내일 주스를 마실 것이다. - Mañana beberemos zumo.

77. 너는 어떤 음료를 마시나요? - ¿Qué bebida bebes?

78. 나는 녹차를 마십니다. - Bebo té verde.

79. 앉다 - sentarse

80. 나는 의자에 앉았다. - Me he sentado en una silla.

81. 너는 지금 소파에 앉아 있다. - Ahora estás sentado en el sofá.

82. 그녀는 내일 벤치에 앉을 것이다. - Mañana se sentará en el banco.

83. 그들은 어디에 앉고 싶어하나요? - ¿Dónde quieren sentarse?

84. 그들은 창가에 앉고 싶어합니다. - Quieren sentarse junto a la ventana.

85. 서다 - Estar de pie

86. 나는 한 시간 동안 서 있었다. - Llevo una hora de pie.

87. 너는 지금 문 앞에 서 있다. - Ahora estás en la puerta.

88. 그는 내일 줄에서 서 있을 것이다. - Mañana hará cola.

89. 그녀는 얼마나 오래 서 있었나요? - ¿Cuánto tiempo lleva de pie?

90. 그녀는 30분 동안 서 있었습니다. - Lleva media hora de pie.

91. 걷다 - caminar

92. 나는 공원을 걸었다. - He paseado por el parque.

93. 너는 지금 집으로 걷고 있다. - Ahora vas andando a casa.

94. 우리는 내일 해변을 걸을 것이다. - Mañana caminaremos por la playa.

95. 그들은 어디를 걷고 싶어하나요? - ¿Dónde quieren pasear?

96. 그들은 산책로를 걷고 싶어합니다. - Quieren pasear por el paseo

marítimo.

97. 2. 명사 단어들 외우기, 필수 10개 동사의 단어들을 가지고 50문장 연습하기
- 2. memoriza las palabras sustantivas, practica 50 frases con las palabras de los 10 verbos esenciales

98. 10킬로미터 - 10 kilómetros

99. 그림 - pintura

100. 꽃 - flor

101. 농담 - broma

102. 댄스(춤) - bailar

103. 마라톤 - maratón

104. 무엇 - qué

105. 백화점 - grandes almacenes

106. 보고서 - informe

107. 샌드위치 - sándwich

108. 소설 - novela

109. 소식 - Noticias

110. 쇼 - mostrar

111. 수학 - matemáticas

112. 신문 - periódico

113. 신발 - zapatos

114. 아침 - mañana

115. 영어 - inglés

116. 영화 - película

117. 옷 - ropa

118. 요가 - yoga

119. 요리 - cocina

120. 운동장 - parque infantil

121. 이야기 - cuento

122. 인사 - saludo

123. 일기 - diario

124. 자전거 - bicicleta

125. 작년 - año pasado

126. 잡지 - revista

127. 정원 - jardín

128. 책 - libro

129. 편지 - carta

130. 프로젝트 - proyecto

131. 피아노 - piano

132. 한국어 - coreano

133. 달리다 - correr

134. 나는 마라톤을 달렸다. - He corrido una maratón.

135. 너는 지금 운동장을 달리고 있다. - Ahora está corriendo por el patio.

136. 그는 내일 아침에 달릴 것이다. - Correrá mañana por la mañana.

137. 그녀는 얼마나 빨리 달릴 수 있나요? - ¿A qué velocidad puede correr?

138. 그녀는 시속 10킬로미터로 달릴 수 있습니다. - Puede correr a diez kilómetros por hora.

139. 웃다 - reír

140. 나는 친구의 농담에 웃었다. - Me he reído con el chiste de mi amigo.

141. 너는 지금 행복해 보인다. - Ahora pareces feliz.

142. 우리는 내일 코미디 쇼에서 웃을 것이다. - Mañana nos reiremos en el espectáculo cómico.

143. 너는 무엇에 웃나요? - ¿De qué te ríes?

144. 나는 유머러스한 이야기에 웃습니다. - Me río con las historias humorísticas.

145. 울다 - Llorar

146. 나는 영화를 보고 울었다. - Lloré con la película.

147. 너는 지금 슬픈 이야기에 울고 있다. - Ahora estás llorando con la historia triste.

148. 그녀는 내일 작별 인사를 할 때 울 것이다. - Llorará cuando se despida mañana.

149. 그는 왜 울었나요? - ¿Por qué lloró?

150. 그는 감동적인 소식에 울었습니다. - Lloró ante la conmovedora noticia.

151. 사다 - comprar

152. 나는 새 신발을 샀다. - Me he comprado zapatos nuevos.

153. 너는 지금 옷을 사고 있다. - Ahora estás comprando ropa.

154. 그들은 내일 선물을 살 것이다. - Mañana comprarán regalos.

155. 그녀는 어디서 쇼핑하나요? - ¿Dónde compra?

156. 그녀는 백화점에서 쇼핑합니다. - Compra en los grandes almacenes.

157. 팔다 - Vender

158. 나는 자전거를 팔았다. - He vendido mi bicicleta.

159. 너는 지금 꽃을 팔고 있다. - Ahora vende flores.

160. 그는 내일 책을 팔 것이다. - Mañana venderá libros.

161. 당신들은 무엇을 팔고 싶어하나요? - ¿Qué queréis vender?

162. 우리는 그림을 팔고 싶어합니다. - Queremos vender cuadros.

163. 만들다 - hacer

164. 나는 샌드위치를 만들었다. - He hecho un bocadillo.

165. 너는 지금 프로젝트를 만들고 있다. - Ahora estás haciendo un proyecto.

166. 우리는 내일 정원을 만들 것이다. - Mañana haremos un jardín.

167. 그들은 어떤 케이크를 만드나요? - ¿Qué tipo de tarta hacen?

168. 그들은 초콜릿 케이크를 만듭니다. - Hacen tarta de chocolate.

169. 쓰다 - escribir

170. 나는 편지를 썼다. - He escrito una carta.

171. 너는 지금 보고서를 쓰고 있다. - Ahora estás escribiendo un informe.

172. 그녀는 내일 일기를 쓸 것이다. - Mañana escribirá su diario.

173. 그는 언제 소설을 썼나요? - ¿Cuándo escribió su novela?

174. 그는 작년에 소설을 썼습니다. - Escribió la novela el año pasado.

175. 읽다 - leer

176. 나는 소설을 읽었다. - He leído la novela.

177. 너는 지금 신문을 읽고 있다. - Ahora estás leyendo el periódico.

178. 그녀는 내일 잡지를 읽을 것이다. - Mañana leerá una revista.

179. 너는 어떤 책을 좋아하나요? - ¿Qué tipo de libros te gustan?

180. 나는 모험 소설을 좋아합니다. - Me gustan las novelas de aventuras.

181. 배우다 - aprender

182. 나는 피아노를 배웠다. - He aprendido a tocar el piano.

183. 너는 지금 한국어를 배우고 있다. - Ahora estás aprendiendo coreano.

184. 우리는 내일 요가를 배울 것이다. - Mañana aprenderemos yoga.

185. 너는 무엇을 배우고 싶어하나요? - ¿Qué te gusta aprender?

186. 나는 댄스를 배우고 싶어합니다. - Quiero aprender a bailar.

187. 가르치다 - enseñar

188. 나는 수학을 가르쳤다. - Yo enseño matemáticas.

189. 너는 지금 영어를 가르치고 있다. - Ahora está enseñando inglés.

190. 그는 내일 요리를 가르칠 것이다. - Mañana enseñará cocina.

191. 그들은 어디에서 가르치나요? - ¿Dónde enseñan?

192. 그들은 학교에서 가르칩니다. - Enseñan en la escuela.

193. 3. 명사 단어들 외우기, 필수 10개 동사의 단어들을 가지고 50문장 연습하기 - 3. memorizar palabras sustantivas, practicar 50 frases con las 10 palabras verbales esenciales

194. 열쇠 - clave

195. 안경 - gafas

196. 지갑 - cartera

197. 책 - libro

198. 전화기 - móvil

199. 시계 - reloj

200. 선물 - regalo

201. 문서 - documento

202. 기부금 - donación

203. 편지 - carta

204. 이메일 - correo electrónico

205. 상 - premio

206. 프로젝트 - proyecto

207. 운동 - trabajo

208. 여행 - viaje

209. 숙제 - deberes

210. 회의 - reunión

211. 작업 - trabajo

212. 창문 - ventana

213. 상자 - Caja

214. 전시회 - Exposición

215. 문 - puerta

216. 컴퓨터 - ordenador

217. 가게 - tienda

218. 라이트 - luz

219. 텔레비전 - televisión

220. 에어컨 - aire acondicionado

221. 라디오 - radio

222. 불 - fuego

223. 난방 - calefacción

224. TV - TV

225. 찾다 - encontrar

226. 나는 열쇠를 찾았다. - He encontrado las llaves.

227. 너는 지금 안경을 찾고 있다. - Ahora está buscando sus gafas.

228. 그녀는 내일 그녀의 지갑을 찾을 것이다. - Mañana encontrará su cartera.

229. 그는 무엇을 찾았나요? - ¿Qué encontró?

230. 그는 그의 책을 찾았습니다. - Encontró su libro.

231. 잃다 - Perder

232. 나는 전화기를 잃었다. - He perdido mi teléfono.

233. 너는 지금 무언가를 잃었습니다. - Ahora ha perdido algo.

234. 그는 내일 그의 시계를 잃을 것이다. - Mañana perderá su reloj.

235. 그녀는 자주 무엇을 잃나요? - ¿Qué suele perder?

236. 그녀는 자주 열쇠를 잃습니다. - A menudo pierde las llaves.

237. 주다 - Regalar

238. 나는 친구에게 선물을 주었다. - Le he hecho un regalo a mi amigo.

239. 너는 지금 문서를 주고 있다. - Vas a entregar el documento ahora.

240. 우리는 내일 기부금을 줄 것이다. - Mañana haremos un donativo.

241. 그는 누구에게 도움을 주나요? - ¿A quién ayuda?

242. 그는 어린이 병원에 도움을 줍니다. - Ayuda al hospital infantil.

243. 받다 - recibir

244. 나는 편지를 받았다. - He recibido una carta.

245. 너는 지금 이메일을 받고 있다. - Ahora estás recibiendo un correo electrónico.

246. 그녀는 내일 상을 받을 것이다. - Mañana recibirá un premio.

247. 그는 어떤 상을 받았나요? - ¿Qué premio ha recibido?

248. 그는 최우수 학생 상을 받았습니다. - Ha ganado el premio al mejor estudiante.

249. 시작하다 - empezar

250. 나는 새로운 프로젝트를 시작했다. - He empezado un nuevo proyecto.

251. 너는 지금 운동을 시작하고 있다. - Ahora empiezas a hacer ejercicio.

252. 우리는 내일 여행을 시작할 것이다. - Empezaremos a viajar mañana.

253. 당신들은 언제 공부를 시작했나요? - ¿Cuándo habéis empezado a estudiar?

254. 우리는 오늘 아침에 공부를 시작했습니다. - Hemos empezado a estudiar esta mañana.

255. 끝내다 - terminar

256. 나는 숙제를 끝냈다. - He terminado los deberes.

257. 너는 지금 회의를 끝내고 있다. - Ahora está terminando la reunión.

258. 그는 내일 그의 작업을 끝낼 것이다. - Terminará su trabajo mañana.

259. 그녀는 책을 언제 끝냈나요? - ¿Cuándo terminó el libro?

260. 그녀는 어제 책을 끝냈습니다. - Terminó su libro ayer.

261. 열다 - abrir

262. 나는 창문을 열었다. - He abierto la ventana.

263. 너는 지금 상자를 열고 있다. - Ahora estás abriendo la caja.

264. 그들은 내일 전시회를 열 것이다. - Mañana inaugurarán la exposición.

265. 그는 문을 언제 열었나요? - ¿Cuándo abrió la puerta?

266. 그는 아침에 문을 열었습니다. - Abrió la puerta por la mañana.

267. 닫다 - Cerrar

268. 나는 책을 닫았다. - He cerrado el libro.

269. 너는 지금 컴퓨터를 닫고 있다. - Ahora estás cerrando el ordenador.

270. 우리는 내일 가게를 닫을 것이다. - Mañana cerraremos la tienda.

271. 그녀는 왜 창문을 닫았나요? - ¿Por qué cerró la ventana?

272. 추워서 창문을 닫았습니다. - Cerró la ventana porque hacía frío.

273. 켜다 - encender

274. 나는 라이트를 켰다. - He encendido la luz.

275. 너는 지금 텔레비전을 켜고 있다. - Ahora estás encendiendo la televisión.

276. 그는 내일 에어컨을 켤 것이다. - Mañana encenderá el aire acondicionado.

277. 그들은 언제 라디오를 켰나요? - ¿Cuándo encendieron la radio?

278. 그들은 점심 때 라디오를 켰습니다. - Encendieron la radio a la hora de comer.

279. 끄다 - apagar

280. 나는 컴퓨터를 껐다. - He apagado el ordenador.

281. 너는 지금 불을 끄고 있다. - Ahora estás apagando la luz.

282. 그녀는 내일 난방을 끌 것이다. - Mañana apagará la calefacción.

283. 그는 왜 TV를 껐나요? - ¿Por qué apagó el televisor?

284. 잠자려고 TV를 껐습니다. - Apagué la tele para irme a dormir.

285. 4. 명사 단어들 외우기, 필수 10개 동사의 단어들을 가지고 50문장 연습하기 - 4. Memorizar palabras sustantivas, practicar 50 frases con las 10 palabras verbales esenciales

286. 결과 - resultado

287. 공부 - estudiar

288. 날씨 - tiempo

289. 날 - me

290. 남 - otro

291. 답 - respuesta

292. 도움 - ayuda

293. 눈 - ojo

294. 봉사활동 - Voluntario

295. 부엌 - cocina

296. 사람 - persona

297. 사무실 - oficina

298. 소파 - Sofá

299. 손 - mano

300. 어르신 - Ancianos

301. 얼굴 - cara

302. 음식 - comida

303. 일 - Día

304. 일정 - horario

305. 자 - regla

306. 정원 - jardín

307. 조언 - consejo

308. 차 - coche

309. 친구 - amigo

310. 침대 - cama

311. 책 - libro

312. 추위 - frío

313. 휴식 - descanso

314. 해답 - solución

315. 회의 - reunión

316. 씻다 - lavar

317. 나는 손을 씻었다. - Me he lavado las manos.

318. 너는 지금 얼굴을 씻고 있다. - Ahora te estás lavando la cara.

319. 우리는 내일 차를 씻을 것이다. - Mañana lavaremos el coche.

320. 그들은 언제 차를 씻나요? - ¿Cuándo lavan el coche?

321. 그들은 매주 일요일에 차를 씻습니다. - Lavan el coche todos los domingos.

322. 청소하다 - limpiar

323. 나는 방을 청소했다. - He limpiado la habitación.

324. 너는 지금 사무실을 청소하고 있다. - Ahora estás limpiando la oficina.

325. 그들은 내일 정원을 청소할 것이다. - Mañana limpiarán el jardín.

326. 그녀는 언제 부엌을 청소했나요? - ¿Cuándo ha limpiado la cocina?

327. 그녀는 오늘 아침에 부엌을 청소했습니다. - Ha limpiado la cocina esta mañana.

328. 일어나다 - levantarse

329. 나는 일찍 일어났다. - Me he levantado temprano.

330. 너는 지금 침대에서 일어나고 있다. - Ya te estás levantando.

331. 우리는 내일 아침 6시에 일어날 것이다. - Mañana nos levantaremos a las 6 de la mañana.

332. 그는 보통 몇 시에 일어나나요? - ¿A qué hora suele levantarse?

333. 그는 보통 7시에 일어납니다. - Suele levantarse a las siete.

334. 자다 - dormir

335. 나는 깊이 잤다. - He dormido profundamente.

336. 너는 지금 소파에서 자고 있다. - Ahora está durmiendo en el sofá.

337. 그녀는 내일 일찍 자러 갈 것이다. - Mañana se acostará temprano.

338. 너는 얼마나 오래 잤나요? - ¿Cuánto tiempo durmió?

339. 나는 8시간 잤습니다. - Dormí ocho horas.

340. 알다 - Saber

341. 나는 답을 알았다. - Sabía la respuesta.

342. 너는 지금 비밀을 알고 있다. - Ya conoces el secreto.

343. 우리는 내일 결과를 알 것이다. - Mañana sabremos el resultado.

344. 그는 그녀의 전화번호를 알고 있나요? - ¿Sabe su número de teléfono?

345. 네, 알고 있습니다. - Sí, lo sabe.

346. 모르다 - No lo sé.

347. 나는 그 사람을 몰랐다. - No conocía a la persona.

348. 너는 지금 답을 모르고 있다. - No sabe la respuesta ahora.

349. 그들은 내일 일정을 모를 것이다. - No sabrán el horario mañana.

350. 그녀는 왜 해답을 모르나요? - ¿Por qué no sabe la respuesta?

351. 그녀는 공부하지 않았습니다. - No ha estudiado.

352. 좋아하다 - Gustar

353. 나는 여름을 좋아했다. - Me gustó el verano.

354. 너는 지금 책을 좋아하고 있다. - Ahora te gustan los libros.

355. 우리는 내일 바베큐를 좋아할 것이다. - Mañana nos gustará la barbacoa.

356. 그들은 어떤 음식을 좋아하나요? - ¿Qué tipo de comida les gusta?

357. 그들은 일식을 좋아합니다. - Les gusta la comida japonesa.

358. 싫어하다 - A disgusto

359. 나는 눈을 싫어했다. - Odiaba la nieve.

360. 너는 지금 추위를 싫어하고 있다. - Ahora mismo odias el frío.

361. 그는 내일 회의를 싫어할 것이다. - Odiará la reunión de mañana.

362. 그녀는 어떤 날씨를 싫어하나요? - ¿Qué tiempo le disgusta?

363. 그녀는 비오는 날씨를 싫어합니다. - Odia el tiempo lluvioso.

364. 필요하다 - Necesitar

365. 나는 도움이 필요했다. - Necesitaba ayuda.

366. 너는 지금 휴식이 필요하다. - Ahora necesita un descanso.

367. 그녀는 내일 조언이 필요할 것이다. - Necesitará consejo mañana.

368. 그들에게 무엇이 필요한가요? - ¿Qué necesitan?

369. 그들은 지원이 필요합니다. - Necesitan apoyo.

370. 돕다 - ayudar

371. 나는 이웃을 도왔다. - Ayudé a mi vecino.

372. 너는 지금 친구를 돕고 있다. - Ahora estás ayudando a un amigo.

373. 우리는 내일 봉사활동을 할 것이다. - Mañana vamos de voluntarios.

374. 당신은 누구를 도와주고 싶어하나요? - ¿A quién te gusta ayudar?

375. 나는 어르신들을 도와주고 싶어합니다. - Me gusta ayudar a los ancianos.

376. 5. 명사 단어들 외우기, 필수 10개 동사의 단어들을 가지고 50문장 연습하

기 - 5. memorizar palabras sustantivas, practicar 50 frases con palabras de los 10 verbos esenciales

377. 가족 - familia
378. 공원 - parque
379. 길 - carretera
380. 날 - día
381. 누구 - que
382. 늦은 - tarde
383. 도로 - carretera
384. 만남 - encuentro
385. 무례함 - grosería
386. 사람 - gente
387. 사랑 - amor
388. 사무실 - oficina
389. 삶 - vida
390. 서울 - Seúl
391. 시골 - campo
392. 슬픔 - tristeza
393. 약속 - promesa
394. 어디 - donde
395. 영원 - eternidad
396. 오랜 - largo
397. 오후 - tarde
398. 의사 - doctor
399. 일 - día
400. 전화 - teléfono
401. 주말 - fin de semana
402. 지난달 - Último mes
403. 집 - Casa
404. 친구 - Amigo
405. 해변 - playa
406. 행복 - feliz
407. 헤어짐 - ruptura
408. 놀다 - jugar

409. 나는 공원에서 놀았다. - He jugado en el parque

410. 너는 지금 친구들과 노는 중이다. - Ahora estás jugando con tus amigos.

411. 우리는 내일 해변에서 놀 것이다. - Mañana jugaremos en la playa.

412. 당신들은 주말에 어디에서 노나요? - ¿Dónde jugáis los fines de semana?

413. 우리는 주말에 공원에서 논다. - Jugamos en el parque los fines de semana.

414. 일하다 - Trabajar

415. 나는 늦게까지 일했다. - He trabajado hasta tarde.

416. 너는 지금 사무실에서 일하고 있다. - Ahora está trabajando en la oficina.

417. 그는 내일 집에서 일할 것이다. - Mañana trabajará en casa.

418. 그녀는 어떤 일을 하나요? - ¿Qué tipo de trabajo hace?

419. 그녀는 선생님이다. - Es profesora.

420. 살다 - vivir

421. 나는 서울에서 살았다. - Antes vivía en Seúl.

422. 너는 지금 어디에 살고 있나요? - ¿Dónde vives ahora?

423. 우리는 내일 새 집에서 살 것이다. - Mañana viviremos en nuestra nueva casa.

424. 그들은 어디에서 살고 싶어하나요? - ¿Dónde quieren vivir?

425. 그들은 시골에서 살고 싶어한다. - Quieren vivir en el campo.

426. 죽다 - morir

427. 나는 거의 죽을 뻔했다. - Casi me muero.

428. 너는 지금 삶을 살고 있다. - Ahora está viviendo la vida.

429. 그는 오래 살 것이다. - Vivirá mucho tiempo.

430. 그녀는 어떻게 살고 싶어하나요? - ¿Cómo quiere vivir?

431. 그녀는 행복하게 살고 싶어한다. - Quiere vivir feliz para siempre.

432. 사랑하다 - Amar.

433. 나는 너를 사랑했다. - Te he amado.

434. 너는 지금 누군가를 사랑하고 있다. - Ahora está enamorada de alguien.

435. 그녀는 영원히 사랑할 것이다. - Amará para siempre.

436. 그는 누구를 사랑하나요? - ¿A quién ama?

437. 그는 그의 가족을 사랑한다. - Ama a su familia.

438. 미워하다 - Odiar

439. 나는 어제 늦은 약속을 미워했다. - Odié mi cita tardía de ayer.

440. 너는 지금 막힌 도로를 미워한다. - Odia la carretera bloqueada ahora mismo.

441. 그는 내일 일찍 일어나는 것을 미워할 것이다. - Odiará levantarse temprano mañana.

442. 그녀는 무엇을 미워하나요? - ¿Qué odia ella?

443. 그녀는 무례함을 미워합니다. - Odia la mala educación.

444. 기다리다 - Esperar

445. 나는 어제 너를 오랫동안 기다렸다. - Ayer te esperé mucho tiempo.

446. 너는 지금 친구를 기다린다. - Ahora esperas a tu amigo.

447. 그는 내일 중요한 전화를 기다릴 것이다. - Mañana esperará una llamada importante.

448. 우리는 얼마나 더 기다려야 하나요? - ¿Cuánto más tenemos que esperar?

449. 5분만 더 기다려 주세요. - Por favor, espere cinco minutos más.

450. 만나다 - Encontrarse

451. 나는 지난 주에 그를 만났다. - Le conocí la semana pasada.

452. 너는 지금 새로운 사람을 만난다. - Ahora conoce a una persona nueva.

453. 그녀는 내일 오랜 친구를 만날 것이다. - Mañana se reunirá con un viejo amigo.

454. 그들은 언제 만나기로 했나요? - ¿Cuándo se verán?

455. 그들은 내일 오후에 만나기로 했습니다. - Mañana por la tarde.

456. 헤어지다 - romper

457. 나는 지난달에 그녀와 헤어졌다. - Rompí con ella el mes pasado.

458. 너는 지금 슬픔을 헤어진다. - Rompe ahora con tus penas.

459. 그들은 내일 서로 헤어질 것이다. - Se separarán mañana.

460. 왜 그들은 헤어지기로 결정했나요? - ¿Por qué decidieron separarse?

461. 그들은 서로 다른 길을 가기로 결정했습니다. - Decidieron seguir caminos separados.

462. 전화하다 - llamar

463. 나는 어제 그에게 전화했다. - Le llamé ayer.

464. 너는 지금 의사에게 전화한다. - Llama ahora al médico.

465. 그녀는 내일 저녁에 나에게 전화할 것이다. - Me llamará mañana por la

tarde.

466. 그는 언제 나에게 전화할 거예요? - ¿Cuándo me llamará?

467. 그는 저녁에 전화할 거예요. - Me llamará por la tarde.

468. 6. 명사 단어들 외우기, 필수 10개 동사의 단어들을 가지고 50문장 연습하기 - 6. memorizar palabras sustantivas, practicar 50 frases con las 10 palabras verbales esenciales

469. 길 - manera

470. 질문 - Pregunta

471. 조언 - Consejo

472. 시간 - Tiempo

473. 문제 - Problema

474. 상자 - Caja

475. 책 - libro

476. 가방 - bolsa

477. 펜 - bolígrafo

478. 열쇠 - llave

479. 서류 - documento

480. 캐리어 - portador

481. 장난감 - juguete

482. 바구니 - cesta

483. 카트 - carro

484. 문 - puerta

485. 의자 - silla

486. 책장 - estantería

487. 로프 - cuerda

488. 커튼 - cortina

489. 끈 - cuerda

490. 손잡이 - asa

491. 방 - habitación

492. 집 - casa

493. 회의실 - sala de reuniones

494. 건물 - edificio

495. 영화관 - cine

496. 사무실 - oficina

497. 도서관 - biblioteca

498. 언덕 - Colina

499. 계단 - escalera

500. 탑 - torre

501. 산 - montaña

502. 묻다 - preguntar

503. 나는 어제 길을 물었다. - Ayer pregunté por una dirección.

504. 너는 지금 질문을 한다. - Ahora pregunta.

505. 그는 내일 조언을 물을 것이다. - Mañana pedirá consejo.

506. 그녀는 무엇을 물어봤나요? - ¿Qué preguntó?

507. 그녀는 시간을 물어봤습니다. - Preguntó por la hora.

508. 대답하다 - Para responder

509. 나는 그의 질문에 대답했다. - Respondí a su pregunta.

510. 너는 지금 내 질문에 대답한다. - Responde a mi pregunta ahora.

511. 그녀는 내일 문제에 대답할 것이다. - Ella responderá a la pregunta mañana.

512. 그들은 어떻게 대답했나요? - ¿Cómo contestaron?

513. 그들은 친절하게 대답했습니다. - Respondieron amablemente.

514. 들다 - levantar

515. 나는 무거운 상자를 들었다. - He levantado la pesada caja.

516. 너는 지금 책을 든다. - Ahora llevas un libro.

517. 그는 내일 가방을 들 것이다. - Mañana levantará la bolsa.

518. 그녀는 무엇을 들 수 있나요? - ¿Qué puede levantar?

519. 그녀는 큰 가방을 들 수 있습니다. - Puede levantar una bolsa grande.

520. 놓다 - Poner

521. 나는 펜을 책상 위에 놓았다. - Pongo el bolígrafo en el escritorio.

522. 너는 지금 열쇠를 놓는다. - Pon las llaves ahora.

523. 그들은 내일 서류를 책상 위에 놓을 것이다. - Mañana pondrán los papeles en el escritorio.

524. 그는 어디에 그것을 놓았나요? - ¿Dónde lo puso?

525. 그는 문 앞에 그것을 놓았습니다. - Lo puso delante de la puerta.

526. 끌다 - arrastrar

527. 나는 캐리어를 끌었다. - Arrastré la maleta.

528. 너는 지금 장난감을 끈다. - Ahora arrastra tú el juguete.

529. 그녀는 내일 바구니를 끌 것이다. - Mañana arrastrará la cesta.

530. 그들은 무엇을 끌었나요? - ¿Qué arrastraron?

531. 그들은 작은 카트를 끌었습니다. - Empujaron un carrito pequeño.

532. 밀다 - Empujar

533. 나는 문을 밀었다. - Empujé la puerta.

534. 너는 지금 의자를 밀고 있다. - Ahora está empujando la silla.

535. 그는 내일 상자를 밀 것이다. - Mañana empujará las cajas.

536. 그녀는 어떤 것을 밀어야 하나요? - ¿Qué tiene que empujar?

537. 그녀는 책장을 밀어야 합니다. - Tiene que empujar la estantería.

538. 당기다 - Tirar

539. 나는 로프를 당겼다. - He tirado de la cuerda.

540. 너는 지금 커튼을 당긴다. - Ahora tira tú de las cortinas.

541. 그들은 내일 끈을 당길 것이다. - Mañana tirarán de la cuerda.

542. 그는 무엇을 당겼나요? - ¿De qué tiró?

543. 그는 문 손잡이를 당겼습니다. - Tiró de la manilla de la puerta.

544. 들어가다 - entrar

545. 나는 방에 들어갔다. - Entré en la habitación.

546. 너는 지금 집에 들어간다. - Ahora estás entrando en la casa.

547. 그녀는 내일 회의실에 들어갈 것이다. - Entrará en la sala de conferencias mañana.

548. 그들은 언제 건물에 들어갔나요? - ¿Cuándo entraron en el edificio?

549. 그들은 아침에 건물에 들어갔습니다. - Entraron en el edificio por la mañana.

550. 나오다 - salir

551. 나는 어제 영화관에서 나왔다. - Ayer salí del cine.

552. 너는 지금 사무실에서 나온다. - Tú sales ahora de la oficina.

553. 그는 내일 도서관에서 나올 것이다. - Mañana saldrá de la biblioteca.

554. 너는 어디에서 나왔나요? - ¿De dónde saliste?

555. 나는 회의실에서 나왔습니다. - Salí de la sala de conferencias.

556. 올라가다 - subir

557. 나는 언덕을 올라갔다. - Subí la cuesta.

558. 너는 지금 계단을 올라간다. - Ahora estás subiendo las escaleras.

559. 우리는 내일 탑에 올라갈 것이다. - Mañana subiremos a la torre.

560. 그들은 어디로 올라갔나요? - ¿Adónde subieron?

561. 그들은 산으로 올라갔습니다. - Subieron a la montaña.

562. 7. 명사 단어들 외우기, 필수 10개 동사의 단어들을 가지고 50문장 연습하기 - 7. memoriza las palabras sustantivas, practica 50 frases con las palabras de los 10 verbos esenciales

563. 지하 - subterráneo

564. 계단 - escaleras

565. 지하철역 - estación de metro

566. 지하실 - sótano

567. 자전거 - bicicleta

568. 버스 - autobús

569. 기차 - tren

570. 배 - barco

571. 역 - estación

572. 비행기 - avión

573. 정류장 - estación

574. 중앙 정류장 - parada central

575. 계약서 - contrato

576. 메뉴 - menú

577. 계획 - plano

578. 문서 - documento

579. 보고서 - informe

580. 미래 - futuro

581. 결정 - decisión

582. 직업 변경 - cambiar de trabajo

583. 대학 - universidad

584. 저녁 메뉴 - menú de la cena

585. 여행지 - destino de viaje

586. 색깔 - Color

587. 파란색 - azul

588. 문제 - problema

589. 어려움 - dificultad

590. 수수께끼 - Acertijo

591. 상황 - situación

592. 팀워크 - trabajo en equipo

593. 순간 - Momento

594. 날짜 - cita

595. 대화 - conversación

596. 숫자 - número

597. 전화번호 - número de teléfono

598. 생일 - cumpleaños

599. 약속 - promesa

600. 회의 - reunión

601. 회의 시간 - hora de encuentro

602. 말 - palabra

603. 소식 - Noticias

604. 기적 - milagro

605. 운명 - destino

606. 내려가다 - bajar

607. 나는 지하로 내려갔다. - Bajé al sótano.

608. 너는 지금 계단을 내려간다. - Ahora está bajando las escaleras.

609. 그녀는 내일 지하철역으로 내려갈 것이다. - Mañana bajará a la estación de metro.

610. 그는 어디로 내려갔나요? - ¿Dónde bajó?

611. 그는 지하실로 내려갔습니다. - Bajó al sótano.

612. 타다 - montar

613. 나는 자전거를 탔다. - He montado en bicicleta.

614. 너는 지금 버스를 탄다. - Ahora vas en autobús.

615. 그들은 내일 기차를 탈 것이다. - Mañana cogerán el tren.

616. 그녀는 무엇을 타고 싶어하나요? - ¿Qué quiere montar?

617. 그녀는 배를 타고 싶어합니다. - Quiere ir en barco.

618. 내리다 - Bajarse

619. 나는 역에서 기차에서 내렸다. - Me bajé del tren en la estación.

620. 너는 지금 버스에서 내린다. - Bájate del autobús ahora.

621. 그는 내일 비행기에서 내릴 것이다. - Se bajará del avión mañana.

622. 그들은 어느 정류장에서 내렸나요? - ¿En qué parada se bajaron?

623. 그들은 중앙 정류장에서 내렸습니다. - Se bajaron en la parada central.

624. 살펴보다 - revisar

625. 나는 계약서를 살펴보았다. - He mirado el contrato.

626. 너는 지금 메뉴를 살펴본다. - Ahora mira tú el menú.

627. 그녀는 내일 계획을 살펴볼 것이다. - Ella revisará los planos de mañana.

628. 그들은 어떤 문서를 살펴보고 있나요? - ¿Qué documentos están revisando?

629. 그들은 보고서를 살펴보고 있습니다. - Están revisando el informe.

630. 생각하다 - Pensar

631. 나는 우리의 미래에 대해 생각했다. - Estaba pensando en nuestro futuro.

632. 너는 지금 무엇에 대해 생각한다. - ¿En qué piensas ahora?

633. 그는 내일 결정에 대해 생각할 것이다. - Pensará en su decisión mañana.

634. 그녀는 무엇에 대해 생각하고 있나요? - ¿En qué está pensando?

635. 그녀는 직업 변경에 대해 생각하고 있습니다. - Está pensando en cambiar de trabajo.

636. 결정하다 - decidir

637. 나는 대학을 결정했다. - Me he decidido por una universidad.

638. 너는 지금 저녁 메뉴를 결정한다. - Ahora estás decidiendo el menú de la cena.

639. 그들은 내일 여행지를 결정할 것이다. - Decidirán a dónde viajar mañana.

640. 그는 어떤 색깔을 결정했나요? - ¿De qué color se ha decidido?

641. 그는 파란색을 결정했습니다. - Se decidió por el azul.

642. 해결하다 - resolver

643. 나는 그 문제를 해결했다. - He resuelto el problema.

644. 너는 지금 어려움을 해결한다. - Resuelve la dificultad ahora.

645. 그녀는 내일 그 수수께끼를 해결할 것이다. - Resolverá ese acertijo mañana.

646. 그들은 어떻게 그 상황을 해결했나요? - ¿Cómo resolvieron esa situación?

647. 그들은 팀워크로 해결했습니다. - Lo resolvieron con trabajo en equipo.

648. 기억하다 - Recordar

649. 나는 그 순간을 기억했다. - Recordé el momento.

650. 너는 지금 중요한 날짜를 기억한다. - Ahora recuerda la fecha

importante.

651. 우리는 내일 그 대화를 기억할 것이다. - Mañana recordaremos la conversación.

652. 그녀는 어떤 숫자를 기억하나요? - ¿Qué número recuerda ella?

653. 그녀는 그의 전화번호를 기억합니다. - Ella recuerda su número de teléfono.

654. 잊다 - olvidar

655. 나는 그의 생일을 잊었다. - Olvidé su cumpleaños.

656. 너는 지금 약속을 잊는다. - Ahora se le olvida la cita.

657. 그는 내일 중요한 회의를 잊을 것이다. - Olvidará su importante reunión de mañana.

658. 그들은 무엇을 잊어버렸나요? - ¿Qué olvidaron?

659. 그들은 그 회의 시간을 잊어버렸습니다. - Olvidaron la hora de la reunión.

660. 믿다 - creer

661. 나는 그녀의 말을 믿었다. - Creí sus palabras.

662. 너는 지금 그 소식을 믿는다. - Ahora se creen las noticias.

663. 그들은 내일 기적을 믿을 것이다. - Creerán en un milagro mañana.

664. 그는 무엇을 믿나요? - ¿En qué cree él?

665. 그는 운명을 믿습니다. - Cree en el destino.

666. 8. 명사 단어들 외우기, 필수 10개 동사의 단어들을 가지고 50문장 연습하기 - 8. memorizar palabras sustantivas, practicar 50 frases con las 10 palabras verbales esenciales

667. 말 - palabra

668. 소식 - Noticias

669. 계획 - plan

670. 이야기 - historia

671. 결과 - resultado

672. 평화 - paz

673. 성공 - éxito

674. 미래 - futuro

675. 건강 - salud

676. 안전 - seguridad

677. 가족 - familia

678. 행복 - felicidad

679. 세계 평화 - paz mundial

680. 차 - coche

681. 집 - casa

682. 여행 - viajar

683. 시골 - campo

684. 활동 - actividad

685. 신호등 - semáforo

686. 새벽 - amanecer

687. 학교 - escuela

688. 아침 - mañana

689. 회사 - empresa

690. 목적지 - destino

691. 오후 - tarde

692. 편지 - carta

693. 메일 - correo

694. 선물 - regalo

695. 친구 - amigo

696. 길 - carretera

697. 강 - río

698. 다리 - pierna

699. 보트 - barco

700. 과거 - pasado

701. 결정 - decisión

702. 무언가 - algo

703. 의심하다 - dudar

704. 나는 그의 말을 의심했다. - Dudé de sus palabras.

705. 너는 지금 그 소식을 의심한다. - Ahora duda de las noticias.

706. 그는 내일 그 계획을 의심할 것이다. - Dudará del plan mañana.

707. 너는 왜 그를 의심하나요? - ¿Por qué dudas de él?

708. 나는 그의 이야기가 일관되지 않기 때문입니다. - Dudo de él porque su historia es incoherente.

709. 희망하다 - esperar

710. 나는 좋은 결과를 희망했다. - Esperaba un buen resultado.

711. 너는 지금 평화를 희망한다. - Ahora esperan la paz.

712. 그들은 내일 성공을 희망할 것이다. - Esperan tener éxito mañana.

713. 우리는 무엇을 희망해야 하나요? - ¿Qué deberíamos esperar?

714. 우리는 더 나은 미래를 희망해야 합니다. - Deberíamos esperar un futuro mejor.

715. 기도하다 - Rezar

716. 나는 건강을 위해 기도했다. - Yo rezo por la salud.

717. 너는 지금 안전을 기도한다. - Ahora reza por la seguridad.

718. 그녀는 내일 가족의 행복을 기도할 것이다. - Mañana rezará por la felicidad de su familia.

719. 너는 무엇을 위해 기도하나요? - ¿Por qué rezas tú?

720. 나는 세계 평화를 위해 기도합니다. - Rezo por la paz mundial.

721. 운전하다 - conducir

722. 나는 어제 차를 운전했다. - Ayer conduje mi coche.

723. 너는 지금 집으로 운전한다. - Ahora conduce tú a casa.

724. 그는 내일 여행을 운전할 것이다. - Mañana conducirá el viaje.

725. 그녀는 어디로 운전해 가나요? - ¿Adónde va en coche?

726. 그녀는 시골로 운전해 갑니다. - Va al campo.

727. 멈추다 - Parar

728. 나는 갑자기 멈췄다. - Paré de repente.

729. 너는 지금 멈춘다. - Para ahora.

730. 우리는 내일 활동을 멈출 것이다. - Pararemos nuestras actividades mañana.

731. 그들은 왜 멈췄나요? - ¿Por qué han parado?

732. 그들은 신호등에서 멈췄습니다. - Se detuvieron en el semáforo.

733. 출발하다 - Partir

734. 나는 새벽에 출발했다. - Salí al amanecer.

735. 너는 지금 여행을 출발한다. - Ahora te vas de viaje.

736. 그녀는 내일 학교로 출발할 것이다. - Mañana se irá a la escuela.

737. 그들은 언제 출발할 예정인가요? - ¿Cuándo está prevista su salida?

738. 그들은 내일 아침에 출발할 예정입니다. - Su salida está prevista para mañana por la mañana.

739. 도착하다 - llegar

740. 나는 어젯밤에 도착했다. - Llegué anoche.

741. 너는 지금 회사에 도착한다. - Tú llegas ahora al trabajo.

742. 그들은 내일 목적지에 도착할 것이다. - Llegarán a su destino mañana.

743. 너는 언제 도착했나요? - ¿Cuándo llegaste?

744. 나는 오후에 도착했습니다. - Llegué por la tarde.

745. 보내다 - Enviar

746. 나는 편지를 보냈다. - Envié una carta.

747. 너는 지금 메일을 보낸다. - Envíe el correo ahora.

748. 그는 내일 선물을 보낼 것이다. - Enviará el regalo mañana.

749. 우리는 누구에게 선물을 보내나요? - ¿A quién enviamos regalos?

750. 우리는 친구에게 선물을 보냅니다. - Enviamos regalos a nuestros amigos.

751. 건너다 - cruzar

752. 나는 길을 건넜다. - He cruzado la carretera.

753. 너는 지금 강을 건넌다. - Tú cruzas el río ahora.

754. 그녀는 내일 다리를 건널 것이다. - Ella cruzará el puente mañana.

755. 당신들은 어떻게 강을 건넜나요? - ¿Cómo cruzasteis el río?

756. 우리는 보트를 이용해서 건넜습니다. - Cruzamos en barco.

757. 돌아보다 - mirar hacia atrás

758. 나는 뒤를 돌아보았다. - Miré hacia atrás.

759. 너는 지금 과거를 돌아본다. - Ahora miras hacia atrás.

760. 우리는 내일 결정을 돌아볼 것이다. - Mañana volveremos la vista atrás.

761. 그녀는 왜 주저하며 돌아보나요? - ¿Por qué duda en mirar atrás?

762. 그녀는 무언가를 잊었기 때문입니다. - Porque ha olvidado algo.

763. 9. 명사 단어들 외우기, 필수 10개 동사의 단어들을 가지고 50문장 연습하기 - 9. memorizar palabras sustantivas, practicar 50 frases con las 10 palabras verbales esenciales

764. 위험 - peligro

765. 갈등 - conflicto

766. 교통 체증 - Atasco

767. 논쟁 - discusión

768. 제품 - producto

769. 가격 - precio

770. 옵션 - opción

771. 대학 프로그램 - programa universitario

772. 시험 - prueba

773. 발표 - presentación

774. 파티 - fiesta

775. 저녁 식사 - cena

776. 방 - sala

777. 책상 - mesa

778. 창고 - almacenamiento

779. 서류 - documento

780. 자전거 - bicicleta

781. 컴퓨터 - ordenador

782. 시계 - reloj

783. 옥상 - tejado

784. 신발 - zapatos

785. 문 - puerta

786. 안경 - gafas

787. 자동차 - automóvil

788. 피아노 - piano

789. 공 - pelota

790. 골프 - golf

791. 드럼 - tambor

792. 돌 - piedra

793. 종이비행기 - avión de papel

794. 나비 - mariposa

795. 물고기 - pez

796. 꽃 - flor

797. 화분 - maceta

798. 정원 - jardín

799. 피하다 - evitar

800. 나는 위험을 피했다. - Evité el peligro.

801. 너는 지금 갈등을 피한다. - Ahora evita el conflicto.

802. 그들은 내일 교통 체증을 피할 것이다. - Mañana evitarán el atasco.

803. 그는 무엇을 피하려고 하나요? - ¿Qué intenta evitar?

804. 그는 불필요한 논쟁을 피하려고 합니다. - Intenta evitar discusiones innecesarias.

805. 비교하다 - Comparar

806. 나는 두 제품을 비교했다. - He comparado los dos productos.

807. 너는 지금 가격을 비교한다. - Ahora compara precios.

808. 그녀는 내일 옵션을 비교할 것이다. - Comparará opciones mañana.

809. 그들은 어떤 것들을 비교하나요? - ¿Qué cosas comparan?

810. 그들은 다양한 대학 프로그램을 비교합니다. - Comparan diferentes programas universitarios.

811. 준비하다 - preparar

812. 나는 시험을 준비했다. - Yo me preparé para el examen.

813. 너는 지금 발표를 준비한다. - Tú prepárate para la presentación ahora.

814. 우리는 내일 파티를 준비할 것이다. - Nos prepararemos para la fiesta de mañana.

815. 그녀는 무엇을 준비하고 있나요? - ¿Qué está preparando?

816. 그녀는 저녁 식사를 준비하고 있습니다. - Está preparando la cena.

817. 정리하다 - organizar

818. 나는 내 방을 정리했다. - He ordenado mi habitación.

819. 너는 지금 책상을 정리한다. - Ahora estás organizando tu escritorio.

820. 그들은 내일 창고를 정리할 것이다. - Mañana organizarán el almacén.

821. 그는 언제 서류를 정리할까요? - ¿Cuándo organizará sus papeles?

822. 그는 이번 주말에 서류를 정리할 것입니다. - Lo hará este fin de semana.

823. 수리하다 - reparar

824. 나는 자전거를 수리했다. - He reparado mi bicicleta.

825. 너는 지금 컴퓨터를 수리한다. - Ahora estás reparando el ordenador.

826. 그녀는 내일 시계를 수리할 것이다. - Ella reparará su reloj mañana.

827. 그들은 무엇을 수리하고 있나요? - ¿Qué están reparando?

828. 그들은 옥상을 수리하고 있습니다. - Están reparando el tejado.

829. 고치다 - reparar

830. 나는 신발을 고쳤다. - Me he arreglado los zapatos.

831. 너는 지금 문을 고친다. - Arregla la puerta ahora.

832. 그는 내일 안경을 고칠 것이다. - Mañana se arreglará las gafas.

833. 그녀는 언제 자동차를 고쳤나요? - ¿Cuándo arregló su coche?

834. 그녀는 지난 주에 자동차를 고쳤습니다. - Lo arregló la semana pasada.

835. 치다 - Tocar

836. 나는 피아노를 쳤다. - Toqué el piano.

837. 너는 지금 공을 친다. - Ahora golpeas la pelota.

838. 그들은 내일 골프를 칠 것이다. - Mañana jugarán al golf.

839. 너는 언제 드럼을 쳤나요? - ¿Cuándo tocaste la batería?

840. 나는 어제 드럼을 쳤습니다. - Ayer toqué la batería.

841. 던지다 - Tirar

842. 나는 공을 던졌다. - Lancé la pelota.

843. 너는 지금 돌을 던진다. - Ahora lanzas piedras.

844. 그는 내일 종이비행기를 던질 것이다. - Mañana lanzará un avión de papel.

845. 그녀는 무엇을 던졌나요? - ¿Qué ha tirado?

846. 그녀는 공을 던졌어요. - Ha lanzado una pelota.

847. 잡다 - atrapar

848. 나는 나비를 잡았다. - He cogido una mariposa.

849. 너는 지금 공을 잡는다. - Ahora coge tú la pelota.

850. 우리는 내일 물고기를 잡을 것이다. - Mañana pescaremos peces.

851. 그들은 무엇을 잡았나요? - ¿Qué han pescado?

852. 그들은 큰 물고기를 잡았어요. - Pescaron un pez grande.

853. 피다 - florecer

854. 나는 꽃을 피웠다. - He florecido una flor.

855. 너는 지금 화분에서 꽃이 피는 것을 본다. - Ahora ves una flor en una maceta.

856. 그녀는 내일 정원에서 꽃을 피울 것이다. - Mañana tendrá flores en el jardín.

857. 그들은 어디에서 꽃을 피웠나요? - ¿Dónde florecieron?

858. 그들은 정원에서 꽃을 피웠어요. - Florecieron en el jardín.

859. 침대 - la cama

860. 소파 - el sofá

861. 잔디밭 - el césped

862. 꿈 - un sueño

863. 몸 - un cuerpo

864. 병 - botella

865. 물 - agua

866. 수프 - sopa

867. 차 - té

868. 친구들 - amigos

869. 파티 - fiesta

870. 모임 - reunión

871. 공원 - Parque

872. 집 - casa

873. 여행 - viaje

874. 학교 - escuela

875. 방 - habitación

876. 비밀 - secreto

877. 진실 - verdad

878. 이야기 - historia

879. 서랍 - cajón

880. 책 - libro

881. 가방 - Bolsa

882. 지갑 - Cartera

883. 상자 - Caja

884. 선물 - Regalo

885. 편지 - Carta

886. 눕다 - acostarse

887. 나는 일찍 누웠다. - Me acuesto temprano.

888. 너는 지금 침대에 눕는다. - Ahora se acuesta en la cama.

889. 그는 내일 소파에 누울 것이다. - Mañana se acostará en el sofá.

890. 그녀는 어디에 누웠나요? - ¿Dónde se acostó?

891. 그녀는 잔디밭에 누웠어요. - Se tumbó en el césped.

892. 꿈꾸다 - Soñar

893. 나는 행복한 꿈을 꿨다. - He tenido un sueño feliz.

894. 너는 지금 꿈을 꾼다. - Ahora estás soñando.

895. 우리는 내일 큰 꿈을 꿀 것이다. - Mañana tendremos un gran sueño.

896. 그들은 무슨 꿈을 꿨나요? - ¿Qué soñaban?

897. 그들은 여행하는 꿈을 꿨어요. - Soñaban con viajar.

898. 움직이다 - moverse

899. 나는 천천히 움직였다. - Me movía lentamente.

900. 너는 지금 몸을 움직인다. - Ahora mueven el cuerpo.

901. 그들은 내일 더 빠르게 움직일 것이다. - Mañana se moverán más rápido.

902. 그녀는 왜 움직이지 않나요? - ¿Por qué no se mueve?

903. 그녀는 피곤해서 움직이지 않아요. - No se mueve porque está cansada.

904. 흔들다 - agitar

905. 나는 나무를 흔들었다. - Sacudí el árbol.

906. 너는 지금 의자를 흔든다. - Agita la silla ahora.

907. 그는 내일 우산을 흔들 것이다. - Mañana sacudirá el paraguas.

908. 그들은 무엇을 흔들었나요? - ¿Qué agitaron?

909. 그들은 병을 흔들었어요. - Agitaron la botella.

910. 끓이다 - hervir

911. 나는 물을 끓였다. - Herví el agua.

912. 너는 지금 수프를 끓인다. - Ahora hierve tú la sopa.

913. 그녀는 내일 차를 끓일 것이다. - Ella hervirá el té mañana.

914. 그들은 언제 물을 끓였나요? - ¿Cuándo hirvieron el agua?

915. 그들은 아침에 물을 끓였어요. - Hirvieron el agua por la mañana.

916. 어울리다 - Llevarse bien

917. 나는 친구들과 잘 어울렸다. - Me llevaba bien con mis amigos.

918. 너는 지금 파티에서 잘 어울린다. - Ahora te ves bien en la fiesta.

919. 우리는 내일 모임에서 잘 어울릴 것이다. - Nos llevaremos bien en la reunión de mañana.

920. 그들은 어디에서 어울렸나요? - ¿Dónde se llevaban bien?

921. 그들은 공원에서 잘 어울렸어요. - Se llevaban bien en el parque.

922. 떠나다 - Salir

923. 나는 새벽에 떠났다. - Me fui al amanecer.

924. 너는 지금 집을 떠난다. - Ahora te vas de casa.

925. 그는 내일 여행을 떠날 것이다. - Se irá de viaje mañana.

926. 그녀는 언제 떠났나요? - ¿Cuándo se fue?

927. 그녀는 어제 떠났어요. - Se fue ayer.

928. 돌아오다 - volver

929. 나는 저녁에 돌아왔다. - Volví por la tarde.

930. 너는 지금 학교에서 돌아온다. - Ahora vuelves de la escuela.

931. 우리는 내일 여행에서 돌아올 것이다. - Volveremos de nuestro viaje

mañana.

932. 그들은 언제 돌아올까요? - ¿Cuándo volverán?

933. 그들은 내일 돌아올 거예요. - Volverán mañana.

934. 밝히다 - encender

935. 나는 방에 불을 밝혔다. - He encendido la luz de la habitación.

936. 너는 지금 비밀을 밝힌다. - Revela el secreto ahora.

937. 그녀는 내일 진실을 밝힐 것이다. - Revelará la verdad mañana.

938. 그는 왜 이야기를 밝혔나요? - ¿Por qué reveló la historia?

939. 그는 솔직하고 싶어서 밝혔어요. - La reveló porque quería ser sincero.

940. 꺼내다 - sacar

941. 나는 서랍에서 책을 꺼냈다. - Saqué el libro del cajón.

942. 너는 지금 가방에서 지갑을 꺼낸다. - Saca ahora la cartera del bolso.

943. 그는 내일 상자에서 선물을 꺼낼 것이다. - Mañana sacará el regalo de la caja.

944. 그녀는 무엇을 꺼냈나요? - ¿Qué sacó?

945. 그녀는 편지를 꺼냈어요. - Sacó una carta.

946. 10. 명사 단어들 외우기, 필수 10개 동사의 단어들을 가지고 50문장 연습하기 - 10. memorizar palabras sustantivas, practicar 50 frases con las palabras de los 10 verbos esenciales

947. 상자 - caja

948. 사진 - foto

949. 서류 - papel

950. 파일 - carpeta

951. 책 - libro

952. 책장 - Estantería

953. 서랍 - Cajón

954. 신문 - periódico

955. 컵 - taza

956. 물건 - objeto

957. 저녁 - cena

958. 식탁 - mesa de comedor

959. 아침 - desayuno

960. 식사 - comida

961. 파티 - fiesta

962. 테이블 - mesa

963. 정리 - organizar

964. 책상 - Escritorio

965. 방 - habitación

966. 장난감 - Juguetes

967. 친구 - amigo

968. 연필 - Lápiz

969. 텐트 - tienda

970. 선생님 - profesor

971. 돈 - dinero

972. 도구 - herramienta

973. 소식 - noticias

974. 소리 - Sonido

975. 선물 - presente

976. 밤 - Noche

977. 시험 - Prueba

978. 결과 - Resultado

979. 발표 - anuncio

980. 높은 - alto

981. 건강 - salud

982. 여행 - viaje

983. 날씨 - Tiempo

984. 메시지 - Mensaje

985. 넣다 - Insertar

986. 나는 상자에 사진을 넣었다. - He puesto la foto en la caja.

987. 너는 지금 서류를 파일에 넣는다. - Ahora pon los papeles en el archivador.

988. 우리는 내일 책을 책장에 넣을 것이다. - Mañana pondremos los libros en la estantería.

989. 그들은 어디에 넣었나요? - ¿Dónde los han puesto?

990. 그들은 서랍에 넣었어요. - Los han puesto en el cajón.

991. 버리다 - tirar

992. 나는 오래된 신문을 버렸다. - He tirado el periódico viejo.

993. 너는 지금 깨진 컵을 버린다. - Tira ahora la taza rota.

994. 그는 내일 불필요한 물건을 버릴 것이다. - Mañana tirará las cosas innecesarias.

995. 그녀는 왜 그것을 버렸나요? - ¿Por qué lo tiró?

996. 그녀는 필요 없어서 버렸어요. - Lo tiró porque no lo necesitaba.

997. 차리다 - Poner la mesa

998. 나는 저녁 식탁을 차렸다. - Yo pongo la mesa para cenar.

999. 너는 지금 아침 식사를 차린다. - Ahora tú pones la mesa para desayunar.

1000. 우리는 내일 파티를 위해 테이블을 차릴 것이다. - Mañana pondremos la mesa para la fiesta.

1001. 그들은 언제 식탁을 차렸나요? - ¿Cuándo han puesto la mesa?

1002. 그들은 방금 차렸어요. - Acaban de poner la mesa.

1003. 치우다 - limpiar

1004. 나는 파티 후에 정리를 했다. - He limpiado después de la fiesta.

1005. 너는 지금 책상을 치운다. - Ahora estás recogiendo la mesa.

1006. 그녀는 내일 방을 치울 것이다. - Ella guardará su habitación mañana.

1007. 그들은 무엇을 치웠나요? - ¿Qué han guardado?

1008. 그들은 장난감을 치웠어요. - Han guardado los juguetes.

1009. 빌리다 - Tomar prestado

1010. 나는 친구에게 책을 빌렸다. - Un amigo me prestó un libro.

1011. 너는 지금 연필을 빌린다. - Pide prestado un lápiz.

1012. 우리는 내일 텐트를 빌릴 것이다. - Mañana pediremos prestada la tienda.

1013. 그녀는 누구에게 빌렸나요? - ¿A quién le pidió prestado?

1014. 그녀는 선생님에게 빌렸어요. - A su profesor.

1015. 갚다 - devolver

1016. 나는 친구에게 돈을 갚았다. - Le devolví el dinero a mi amigo.

1017. 너는 지금 빌린 책을 갚는다. - Devuelve el libro prestado ahora.

1018. 그는 내일 빌린 도구를 갚을 것이다. - Mañana devolverá las herramientas prestadas.

1019. 그들은 언제 갚을까요? - ¿Cuándo lo devolverán?

1020. 그들은 내일 갚을 거예요. - Lo devolverán mañana.

1021. 놀라다 - sorprenderse

1022. 나는 소식에 놀랐다. - Me sorprendió la noticia.

1023. 너는 지금 갑작스러운 소리에 놀란다. - Te sorprende el sonido repentino de ahora.

1024. 그녀는 내일 깜짝 선물에 놀랄 것이다. - Le sorprenderá la sorpresa de mañana.

1025. 그는 왜 놀랐나요? - ¿Por qué se sorprendió?

1026. 그는 선물을 받아서 놀랐어요. - Se sorprendió al recibir el regalo.

1027. 두렵다 - a Asustado

1028. 나는 어두운 밤이 두려웠다. - Tenía miedo de la noche oscura.

1029. 너는 지금 시험 결과가 두렵다. - Ahora tienes miedo de los resultados del examen.

1030. 우리는 내일 발표가 두려울 것이다. - Mañana tendremos miedo de la presentación.

1031. 그녀는 무엇이 두렵나요? - ¿De qué tiene miedo?

1032. 그녀는 높은 곳이 두려워요. - Tiene miedo a las alturas.

1033. 걱정하다 - estar preocupado

1034. 나는 시험 결과를 걱정했다. - Estaba preocupada por los resultados del examen.

1035. 너는 친구의 건강을 걱정한다. - Se preocupa por la salud de su amigo.

1036. 그는 여행의 날씨를 걱정할 것이다. - Se preocupará por el tiempo que haga en su viaje.

1037. 걱정이 많나요? - ¿Te preocupas mucho?

1038. 네, 걱정이 많아요. - Sí, me preocupo mucho.

1039. 안심하다 - sentirse aliviado

1040. 나는 메시지를 받고 안심했다. - Me sentí aliviado al recibir el mensaje.

1041. 너는 결과를 듣고 안심한다. - Se siente aliviada al oír el resultado.

1042. 그녀는 확인 후 안심할 것이다. - Se sentirá aliviada después de comprobarlo.

1043. 안심됐나요? - ¿Estás aliviada?

1044. 네, 안심됐어요. - Sí, estoy aliviado.

1045. 11. 명사 단어들 외우기, 필수 10개 동사의 단어들을 가지고 50문장 연습하기 - 11. memorizar palabras sustantivas, practicar 50 frases con las 10 palabras verbales esenciales

1046. 실수 - error

1047. 지연 - Retraso

1048. 문제 - Problema

1049. 친구 - amigo

1050. 아이 - Niño

1051. 동료 - compañero de trabajo

1052. 동생 - Hermano

1053. 졸업 - Graduación

1054. 생일 - Cumpleaños

1055. 성공 - Éxito

1056. 도움 - ayuda

1057. 선생님 - profesor

1058. 지원 - apoyo

1059. 오해 - malentendido

1060. 잘못 - equivocado

1061. 서류 - Documento

1062. 파일 - archivo

1063. 책 - Libro

1064. 책장 - estantería

1065. 돈 - dinero

1066. 저금통 - hucha

1067. 그릇 - cuenco

1068. 신문 - periódico

1069. 옷 - ropa

1070. 저녁 - cena

1071. 식탁 - mesa de comedor

1072. 아침 - desayuno

1073. 식사 - comida

1074. 파티 - fiesta

1075. 테이블 - mesa

1076. 화내다 - enfadarse

1077. 나는 실수를 하고 화냈다. - Cometí un error y me enfadé.

1078. 너는 지연에 화낸다. - Están enfadados por el retraso.

1079. 그들은 문제를 보고 화낼 것이다. - Verán el problema y se enfadarán.

1080. 화났나요? - ¿Estás enfadado?

1081. 네, 화났어요. - Sí, estoy enfadado.

1082. 달래다 - Para apaciguar

1083. 나는 친구를 달랬다. - Apacigué a mi amigo.

1084. 너는 아이를 달랜다. - Apaciguarás al niño.

1085. 그녀는 동료를 달랠 것이다. - Apaciguará a su compañera de trabajo.

1086. 달랐나요? - ¿Fue diferente?

1087. 네, 달랐어요. - Sí, fue diferente.

1088. 축하하다 - Para celebrar

1089. 나는 동생의 졸업을 축하했다. - Felicité a mi hermano por su graduación.

1090. 너는 친구의 생일을 축하한다. - Tú celebra el cumpleaños de tu amigo.

1091. 우리는 성공을 축하할 것이다. - Nosotros celebraremos nuestro éxito.

1092. 축하할까요? - ¿Lo celebramos?

1093. 네, 축하해요. - Sí, vamos a celebrarlo.

1094. 감사하다 - Ser agradecido

1095. 나는 도움을 받고 감사했다. - Me ayudaron y me dieron las gracias.

1096. 너는 선생님께 감사한다. - Estarás agradecido a tu profesor.

1097. 그들은 지원에 감사할 것이다. - Estarán agradecidos por la ayuda.

1098. 감사해요? - ¿Estás agradecido?

1099. 네, 감사해요. - Sí, estoy agradecido.

1100. 사과하다 - Pedir disculpas

1101. 나는 실수에 대해 사과했다. - Me he disculpado por mi error.

1102. 너는 지각에 대해 사과한다. - Se disculpará por su tardanza.

1103. 그는 오해에 대해 사과할 것이다. - Se disculpará por el malentendido.

1104. 사과할까요? - ¿Me disculpo?

1105. 네, 사과해요. - Sí, pido disculpas.

1106. 용서하다 - Perdonar

1107. 나는 친구의 실수를 용서했다. - Perdoné a mi amigo por su error.

1108. 너는 그의 잘못을 용서한다. - Perdonará su falta.

1109. 그녀는 오해를 용서할 것이다. - Perdonará el malentendido.

1110. 용서할까요? - ¿Perdonamos?

1111. 네, 용서해요. - Sí, perdono.

1112. 선물하다 - Hacer un regalo

1113. 나는 친구에게 선물을 했다. - Le hice un regalo a mi amigo.

1114. 너는 선생님께 선물한다. - Tú le haces un regalo a tu profesor.

1115. 그들은 기념일에 선물할 것이다. - Ellos harán un regalo en su aniversario.

1116. 선물할까요? - ¿Hago un regalo?

1117. 네, 선물해요. - Sí, hago un regalo.

1118. 넣다 - Poner

1119. 나는 서류를 파일에 넣었다. - Yo pongo los papeles en el archivador.

1120. 너는 책을 책장에 넣는다. - Tú pones los libros en la estantería.

1121. 그는 돈을 저금통에 넣을 것이다. - Él pondrá el dinero en la hucha.

1122. 넣을까요? - ¿Lo meto?

1123. 네, 넣어요. - Sí, métalo.

1124. 버리다 - Tirar

1125. 나는 깨진 그릇을 버렸다. - He tirado el cuenco roto.

1126. 너는 오래된 신문을 버린다. - Tú tira el periódico viejo.

1127. 그녀는 사용하지 않는 옷을 버릴 것이다. - Ella tirará la ropa que no usa.

1128. 버릴까요? - ¿La tiramos?

1129. 네, 버려요. - Sí, tírala.

1130. 차리다 - Poner la mesa

1131. 나는 저녁 식탁을 차렸다. - Yo pongo la mesa para cenar.

1132. 너는 아침 식사를 차린다. - Tú pones la mesa para el desayuno.

1133. 우리는 파티를 위해 테이블을 차릴 것이다. - Nosotros pondremos la mesa para la fiesta.

1134. 차릴까요? - ¿Ponemos la mesa?

1135. 네, 차려요. - Sí, pongamos la mesa.

1136. 12. 명사 단어들 외우기, 필수 10개 동사의 단어들을 가지고 50문장 연습하기 - 12. Memoriza las palabras sustantivas, practica 50 frases con las palabras de los 10 verbos esenciales

1137. 저녁 - cena

1138. 식사 - comida

1139. 방 - habitación

1140. 책상 - escritorio

1141. 이웃 - vecino

1142. 사다리 - escalera

1143. 친구 - amigo

1144. 책 - libro

1145. 차 - coche

1146. 빚 - deuda

1147. 은행 - banco

1148. 대출 - préstamo

1149. 돈 - dinero

1150. 소식 - Noticias

1151. 소리 - sonido

1152. 발표 - anuncio

1153. 어둠 - oscuridad

1154. 높이 - altura

1155. 실패 - Fallo

1156. 시험 - Prueba

1157. 결과 - Resultados

1158. 여행 - recorrido

1159. 계획 - planificación

1160. 답장 - Respuesta

1161. 확인 - comprobar

1162. 해결 - resolver

1163. 지각 - Retrasos

1164. 실수 - Errores

1165. 지연 - Retraso

1166. 아이 - Niño

1167. 동료 - compañero de trabajo

1168. 승진 - Promoción

1169. 성공 - Éxito

1170. 기념일 - Aniversario

1171. 치우다 - guardar

1172. 나는 저녁 식사 후에 정리했다. - He limpiado después de cenar.

1173. 너는 방을 치운다. - Ordena tu habitación.

1174. 그는 책상을 치울 것이다. - Él recogerá el escritorio.

1175. 치울까요? - ¿Lo guardo?

1176. 네, 치워요. - Sí, guárdalo.

1177. 빌리다 - Pedir prestado

1178. 나는 이웃에게 사다리를 빌렸다. - Le pedí prestada una escalera a mi vecino.

1179. 너는 친구에게 책을 빌린다. - Tú le pides prestado un libro a un amigo.

1180. 그들은 차를 빌릴 것이다. - Ellos pedirán prestado el coche.

1181. 빌릴까요? - ¿Me lo prestas?

1182. 네, 빌려요. - Sí, pidámoslo prestado.

1183. 갚다 - Pagar

1184. 나는 친구에게 빚을 갚았다. - He pagado la deuda a mi amigo.

1185. 너는 은행에 대출을 갚는다. - Devolverá el préstamo al banco.

1186. 그는 돈을 갚을 것이다. - Él devolverá el dinero.

1187. 갚을까요? - ¿Se lo devuelvo?

1188. 네, 갚아요. - Sí, se lo devolveré.

1189. 놀라다 - Sorprenderse

1190. 나는 소식을 듣고 놀랐다. - Me sorprendió la noticia.

1191. 너는 갑작스러운 소리에 놀란다. - Te sorprende el sonido repentino.

1192. 그녀는 발표를 듣고 놀랄 것이다. - Se sorprenderá al oír el anuncio.

1193. 놀랐나요? - ¿Te ha sorprendido?

1194. 네, 놀랐어요. - Sí, me sorprendió.

1195. 두렵다 - a Asustado

1196. 나는 어둠이 두려웠다. - Tenía miedo de la oscuridad.

1197. 너는 높이가 두렵다. - Tienen miedo a las alturas.

1198. 그들은 실패가 두려울 것이다. - Tienen miedo al fracaso.

1199. 두려워요? - ¿Tienes miedo?

1200. 네, 두려워요. - Sí, tengo miedo.

1201. 걱정하다 - Preocuparse.

1202. 나는 시험을 걱정했다. - Me preocupaba el examen.

1203. 너는 결과를 걱정한다. - Preocuparse por los resultados.

1204. 그는 여행 계획을 걱정할 것이다. - Se preocupará por sus planes de viaje.

1205. 걱정이 많으세요? - ¿Te preocupas mucho?

1206. 아니요, 조금요. - No, un poco.

1207. 안심하다 - sentirse aliviado

1208. 나는 답장을 받고 안심했다. - Me sentí aliviado al recibir una respuesta.

1209. 너는 확인하고 안심한다. - Se siente aliviado al recibir la confirmación.

1210. 그녀는 해결되면 안심할 것이다. - Se sentirá aliviada cuando se resuelva.

1211. 안심됐어요? - ¿Se siente aliviada?

1212. 네, 안심됐어요. - Sí, estoy aliviada.

1213. 화내다 - estar enfadado

1214. 나는 지각에 화냈다. - Estoy enfadado por la tardanza.

1215. 너는 실수에 화낸다. - Usted está enfadado por el error.

1216. 그는 지연에 화낼 것이다. - Se enfadará por el retraso.

1217. 화낼 거예요? - ¿Se va a enfadar?

1218. 아니요, 안 화낼래요. - No, no me enfadaré.

1219. 달래다 - Para calmar

1220. 나는 울던 아이를 달랬다. - Calmé al niño que lloraba.

1221. 너는 친구를 달랜다. - Usted calmará a su amigo.

1222. 그녀는 동료를 달랠 것이다. - Ella calmará a su compañero de trabajo.

1223. 달랠 수 있어요? - ¿Sabes apaciguar?

1224. 네, 달랠게요. - Sí, apaciguaré.

1225. 축하하다 - Celebrar

1226. 나는 승진을 축하했다. - Yo celebré mi ascenso.

1227. 너는 성공을 축하한다. - Tú celebra tu éxito.

1228. 우리는 기념일을 축하할 것이다. - Celebraremos nuestro aniversario.

1229. 축하해줄까요? - ¿Te felicito?

1230. 네, 축하해요. - Sí, vamos a celebrarlo.

1231. 13. 명사 단어들 외우기, 필수 10개 동사의 단어들을 가지고 50문장 연습하기 - 13. memorizar palabras sustantivas, practicar 50 frases con las 10 palabras verbales esenciales

1232. 도움 - ayudar

1233. 지원 - apoyar

1234. 협력 - Cooperación

1235. 잘못 - equivocarse

1236. 실수 - error

1237. 오해 - malentendido

1238. 거짓말 - mentira

1239. 생일 - cumpleaños

1240. 선물 - regalo

1241. 졸업 - graduado

1242. 책 - libro

1243. 운동 - ejercicio

1244. 여행지 - destino de viaje

1245. 조언 - consejo

1246. 조용 - tranquilo

1247. 정리 - organizar

1248. 제출 - enviar

1249. 흡연 - fumar

1250. 출입 - ir y venir

1251. 사용 - usar

1252. 요청 - solicitar

1253. 출발 - salir

1254. 참여 - Participación

1255. 제안 - propuesta

1256. 초대 - invitar

1257. 감사하다 - Gracias

1258. 나는 도움에 감사했다. - Agradezco la ayuda

1259. 너는 지원에 감사한다. - Agradecen la ayuda.

1260. 그들은 협력에 감사할 것이다. - Agradecerán la colaboración.

1261. 감사드려도 돼요? - ¿Puedo darle las gracias?

1262. 네, 감사해요. - Sí, gracias.

1263. 사과하다 - Para disculparse

1264. 나는 잘못을 사과했다. - Pido disculpas por mi error.

1265. 너는 늦은 것에 사과한다. - Pide disculpas por llegar tarde.

1266. 그는 실수에 대해 사과할 것이다. - Pedirá disculpas por su error.

1267. 사과해야 하나요? - ¿Debo disculparme?

1268. 네, 사과하세요. - Sí, pedir disculpas.

1269. 용서하다 - Perdonar

1270. 나는 실수를 용서했다. - Perdoné el error.

1271. 너는 오해를 용서한다. - Perdonará el malentendido.

1272. 그녀는 거짓말을 용서할 것이다. - Ella perdonará la mentira.

1273. 용서해줄 수 있어요? - ¿Me perdonas?

1274. 네, 용서해요. - Sí, te perdono.

1275. 선물하다 - Hacer un regalo

1276. 나는 생일 선물을 했다. - Hice un regalo de cumpleaños.

1277. 너는 감사의 표시로 선물한다. - Haces un regalo como muestra de gratitud.

1278. 우리는 졸업 선물을 할 것이다. - Daremos un regalo de graduación.

1279. 선물 좋아하세요? - ¿Te gustan los regalos?

1280. 네, 좋아해요. - Sí, me gustan.

1281. 권하다 - Recomendar

1282. 나는 책을 권했다. - Te recomiendo un libro.

1283. 너는 운동을 권한다. - Tú recomiendas hacer ejercicio.

1284. 그는 여행지를 권할 것이다. - Recomendará un destino de viaje.

1285. 추천해줄까요? - ¿Quieres que te recomiende algo?

1286. 네, 추천해주세요. - Sí, por favor, recomiéndame.

1287. 요청하다 - Pedir

1288. 나는 도움을 요청했다. - Yo pedí ayuda.

1289. 너는 조언을 요청한다. - Pedirán consejo.

1290. 그들은 지원을 요청할 것이다. - Pedirán ayuda.

1291. 도와달라고 할까요? - ¿Pido ayuda?

1292. 네, 부탁해요. - Sí, por favor.

1293. 명령하다 - Ordenar

1294. 나는 조용히 할 것을 명령했다. - Te ordeno que te calles.

1295. 너는 정리를 명령한다. - Te ordeno que pongas orden.

1296. 그녀는 제출을 명령할 것이다. - Te ordenará que lo entregues.

1297. 명령할게요? - ¿Quieres que te ordene?

1298. 아니요, 괜찮아요. - No, gracias.

1299. 금지하다 - prohibir

1300. 나는 흡연을 금지했다. - Prohibí fumar.

1301. 너는 출입을 금지한다. - Le prohíben la entrada.

1302. 그들은 사용을 금지할 것이다. - Prohibirán el uso.

1303. 금지된 건가요? - ¿Está prohibido?

1304. 네, 금지예요. - Sí, está prohibido.

1305. 허락하다 - Conceder permiso

1306. 나는 요청을 허락했다. - He concedido la petición.

1307. 너는 출발을 허락한다. - Se le permite salir.

1308. 우리는 참여를 허락할 것이다. - Daremos permiso para participar.

1309. 허락될까요? - ¿Se me permite?

1310. 네, 허락돼요. - Sí, se le permite.

1311. 거절하다 - declinar

1312. 나는 제안을 거절했다. - Decliné la oferta.

1313. 너는 초대를 거절한다. - Declina la invitación.

1314. 그는 요청을 거절할 것이다. - Declinará la petición.

1315. 거절해도 돼요? - ¿Está bien declinar?

1316. 네, 괜찮아요. - Sí, está bien.

1317. 14. 명사 단어들 외우기, 필수 10개 동사의 단어들을 가지고 50문장 연습하기 - 14. memorizar palabras sustantivas, practicar 50 frases con las 10 palabras verbales esenciales

1318. 계획 - planear

1319. 의견 - opinión

1320. 제안 - propuesta

1321. 결정 - decisión

1322. 방침 - política

1323. 정책 - Política

1324. 새벽 - alba

1325. 직원 - empleado

1326. 파트너 - socio

1327. 규칙 - norma

1328. 방법 - método

1329. 절차 - procedimiento

1330. 여행 - viaje

1331. 미래 - futuro

1332. 꿈 - sueño

1333. 경험 - experiencia

1334. 상황 - situación

1335. 권리 - derecha

1336. 입장 - Entrada

1337. 문제 - problema

1338. 해결책 - solución

1339. 중요성 - importancia

1340. 필요성 - necesidad

1341. 안전 - seguridad

1342. 동의하다 - De acuerdo

1343. 나는 계획에 동의했다. - De acuerdo con el plan

1344. 너는 의견에 동의한다. - Está de acuerdo con la opinión.

1345. 그녀는 제안에 동의할 것이다. - Estará de acuerdo con la propuesta.

1346. 동의할 수 있나요? - ¿Está de acuerdo?

1347. 네, 동의해요. - Sí, estoy de acuerdo.

1348. 반대하다 - Oponerse

1349. 나는 결정에 반대했다. - Me opongo a la decisión.

1350. 너는 방침에 반대한다. - Usted se opone a la política.

1351. 우리는 정책에 반대할 것이다. - Nos opondremos a la política.

1352. 반대해야 하나요? - ¿Debo oponerme?

1353. 아니요, 고민해보세요. - No, piénsatelo.

1354. 인사하다 - Saludar

1355. 나는 새벽에 인사했다. - Yo saludé al amanecer.

1356. 너는 도착하자마자 인사한다. - Saludarás al llegar.

1357. 그들은 만날 때 인사할 것이다. - Saludarán al encontrarse.

1358. 인사드려도 될까요? - ¿Puedo saludar?

1359. 네, 인사하세요. - Sí, salude por favor.

1360. 소개하다 - presentar

1361. 나는 친구를 소개했다. - Presento a mi amigo.

1362. 너는 새 직원을 소개한다. - Tú presentas al nuevo empleado.

1363. 그는 파트너를 소개할 것이다. - Él presentará a su compañero.

1364. 소개시켜줄까요? - ¿Te presento?

1365. 네, 소개해주세요. - Sí, preséntame, por favor.

1366. 설명하다 - Explicar

1367. 나는 규칙을 설명했다. - Yo explico las normas.

1368. 너는 방법을 설명한다. - Usted explicará el método.

1369. 그녀는 절차를 설명할 것이다. - Ella explicará el procedimiento.

1370. 설명해드릴까요? - ¿Quiere que se lo explique?

1371. 네, 부탁해요. - Sí, por favor.

1372. 이야기하다 - hablar sobre

1373. 나는 여행에 대해 이야기했다. - Yo hablé del viaje.

1374. 너는 계획에 대해 이야기한다. - Tú hablas de planes.

1375. 우리는 미래에 대해 이야기할 것이다. - Hablaremos del futuro.

1376. 이야기해볼까요? - ¿Hablamos?

1377. 네, 해봐요. - Sí, hagámoslo.

1378. 묘사하다 - Describir

1379. 나는 꿈을 묘사했다. - Yo describí un sueño.

1380. 너는 경험을 묘사한다. - Tú describes una experiencia.

1381. 그는 상황을 묘사할 것이다. - Él describirá una situación.

1382. 묘사해줄 수 있어요? - ¿Puedes describirla?

1383. 네, 묘사할게요. - Sí, la describiré.

1384. 주장하다 - Afirmar

1385. 나는 의견을 주장했다. - Yo afirmé una opinión.

1386. 너는 권리를 주장한다. - Afirmará un derecho.

1387. 그녀는 입장을 주장할 것이다. - Ella afirmará una posición.

1388. 주장할 건가요? - ¿Vas a afirmar?

1389. 네, 주장할래요. - Sí, voy a afirmar.

1390. 논의하다 - Discutir

1391. 나는 문제를 논의했다. - Yo discutí el problema.

1392. 너는 계획을 논의한다. - Usted discute el plan.

1393. 우리는 해결책을 논의할 것이다. - Discutiremos la solución.

1394. 논의해볼까요? - ¿Discutimos?

1395. 네, 논의합시다. - Sí, discutamos.

1396. 강조하다 - Enfatizar

1397. 나는 중요성을 강조했다. - Yo enfatizo la importancia.

1398. 너는 필요성을 강조한다. - Tú enfatizas la necesidad.

1399. 그들은 안전을 강조할 것이다. - Ellos enfatizarán la seguridad.

1400. 강조해야 할까요? - ¿Hacemos hincapié?

1401. 네, 강조하세요. - Sí, enfatizar.

1402. 15. 명사 단어들 외우기, 필수 10개 동사의 단어들을 가지고 50문장 연습하기 - 15. memoriza las palabras sustantivas, practica 50 frases con las palabras de los 10 verbos esenciales

1403. 지각 - tarde

1404. 실수 - error

1405. 불참 - incomparecencia

1406. 자료 - datos

1407. 책 - libro

1408. 문서 - documento

1409. 데이터 - datos

1410. 결과 - resultado

1411. 추세 - Tendencias

1412. 길이 - longitud

1413. 무게 - peso

1414. 온도 - temperatura

1415. 날씨 - tiempo

1416. 경기 - juego

1417. 스코어 - puntuación

1418. 문제 - problema

1419. 논의 - Argumento

1420. 회의 - reunión

1421. 식당 - restaurante

1422. 영화 - película

1423. 여행지 - destino de viaje

1424. 프로젝트 - proyecto

1425. 성능 - Rendimiento

1426. 보고서 - informe

1427. 계약서 - contrato

1428. 제안 - propuesta

1429. 약속 - promesa

1430. 시간 - hora

1431. 주소 - dirección

1432. 예약 - reserva

1433. 변명하다 - disculpar

1434. 나는 지각에 대해 변명했다. - Me excusé por llegar tarde.

1435. 너는 실수에 대해 변명한다. - Se excusa por sus errores.

1436. 그는 불참에 대해 변명할 것이다. - Se excusará por su ausencia.

1437. 변명할까요? - ¿Me excuso?

1438. 아니요, 솔직히 말해요. - No, sea sincero.

1439. 분류하다 - Para clasificar

1440. 나는 자료를 분류했다. - Clasifiqué los materiales.

1441. 너는 책을 분류한다. - Clasificará los libros.

1442. 그녀는 문서를 분류할 것이다. - Ella clasificará los documentos.

1443. 분류해야 하나요? - ¿Necesito categorizar?

1444. 네, 분류해주세요. - Sí, por favor, categorice.

1445. 분석하다 - Analizar

1446. 나는 데이터를 분석했다. - Yo analicé los datos.

1447. 너는 결과를 분석한다. - Analice los resultados.

1448. 우리는 추세를 분석할 것이다. - Analizaremos la tendencia.

1449. 분석할까요? - ¿Analizamos?

1450. 네, 분석해 주세요. - Sí, por favor, analice.

1451. 측정하다 - Medir

1452. 나는 길이를 측정했다. - Yo he medido la longitud.

1453. 너는 무게를 측정한다. - Mida el peso.

1454. 그는 온도를 측정할 것이다. - Él medirá la temperatura.

1455. 크기 확인할까요? - ¿Quiere comprobar la talla?

1456. 네, 확인해 주세요. - Sí, por favor, compruébalo.

1457. 예측하다 - Predecir

1458. 나는 날씨를 예측했다. - Yo predije el tiempo.

1459. 너는 결과를 예측한다. - Usted predice el resultado.

1460. 그녀는 경기 스코어를 예측할 것이다. - Ella predecirá el resultado del partido.

1461. 미래 맞출 수 있나요? - ¿Puedes adivinar el futuro?

1462. 아마도 가능할 거예요. - Probablemente sí.

1463. 결론내다 - Concluir

1464. 나는 문제의 결론을 내렸다. - Yo concluí el problema.

1465. 너는 논의를 결론짓는다. - Tú concluyes la discusión.

1466. 우리는 회의를 결론낼 것이다. - Concluiremos la reunión.

1467. 결론은 뭐예요? - ¿Cuál es la conclusión?

1468. 곧 결정할 거예요. - Pronto lo decidiremos.

1469. 추천하다 - Recomendar

1470. 나는 좋은 식당을 추천했다. - Yo recomendé un buen restaurante.

1471. 너는 영화를 추천한다. - Ustedes recomiendan una película.

1472. 그들은 여행지를 추천할 것이다. - Ellos recomendarán un destino de viaje.

1473. 어디 가볼까요? - ¿Adónde deberíamos ir?

1474. 이곳 추천해요. - Yo recomiendo este sitio.

1475. 평가하다 - Calificar

1476. 나는 프로젝트를 평가했다. - Califiqué un proyecto.

1477. 너는 성능을 평가한다. - Evaluará los resultados.

1478. 당신들은 결과를 평가할 것이다. - Evalúe los resultados.

1479. 어떻게 생각해요? - ¿Qué te parece?

1480. 잘 했어요. - Bien hecho.

1481. 검토하다 - Revisar

1482. 나는 보고서를 검토했다. - He revisado el informe.

1483. 너는 계약서를 검토한다. - Revisará el contrato.

1484. 그는 제안을 검토할 것이다. - Revisará la propuesta.

1485. 다시 볼까요? - ¿Lo revisamos otra vez?

1486. 네, 확인해요. - Sí, vamos a revisarlo.

1487. 확인하다 - confirmar

1488. 나는 약속 시간을 확인했다. - Confirme la hora de la cita.

1489. 너는 주소를 확인한다. - Confirme la dirección.

1490. 그녀는 예약을 확인할 것이다. - Ella confirmará la cita.

1491. 맞는지 봐줄래요? - ¿Puedes ver si es correcto?

1492. 네, 볼게요. - Sí, lo comprobaré.

1493. 16. 명사 단어들 외우기, 필수 10개 동사의 단어들을 가지고 50문장 연습하기 - 16. memorizar palabras sustantivas, practicar 50 frases con las palabras de los 10 verbos esenciales

1494. 카페 - café

1495. 비밀 - secreto

1496. 보물 - tesoro

1497. 별 - estrella

1498. 행동 - acción

1499. 자연 - Naturaleza

1500. 실수 - Error

1501. 장점 - Fuerza

1502. 성과 - Logro

1503. 의견 - Opinión

1504. 규칙 - Regla

1505. 문화 - Cultura

1506. 친구 - Amigo

1507. 선생님 - Profesor

1508. 고객 - Cliente

1509. 메시지 - Mensaje

1510. 소식 - Noticias

1511. 선물 - Regalo

1512. 결과 - Resultado

1513. 상황 - Situación

1514. 진행 - Progreso

1515. 질문 - Pregunta

1516. 요청 - Solicitud

1517. 초대 - Invitar

1518. 놀람 - Sorpresa

1519. 기쁨 - Alegría

1520. 감사함 - Gratitud

1521. 문제 - Problema

1522. 도전 - Desafío

1523. 위기 - Crisis

1524. 발견하다 - Descubrir

1525. 나는 새로운 카페를 발견했다. - Descubrí un nuevo café.

1526. 너는 비밀을 발견한다. - Descubran un secreto.

1527. 그들은 보물을 발견할 것이다. - Descubrirán un tesoro.

1528. 뭔가 찾았어요? - ¿Has encontrado algo?

1529. 네, 발견했어요. - Sí, lo he encontrado.

1530. 관찰하다 - observar

1531. 나는 별을 관찰했다. - Observé las estrellas.

1532. 너는 행동을 관찰한다. - Tú observas el comportamiento.

1533. 우리는 자연을 관찰할 것이다. - Nosotros observaremos la naturaleza.

1534. 봐도 돼요? - ¿Puedo observar?

1535. 네, 같이 봐요. - Sí, observemos juntos.

1536. 인정하다 - Admitir

1537. 나는 실수를 인정했다. - He admitido mi error.

1538. 너는 장점을 인정한다. - Reconocerá los méritos.

1539. 그녀는 성과를 인정할 것이다. - Reconocerá los logros.

1540. 맞아요? - ¿Es cierto?

1541. 네, 인정해요. - Sí, lo admito.

1542. 존중하다 - Respetar

1543. 나는 상대방의 의견을 존중했다. - Respeté la opinión de la otra persona.

1544. 너는 규칙을 존중한다. - Respetará las normas.

1545. 우리는 문화를 존중할 것이다. - Respetaremos la cultura.

1546. 존중하는 거 맞죠? - Somos respetuosos, ¿verdad?

1547. 네, 맞아요. - Sí, lo somos.

1548. 연락하다 - Contactar

1549. 나는 친구에게 연락했다. - Contacté con mi amigo.

1550. 너는 선생님에게 연락한다. - Contactarán con su profesor.

1551. 그들은 고객에게 연락할 것이다. - Contactarán con el cliente.

1552. 연락할까요? - ¿Me pongo en contacto con ellos?

1553. 네, 해주세요. - Sí, por favor.

1554. 전달하다 - Reenviar

1555. 나는 메시지를 전달했다. - He reenviado el mensaje.

1556. 너는 소식을 전달한다. - Entregue la noticia.

1557. 그녀는 선물을 전달할 것이다. - Ella entregará el regalo.

1558. 전해드려야 하나요? - ¿Debo entregarlo?

1559. 네, 부탁해요. - Sí, por favor.

1560. 보고하다 - Informar

1561. 나는 결과를 보고했다. - Yo informé de los resultados.

1562. 너는 상황을 보고한다. - Usted informe de la situación.

1563. 당신들은 진행 상황을 보고할 것이다. - Usted informará de los

progresos.

1564. 알려줘야 해요? - ¿Le informo?

1565. 네, 알려주세요. - Sí, hágamelo saber.

1566. 회답하다 - Responder

1567. 나는 질문에 회답했다. - Responda a la pregunta.

1568. 너는 요청에 회답한다. - Responderá a la solicitud.

1569. 그는 초대에 회답할 것이다. - Responderá a la invitación.

1570. 답할 수 있어요? - ¿Puede responder?

1571. 네, 할게요. - Sí, lo haré.

1572. 반응하다 - reaccionar

1573. 나는 놀람으로 반응했다. - Reaccioné con sorpresa.

1574. 너는 기쁨으로 반응한다. - Reaccionará con alegría.

1575. 그녀는 감사함으로 반응할 것이다. - Reaccionará con gratitud.

1576. 기뻐해야 할까요? - ¿Debo regocijarme?

1577. 네, 기뻐하세요. - Sí, alégrate.

1578. 대응하다 - Para reaccionar

1579. 나는 문제에 대응했다. - Yo respondí al problema.

1580. 너는 도전에 대응한다. - Responda al desafío.

1581. 우리는 위기에 대응할 것이다. - Nosotros responderemos a la crisis.

1582. 준비됐나요? - ¿Estás preparado?

1583. 네, 준비됐어요. - Sí, estoy preparado.

1584. 17. 명사 단어들 외우기, 필수 10개 동사의 단어들을 가지고 50문장 연습하기 - 17. memorizar palabras sustantivas, practicar 50 frases con palabras de los 10 verbos esenciales

1585. 아이 - kid

1586. 반려동물 - mascota

1587. 정원 - jardín

1588. 짐 - cargar

1589. 우산 - paraguas

1590. 선물 - regalo

1591. 여행 - viaje

1592. 파티 - fiesta

1593. 프로젝트 - proyecto

1594. 팀 - equipo

1595. 메뉴 - menú

1596. 위원회 - Comité

1597. 모임 - clase

1598. 대회 - Concurso

1599. 이벤트 - evento

1600. 계획 - plan

1601. 명령 - Mando

1602. 작전 - Operación

1603. 약속 - promesa

1604. 규칙 - regla

1605. 수업 - clase

1606. 회의 - reunión

1607. 활동 - actividad

1608. 캠페인 - campaña

1609. 박물관 - museo

1610. 친구 집 - casa de amigos

1611. 병원 - hospital

1612. 돌보다 - cuidar

1613. 나는 아이를 돌보았다. - Cuidé a un niño

1614. 너는 반려동물을 돌본다. - Tú cuidas de una mascota.

1615. 그들은 정원을 돌볼 것이다. - Ellos cuidarán del jardín.

1616. 잘 지내나요? - ¿Cómo están?

1617. 네, 잘 지내요. - Sí, me va bien.

1618. 챙기다 - empacar

1619. 나는 짐을 챙겼다. - Yo empaqué mi equipaje.

1620. 너는 우산을 챙긴다. - Tú empaca tu paraguas.

1621. 그녀는 선물을 챙길 것이다. - Ella empacará sus regalos.

1622. 필요한 거 있어요? - ¿Necesitas algo?

1623. 아니요, 다 챙겼어요. - No, ya empaqué todo.

1624. 계획하다 - Planear

1625. 나는 여행을 계획했다. - He planeado el viaje.

1626. 너는 파티를 계획한다. - Tú planifica una fiesta.

1627. 우리는 프로젝트를 계획할 것이다. - Nosotros planearemos un proyecto.

1628. 언제 시작할까요? - ¿Cuándo vamos a empezar?

1629. 곧 시작해요. - Empezaremos pronto.

1630. 구성하다 - Organizar

1631. 나는 팀을 구성했다. - Yo organicé el equipo.

1632. 너는 메뉴를 구성한다. - Tú organiza el menú.

1633. 그들은 위원회를 구성할 것이다. - Ellos organizarán el comité.

1634. 누가 포함되나요? - ¿Quién será incluido?

1635. 모두 포함될 거예요. - Todo el mundo.

1636. 조직하다 - Organizar

1637. 나는 모임을 조직했다. - Yo organizo una reunión.

1638. 너는 대회를 조직한다. - Tú organizas una competición.

1639. 우리는 이벤트를 조직할 것이다. - Nosotros organizaremos un evento.

1640. 준비됐어요? - ¿Estás preparado?

1641. 네, 준비됐습니다. - Sí, estoy preparado.

1642. 실행하다 - Ejecutar

1643. 나는 계획을 실행했다. - Ejecuté el plan.

1644. 너는 명령을 실행한다. - Ejecute la orden.

1645. 그는 작전을 실행할 것이다. - Ejecutará la operación.

1646. 진행할까요? - ¿Procedemos?

1647. 네, 시작해요. - Sí, empecemos.

1648. 실천하다 - Poner en práctica

1649. 나는 약속을 실천했다. - Yo practiqué mi promesa.

1650. 너는 규칙을 실천한다. - Practique las reglas.

1651. 그녀는 계획을 실천할 것이다. - Cumplirá su plan.

1652. 지키고 있나요? - ¿Lo estás cumpliendo?

1653. 네, 지키고 있어요. - Sí, lo estoy cumpliendo.

1654. 참가하다 - Participar en

1655. 나는 대회에 참가했다. - Participé en la competición.

1656. 너는 수업에 참가한다. - Participará en la clase.

1657. 그들은 회의에 참가할 것이다. - Se unirán a una conferencia.

1658. 가입할 수 있나요? - ¿Puedo unirme?

1659. 네, 가능해요. - Sí, puedes

1660. 참여하다 - participar en

1661. 나는 프로젝트에 참여했다. - Yo participé en un proyecto.

1662. 너는 활동에 참여한다. - Tú participas en una actividad.

1663. 우리는 캠페인에 참여할 것이다. - Vamos a participar en una campaña.

1664. 도울까요? - ¿Quieres ayudar?

1665. 네, 도와주세요. - Sí, por favor, ayude.

1666. 방문하다 - Visitar

1667. 나는 박물관을 방문했다. - He visitado el museo.

1668. 너는 친구 집을 방문한다. - Visitará la casa de su amigo.

1669. 그는 병원을 방문할 것이다. - Visitará el hospital.

1670. 언제 갈까요? - ¿Cuándo vamos?

1671. 이번 주말에 가요. - Me voy este fin de semana.

1672. 18. 명사 단어들 외우기, 필수 10개 동사의 단어들을 가지고 50문장 연습하기 - 18. memorizar palabras sustantivas, practicar 50 frases con las 10 palabras verbales esenciales

1673. 전시회 - Exposición

1674. 영화 - película

1675. 공연 - espectáculo

1676. 도시 - ciudad

1677. 명소 - lugares de interés

1678. 섬 - isla

1679. 유럽 - europa

1680. 국내 여행 - viajes nacionales

1681. 아시아 - Asia

1682. 숲 - bosque

1683. 동굴 - cueva

1684. 사막 - desierto

1685. 연구 결과 - Resultados

1686. 프로젝트 - proyecto

1687. 계획 - plan

1688. 연극 - teatro

1689. 무대 - escenario

1690. 콘서트 - concierto

1691. TV 프로그램 - programa de TV

1692. 드라마 - teatro

1693. 피아노 - piano

1694. 기타 - etc

1695. 바이올린 - violín

1696. 친구 결혼식 - boda de amigos

1697. 샤워실 - cuarto de baño

1698. 가라오케 - karaoke

1699. 파티 - fiesta

1700. 클럽 - club

1701. 축제 - festival

1702. 관람하다 - ver

1703. 나는 전시회를 관람했다. - Fui a una exposición

1704. 너는 영화를 관람한다. - Irá al cine

1705. 그녀는 공연을 관람할 것이다. - Irá a un concierto.

1706. 좋았나요? - ¿Estuvo bien?

1707. 네, 멋졌어요. - Sí, estuvo muy bien.

1708. 관광하다 - Hacer turismo

1709. 나는 도시를 관광했다. - Fui a hacer turismo por la ciudad.

1710. 너는 명소를 관광한다. - Tú haces turismo.

1711. 그들은 섬을 관광할 것이다. - Ellos harán turismo por la isla.

1712. 재밌었나요? - ¿Te divertiste?

1713. 네, 정말 재밌었어요. - Sí, fue muy divertido.

1714. 여행하다 - viajar

1715. 나는 유럽을 여행했다. - Viajé por Europa.

1716. 너는 지금 국내 여행을 한다. - Ahora viaja por el interior.

1717. 그는 내일 아시아로 여행할 것이다. - Mañana viajará a Asia.

1718. 어디로 가고 싶어요? - ¿Adónde quiere ir?

1719. 제주도로 가고 싶어요. - Quiero ir a la isla de Jeju.

1720. 탐험하다 - explorar

1721. 나는 숲을 탐험했다. - Exploré el bosque.

1722. 너는 지금 동굴을 탐험한다. - Ahora explora tú la cueva.

1723. 그들은 내일 사막을 탐험할 것이다. - Mañana explorarán el desierto.

1724. 무엇을 찾고 있나요? - ¿Qué estás buscando?

1725. 보물을 찾고 있어요. - Busco un tesoro.

1726. 발표하다 - publicar

1727. 나는 연구 결과를 발표했다. - He presentado los resultados de mi investigación.

1728. 너는 지금 프로젝트를 발표한다. - Ahora vas a presentar tu proyecto.

1729. 그녀는 내일 계획을 발표할 것이다. - Mañana presentará sus planes.

1730. 언제 발표해요? - ¿Cuándo va a presentar?

1731. 오후 3시에 발표해요. - Presento a las 15:00.

1732. 공연하다 - Representar

1733. 나는 연극을 공연했다. - He representado una obra de teatro.

1734. 너는 지금 무대에서 공연한다. - Ahora está actuando en el escenario.

1735. 우리는 내일 콘서트를 공연할 것이다. - Mañana daremos un concierto.

1736. 무슨 공연이에요? - ¿Qué tipo de concierto es?

1737. 뮤지컬 공연이에요. - Es una actuación musical.

1738. 출연하다 - Aparecer en

1739. 나는 TV 프로그램에 출연했다. - Aparecí en un programa de televisión.

1740. 너는 지금 영화에 출연한다. - Ahora actúa en una película.

1741. 그는 내일 드라마에 출연할 것이다. - Mañana aparecerá en una telenovela.

1742. 어디에 나와요? - ¿Dónde apareces?

1743. TV에서 나와요. - Aparezco en la tele.

1744. 연주하다 - Tocar

1745. 나는 피아노를 연주했다. - Antes tocaba el piano.

1746. 너는 지금 기타를 연주한다. - Ahora toca la guitarra.

1747. 그녀는 내일 바이올린을 연주할 것이다. - Mañana tocará el violín.

1748. 어떤 악기를 다루나요? - ¿Qué instrumento tocas?

1749. 바이올린을 다루요. - Toco el violín.

1750. 노래하다 - Cantar

1751. 나는 친구 결혼식에서 노래했다. - Canté en la boda de mi amigo.

1752. 너는 지금 샤워실에서 노래한다. - Ahora estás cantando en la ducha.

1753. 우리는 내일 가라오케에서 노래할 것이다. - Mañana cantaremos en el karaoke.

1754. 좋아하는 노래 있어요? - ¿Tienes alguna canción favorita?

1755. 네, 많아요. - Sí, tengo muchas.

1756. 춤추다 - Bailar

1757. 나는 파티에서 춤췄다. - Bailé en la fiesta.

1758. 너는 지금 클럽에서 춤춘다. - Ahora estás bailando en la discoteca.

1759. 그들은 내일 축제에서 춤출 것이다. - Mañana bailarán en la fiesta.

1760. 어떤 춤을 추나요? - ¿Qué tipo de baile haces?

1761. 힙합을 춰요. - Bailo hip-hop.

1762. 19. 명사 단어들 외우기, 필수 10개 동사의 단어들을 가지고 50문장 연습하기 - 19. memorizar palabras sustantivas, practicar 50 frases con las palabras de los 10 verbos esenciales

1763. 풍경화 - paisaje

1764. 초상화 - retrato

1765. 벽화 - mural

1766. 바다 - océano

1767. 보고서 - informe

1768. 이메일 - correo electrónico

1769. 계약서 - contrato

1770. 일기 - agenda

1771. 회의 내용 - Detalles de la reunión

1772. 실험 결과 - Resultado del experimento

1773. 사진 - imagen

1774. 컴퓨터 - ordenador

1775. 문서 - documento

1776. 데이터 - datos

1777. 클라우드 - nube

1778. 중요 문서 - documento importante

1779. 파일 - archivo

1780. 앱 - aplicación

1781. 음악 - música

1782. 소프트웨어 - software

1783. 소셜 미디어 - redes sociales

1784. 비디오 - vídeo

1785. 웹사이트 - Sitio web

1786. 프로그램 - programa

1787. 게임 - juego

1788. 바이러스 - virus

1789. 악성 소프트웨어 - software malicioso

1790. 오류 - error

1791. 그리다 - dibujar

1792. 나는 풍경화를 그렸다. - He dibujado un paisaje.

1793. 너는 지금 초상화를 그린다. - Ahora pinta un retrato.

1794. 그녀는 내일 벽화를 그릴 것이다. - Mañana pintará un mural.

1795. 무엇을 그리고 싶어요? - ¿Qué quieres dibujar?

1796. 바다를 그리고 싶어요. - Quiero dibujar el mar.

1797. 작성하다 - Escribir

1798. 나는 보고서를 작성했다. - Yo escribí un informe.

1799. 너는 지금 이메일을 작성한다. - Ahora escribe un correo electrónico.

1800. 그는 내일 계약서를 작성할 것이다. - Escribirá el contrato mañana.

1801. 언제 끝낼 수 있어요? - ¿Cuándo puedes terminar?

1802. 한 시간 안에 끝낼 수 있어요. - Puedo terminarlo en una hora.

1803. 기록하다 - Registrar

1804. 나는 일기를 기록했다. - He grabado mi diario.

1805. 너는 지금 회의 내용을 기록한다. - Ahora estás grabando la reunión.

1806. 그들은 내일 실험 결과를 기록할 것이다. - Mañana grabarán los resultados del experimento.

1807. 기록 필요해요? - ¿Necesitas grabar?

1808. 네, 필요해요. - Sí, lo necesito.

1809. 저장하다 - guardar

1810. 나는 사진을 컴퓨터에 저장했다. - He guardado la foto en mi ordenador.

1811. 너는 지금 문서를 저장한다. - Guarda el documento ahora.

1812. 그녀는 내일 데이터를 클라우드에 저장할 것이다. - Ella guardará los datos en la nube mañana.

1813. 어디에 저장할까요? - ¿Dónde lo guardará?

1814. 클라우드에 저장해요. - En la nube.

1815. 복사하다 - Copiar

1816. 나는 중요 문서를 복사했다. - Copié un documento importante.

1817. 너는 지금 사진을 복사한다. - Copia la foto ahora.

1818. 그는 내일 파일을 복사할 것이다. - Copiará el archivo mañana.

1819. 몇 부 복사해야 하나요? - ¿Cuántas copias tengo que hacer?

1820. 3부 복사해 주세요. - Por favor, haga 3 copias.

1821. 삭제하다 - borrar

1822. 나는 오래된 이메일을 삭제했다. - He borrado un correo electrónico antiguo.

1823. 너는 지금 불필요한 파일을 삭제한다. - Borra ahora los archivos innecesarios.

1824. 그녀는 내일 앱을 삭제할 것이다. - Ella borrará la aplicación mañana.

1825. 지울까요? - ¿La borro?

1826. 네, 지워주세요. - Sí, por favor, bórrela.

1827. 다운로드하다 - descargar

1828. 나는 음악을 다운로드했다. - He descargado la música.

1829. 너는 지금 앱을 다운로드한다. - Descarga la aplicación ahora.

1830. 우리는 내일 소프트웨어를 다운로드할 것이다. - Descargaremos el software mañana.

1831. 어떤 앱을 받을까요? - ¿Qué aplicación debo comprar?

1832. 최신 버전 받아요. - Quiero la última versión.

1833. 업로드하다 - Subir

1834. 나는 사진을 소셜 미디어에 업로드했다. - He subido una foto a las redes sociales.

1835. 너는 지금 비디오를 업로드한다. - Ahora está subiendo un vídeo.

1836. 그는 내일 문서를 웹사이트에 업로드할 것이다. - Mañana subirá el documento a la web.

1837. 지금 올릴까요? - ¿Quiere subirlo ahora?

1838. 네, 올려주세요. - Sí, por favor, súbalo.

1839. 설치하다 - Instalar

1840. 나는 프로그램을 설치했다. - He instalado el programa.

1841. 너는 지금 게임을 설치한다. - Instala el juego ahora.

1842. 그녀는 내일 앱을 설치할 것이다. - Instalará el programa mañana.

1843. 설치 도와드릴까요? - ¿Puedo ayudarte a instalarlo?

1844. 네, 부탁드려요. - Sí, por favor.

1845. 제거하다 - Eliminar

1846. 나는 바이러스를 제거했다. - He eliminado el virus.

1847. 너는 지금 악성 소프트웨어를 제거한다. - Elimina el software malicioso ahora.

1848. 그들은 내일 오류를 제거할 것이다. - Mañana eliminarán el error.

1849. 제거 시작할까요? - ¿Empezamos la eliminación?

1850. 네, 시작해주세요. - Sí, por favor, empieza.

1851. 20. 명사 단어들 외우기, 필수 10개 동사의 단어들을 가지고 50문장 연습하기 - 20. memorizar palabras sustantivas, practicar 50 frases con las palabras de los 10 verbos esenciales

1852. 시스템 - sistema

1853. 소프트웨어 - software

1854. 앱 - aplicación

1855. 휴대폰 - teléfono móvil

1856. 노트북 - ordenador portátil

1857. 전기차 - coche eléctrico

1858. 배터리 - batería

1859. 기기 - dispositivo

1860. 시계 - reloj

1861. 타이어 - neumático

1862. 필터 - filtro

1863. 창문 - ventana

1864. 문서 - documento

1865. 오류 - error

1866. 계획 - plan

1867. 보고서 - informe

1868. 아이디어 - idea

1869. 작업 환경 - entorno de trabajo

1870. 프로세스 - proceso

1871. 제품 - producto

1872. 데이터 - datos

1873. 파일 - archivo

1874. 건강 - salud

1875. 체력 - salud

1876. 신뢰 - confianza

1877. 상처 - herida

1878. 마음 - mente

1879. 관계 - relación

1880. 업데이트하다 - actualizar

1881. 나는 시스템을 업데이트했다. - He actualizado el sistema.

1882. 너는 지금 소프트웨어를 업데이트한다. - Actualice el software ahora.

1883. 그는 내일 앱을 업데이트할 것이다. - Actualizará la aplicación mañana.

1884. 지금 업데이트해야 하나요? - ¿Debo actualizarlo ahora?

1885. 네, 해야 해요. - Sí, debería

1886. 충전하다 - cargar

1887. 나는 휴대폰을 충전했다. - Cargué mi móvil.

1888. 너는 노트북을 충전한다. - Usted carga su portátil.

1889. 그는 전기차를 충전할 것이다. - Cargará su coche eléctrico.

1890. 충전할까? - ¿Lo cargo?

1891. 네, 해. - Sí, hagámoslo

1892. 방전하다 - Descargar

1893. 나는 배터리가 방전됐다. - Tengo la batería descargada.

1894. 너는 기기가 방전된다. - Descargará su aparato.

1895. 그녀는 시계가 방전될 것이다. - Descargará su reloj.

1896. 방전됐어? - ¿Está descargado?

1897. 네, 됐어. - Sí, está descargado.

1898. 교체하다 - reemplazar

1899. 나는 타이어를 교체했다. - He cambiado el neumático.

1900. 너는 필터를 교체한다. - Cambia el filtro.

1901. 그들은 창문을 교체할 것이다. - Van a reemplazar las ventanas.

1902. 교체할까? - ¿Lo reemplazamos?

1903. 네, 교체해. - Sí, reemplazarlo.

1904. 수정하다 - Corregir

1905. 나는 문서를 수정했다. - He corregido el documento.

1906. 너는 오류를 수정한다. - Corrige el error.

1907. 그녀는 계획을 수정할 것이다. - Ella revisará el plan.

1908. 수정할까? - ¿Lo corrijo?

1909. 네, 수정해. - Sí, corríjalo.

1910. 보완하다 - Complementar.

1911. 나는 보고서를 보완했다. - Complemento el informe.

1912. 너는 아이디어를 보완한다. - Complementa la idea.

1913. 그는 시스템을 보완할 것이다. - Complementará el sistema.

1914. 보완할까? - ¿Complementamos?

1915. 네, 보완해. - Sí, complementar.

1916. 개선하다 - Mejorar

1917. 나는 작업 환경을 개선했다. - Mejoré el entorno de trabajo.

1918. 너는 프로세스를 개선한다. - Mejorará el proceso.

1919. 그녀는 제품을 개선할 것이다. - Ella mejorará el producto.

1920. 개선할까? - ¿Lo mejoramos?

1921. 네, 개선해. - Sí, mejorarlo.

1922. 복구하다 - Recuperar

1923. 나는 데이터를 복구했다. - Recuperé los datos.

1924. 너는 시스템을 복구한다. - Recuperen el sistema.

1925. 그들은 파일을 복구할 것이다. - Recuperarán los archivos.

1926. 복구할까? - ¿Recuperamos?

1927. 네, 복구해. - Sí, recuperar.

1928. 회복하다 - recuperar

1929. 나는 건강을 회복했다. - Recuperé la salud.

1930. 너는 체력을 회복한다. - Recuperar la fuerza física.

1931. 그는 신뢰를 회복할 것이다. - Recuperará la confianza.

1932. 회복할까? - ¿Recuperar?

1933. 네, 회복해. - Sí, recuperar.

1934. 치유하다 - Curar

1935. 나는 상처를 치유했다. - Yo curé la herida.

1936. 너는 마음을 치유한다. - Cura el corazón.

1937. 그녀는 관계를 치유할 것이다. - Ella curará la relación.

1938. 치유할까? - ¿Curamos?

1939. 네, 치유해. - Sí, curar.

1940. 21. 명사 단어들 외우기, 필수 10개 동사의 단어들을 가지고 50문장 연습하기 - 21. Memorizar palabras sustantivas, practicar 50 frases con las 10 palabras verbales esenciales.

1941. 운동 - Ejercicios

1942. 프로그램 - programa

1943. 치료 - terapia

1944. 재료 - ingrediente

1945. 색깔 - Color

1946. 소스 - salsa

1947. 빵 - pan

1948. 고기 - carne

1949. 케이크 - pastel

1950. 야채 - verdura

1951. 면 - fideos

1952. 쌀 - arroz

1953. 계란 - huevo

1954. 감자 - patata

1955. 브로콜리 - brécol

1956. 떡 - pastel de arroz

1957. 생선 - pescado

1958. 만두 - bola de masa

1959. 유리 - vaso

1960. 기록 - disco

1961. 치킨 - pollo

1962. 수프 - sopa

1963. 물 - agua

1964. 밥 - arroz

1965. 차 - coche

1966. 국 - sopa

1967. 음료 - bebida

1968. 재활하다 - rehabilitar

1969. 나는 운동으로 재활했다. - Me rehabilité con ejercicio.

1970. 너는 프로그램으로 재활한다. - Se rehabilita con un programa.

1971. 그는 치료로 재활할 것이다. - Se rehabilitará con terapia.

1972. 재활할까? - ¿Rehabilitamos?

1973. 네, 재활해. - Sí, rehabilitar.

1974. 섞다 - mezclar

1975. 나는 재료를 섞었다. - He mezclado los ingredientes.

1976. 너는 색깔을 섞는다. - Mezcla los colores.

1977. 그녀는 소스를 섞을 것이다. - Ella mezclará la salsa.

1978. 섞을까? - ¿Mezclamos?

1979. 네, 섞어. - Sí, mezclar.

1980. 굽다 - hornear

1981. 나는 빵을 구웠다. - Yo horneo el pan.

1982. 너는 고기를 굽는다. - Tú hornea la carne.

1983. 그들은 케이크를 구울 것이다. - Ellos hornearán un pastel.

1984. 구울까? - ¿Vamos a hornear?

1985. 네, 굽자. - Sí, vamos a hornear.

1986. 볶다 - saltear

1987. 나는 야채를 볶았다. - Yo salteé las verduras.

1988. 너는 면을 볶는다. - Tú fríe los fideos.

1989. 그는 쌀을 볶을 것이다. - Él freirá el arroz.

1990. 볶을까? - ¿Freímos?

1991. 네, 볶아. - Sí, saltear.

1992. 삶다 - hervir

1993. 나는 계란을 삶았다. - Yo herví los huevos.

1994. 너는 감자를 삶는다. - Tú hervirás las patatas.

1995. 그녀는 브로콜리를 삶을 것이다. - Ella hervirá el brócoli.

1996. 삶을까? - ¿Hervimos?

1997. 네, 삶아. - Sí, hervir.

1998. 찌다 - al vapor

1999. 나는 떡을 찐다. - Yo coceré al vapor los pasteles de arroz.

2000. 너는 생선을 찐다. - Tú cocerás el pescado al vapor.

2001. 그들은 만두를 찔 것이다. - Ellos cocerán al vapor las albóndigas.

2002. 찔까? - ¿Cocer al vapor?

2003. 네, 찌자. - Sí, vamos a cocerlas al vapor.

2004. 깨다 - romper

2005. 나는 유리를 깼다. - Rompí el vaso.

2006. 너는 계란을 깬다. - Tú rompes un huevo.

2007. 그녀는 기록을 깰 것이다. - Romperá el récord.

2008. 깰까? - ¿Rompemos?

2009. 네, 깨. - Sí, romper.

2010. 튀기다 - freír

2011. 나는 감자를 튀겼다. - Yo freí las patatas.

2012. 너는 치킨을 튀긴다. - Tú fríe el pollo.

2013. 그는 생선을 튀길 것이다. - Él freirá el pescado.

2014. 튀길까? - ¿Freímos?

2015. 네, 튀겨. - Sí, freír.

2016. 데우다 - calentar

2017. 나는 수프를 데웠다. - Yo calenté la sopa.

2018. 너는 물을 데운다. - Tú calentarás el agua.

2019. 그녀는 밥을 데울 것이다. - Ella calentará el arroz.

2020. 데울까? - ¿Lo caliento?

2021. 네, 데워. - Sí, caliéntalo.

2022. 식히다 - enfriar

2023. 나는 차를 식혔다. - Enfrié el té.

2024. 너는 국을 식힌다. - Enfríe usted la sopa.

2025. 그들은 음료를 식힐 것이다. - Enfriarán la bebida.

2026. 식힐까? - ¿La enfrío?

2027. 네, 식혀줘. - Sí, por favor, enfríala.

2028. 22. 명사 단어들 외우기, 필수 10개 동사의 단어들을 가지고 50문장 연습하기 - 22. memorizar palabras sustantivas, practicar 50 frases con las 10 palabras verbales esenciales

2029. 물 - agua

2030. 주스 - zumo

2031. 아이스크림 - helado

2032. 얼음 - hielo

2033. 초콜릿 - chocolate

2034. 버터 - mantequilla

2035. 밀가루 - harina

2036. 반죽 - masa

2037. 소스 - salsa

2038. 떡 - pastel de arroz

2039. 만두 - bola de masa

2040. 쿠키 - galleta

2041. 벽 - pared

2042. 그림 - pintura

2043. 문 - puerta

2044. 집 - casa

2045. 건물 - edificio

2046. 사과 - pedir disculpas

2047. 옷 - ropa

2048. 선물 - regalo

2049. 잡초 - hierba

2050. 번호 - número

2051. 당첨자 - ganador

2052. 책 - libro

2053. USB - USB

2054. 카드 - tarjeta

2055. 설탕 - azúcar

2056. 소금 - sal

2057. 향신료 - especia

2058. 얼리다 - congelar

2059. 나는 물을 얼렸다. - Yo congelé agua.

2060. 너는 주스를 얼린다. - Congela zumo.

2061. 그는 아이스크림을 얼릴 것이다. - Congelará helado.

2062. 얼릴까? - ¿Lo congelo?

2063. 네, 얼려. - Sí, congélalo.

2064. 녹이다 - Derretir

2065. 나는 얼음을 녹였다. - Yo derretí el hielo.

2066. 너는 초콜릿을 녹인다. - Tú derretirás el chocolate.

2067. 그녀는 버터를 녹일 것이다. - Ella derretirá la mantequilla.

2068. 녹일까? - ¿Lo derretimos?

2069. 네, 녹여. - Sí, derretirla.

2070. 저미다 - Remover

2071. 나는 밀가루를 저었다. - Yo removeré la harina.

2072. 너는 반죽을 저민다. - Revolverá la masa.

2073. 그는 소스를 저을 것이다. - Él removerá la salsa.

2074. 저을까? - ¿Revolvemos?

2075. 네, 저어. - Sí, remover.

2076. 빚다 - hacer

2077. 나는 떡을 빚었다. - He hecho pasteles de arroz.

2078. 너는 만두를 빚는다. - Hará albóndigas.

2079. 그녀는 쿠키를 빚을 것이다. - Ella horneará galletas.

2080. 빚을까? - ¿Hornearemos?

2081. 네, 빚어. - Sí, hornear.

2082. 칠하다 - Pintar

2083. 나는 벽을 칠했다. - Yo pinto la pared.

2084. 너는 그림을 칠한다. - Tú pinta el cuadro.

2085. 그들은 문을 칠할 것이다. - Ellos pintarán la puerta.

2086. 칠할까? - ¿Pintamos?

2087. 네, 칠해. - Sí, píntala.

2088. 철거하다 - Demoler

2089. 나는 오래된 집을 철거했다. - Yo demolí la casa vieja.

2090. 너는 벽을 철거한다. - Demolerá la pared.

2091. 그는 건물을 철거할 것이다. - Él demolerá el edificio.

2092. 철거할까? - ¿Lo demolemos?

2093. 네, 철거해. - Sí, demolerlo.

2094. 고르다 - Recoger

2095. 나는 사과를 골랐다. - Recogí una manzana.

2096. 너는 옷을 고른다. - Tú elige la ropa.

2097. 그녀는 선물을 고를 것이다. - Ella elegirá un regalo.

2098. 고를까? - ¿Elegimos?

2099. 네, 골라. - Sí, escoger.

2100. 뽑다 - Arrancar

2101. 나는 잡초를 뽑았다. - Arranqué las malas hierbas.

2102. 너는 번호를 뽑는다. - Ustedes saquen los números.

2103. 그들은 당첨자를 뽑을 것이다. - Ellos sacarán al ganador.

2104. 뽑을까? - ¿Sacamos?

2105. 네, 뽑아. - Sí, desplumar.

2106. 빼다 - Restar

2107. 나는 책을 뺐다. - Yo resté el libro.

2108. 너는 USB를 뺀다. - Tú resta el USB.

2109. 그는 카드를 뺄 것이다. - Él restará la tarjeta.

2110. 뺄까? - ¿Resto?

2111. 네, 빼. - Sí, resta.

2112. 추가하다 - Para añadir

2113. 나는 설탕을 추가했다. - Yo añado azúcar.

2114. 너는 소금을 추가한다. - Añadirá sal.

2115. 그녀는 향신료를 추가할 것이다. - Ella añadirá especias.

2116. 추가할까? - ¿Lo añado?

2117. 네, 추가해줘. - Sí, por favor, añádela.

2118. 23. 명사 단어들 외우기, 필수 10개 동사의 단어들을 가지고 50문장 연습하기 - 23. memorizar palabras sustantivas, practicar 50 frases con las 10 palabras verbales esenciales

2119. 램프 - lámpara

2120. 플래시 - flash

2121. 빛 - luz

2122. 목록 - Lista

2123. 옵션 - opción

2124. 장점 - Ventajas

2125. 가지 - planta de huevos

2126. 장단점 - ventajas y desventajas

2127. 결과 - resultado

2128. 자료 - datos

2129. 파일 - archivo

2130. 개 - perro

2131. 요소 - elemento

2132. 아이디어 - idea

2133. 기계 - máquina

2134. 문제 - problema

2135. 시스템 - sistema

2136. 의자 - silla

2137. 화면 - pantalla

2138. 테이블 - mesa

2139. 옷 - ropa

2140. 종이 - papel

2141. 지도 - mapa

2142. 매트 - tapete

2143. 책 - libro

2144. 포스터 - cartel

2145. 숨다 - esconder

2146. 나는 숨었다. - Yo me escondo.

2147. 너는 숨는다. - Tú te escondes.

2148. 그들은 숨을 것이다. - Ellos se esconderán.

2149. 숨을까? - ¿Nos escondemos?

2150. 네, 숨어. - Sí, escóndete.

2151. 비추다 - Iluminar

2152. 나는 램프를 비췄다. - Iluminé la lámpara.

2153. 너는 플래시를 비춘다. - Usted ilumina el flash.

2154. 그는 빛을 비출 것이다. - Él alumbrará la luz.

2155. 비출까? - ¿Ilumino yo?

2156. 네, 비춰. - Sí, brilla.

2157. 나열하다 - Enumerar

2158. 나는 목록을 나열했다. - Yo enumero la lista.

2159. 너는 옵션을 나열한다. - Enumerará las opciones.

2160. 그녀는 장점을 나열할 것이다. - Ella enumerará las ventajas.

2161. 나열할까? - ¿Listamos?

2162. 네, 나열해. - Sí, enumerar.

2163. 대조하다 - Contrastar

2164. 나는 두 가지를 대조했다. - Contraste dos cosas.

2165. 너는 장단점을 대조한다. - Contrastará los pros y los contras.

2166. 그는 결과를 대조할 것이다. - Contrastará los resultados.

2167. 색깔 다른가? - ¿Son diferentes los colores?

2168. 예, 다르다. - Sí, son diferentes.

2169. 정렬하다 - Ordenar

2170. 너는 자료를 정렬했다. - Tú has ordenado los materiales.

2171. 그는 목록을 정렬한다. - Él ordenará la lista.

2172. 그녀는 파일을 정렬할 것이다. - Ella ordenará los archivos.

2173. 순서 맞나요? - ¿Está en orden?

2174. 네, 맞아요. - Sí.

2175. 결합하다 - Combinar

2176. 그는 두 개를 결합했다. - Él combinará dos cosas.

2177. 그녀는 요소를 결합한다. - Ella combinará los elementos.

2178. 우리는 아이디어를 결합할 것이다. - Nosotros combinaremos ideas.

2179. 같이 할까요? - ¿Lo hacemos juntos?

2180. 좋아요. - Me parece bien.

2181. 분해하다 - Desmontar

2182. 그녀는 기계를 분해했다. - Ella desmontó la máquina.

2183. 우리는 문제를 분해한다. - Vamos a deconstruir el problema.

2184. 당신들은 시스템을 분해할 것이다. - Vas a desmontar el sistema.

2185. 어렵나요? - ¿Es difícil?

2186. 아니요. - No, no lo es.

2187. 회전하다 - Girar

2188. 우리는 의자를 회전했다. - Giramos la silla.

2189. 당신들은 화면을 회전한다. - Rotarán la pantalla.

2190. 그들은 테이블을 회전할 것이다. - Rotarán la mesa.

2191. 돌릴까요? - ¿Rotaremos?

2192. 그래요. - Sí, lo haremos.

2193. 접다 - Doblar

2194. 당신들은 옷을 접었다. - Tú doblas la ropa.

2195. 그들은 종이를 접는다. - Ellos doblan el papel.

2196. 나는 지도를 접을 것이다. - Voy a doblar un mapa.

2197. 이걸 접어요? - ¿Doblas esto?

2198. 네, 접어요. - Sí, lo doblo.

2199. 펼치다 - Desplegar

2200. 그들은 매트를 펼쳤다. - Desdoblan la alfombra.

2201. 나는 책을 펼친다. - Desdoblo un libro.

2202. 너는 포스터를 펼칠 것이다. - Desdoblarías un póster.

2203. 여기에 놓을까요? - ¿Lo pongo aquí?

2204. 네, 놓아줘 - Sí, ponlo ahí.

2205. 24. 명사 단어들 외우기, 필수 10개 동사의 단어들을 가지고 50문장 연습하기 - 24. memorizar palabras sustantivas, practicar 50 frases con las 10 palabras verbales esenciales

2206. 깃발 - bandera

2207. 스카프 - bufanda

2208. 카펫 - alfombra

2209. 신발끈 - cordón

2210. 선물 - regalo

2211. 머리 - cabeza

2212. 문제 - problema

2213. 노트 - nota

2214. 수수께끼 - Adivinanza

2215. 상자 - caja

2216. 책 - libro

2217. 블록 - bloque

2218. 물 - agua

2219. 쌀 - arroz

2220. 콩 - judía

2221. 병 - fiesta

2222. 가방 - bolsa

2223. 그릇 - cuenco

2224. 통 - recipiente

2225. 바구니 - cesta

2226. 컵 - taza

2227. 씨앗 - semilla

2228. 페인트 - Pintura

2229. 장애물 - obstáculo

2230. 줄넘기 - Saltar la cuerda

2231. 울타리 - valla

2232. 말다 - Rodar

2233. 나는 깃발을 말았다. - Yo enrollo una bandera

2234. 너는 스카프를 말다. - Rodará una bufanda

2235. 그는 카펫을 말 것이다. - Él enrollará la alfombra

2236. 도와줄까요? - ¿Quieres que te ayude?

2237. 네, 부탁해요. - Sí, por favor

2238. 묶다 - atar

2239. 너는 신발끈을 묶었다. - Tú te atas los cordones.

2240. 그는 선물을 묶는다. - Él atará el regalo.

2241. 그녀는 머리를 묶을 것이다. - Se atará el pelo.

2242. 더 조여요? - ¿A apretarlo más?

2243. 예, 조여요. - Sí, apriétalo.

2244. 풀다 - resolver

2245. 그는 문제를 풀었다. - Resolvió el problema.

2246. 그녀는 노트를 푼다. - Ella resolverá sus notas.

2247. 우리는 수수께끼를 풀 것이다. - Resolveremos el acertijo.

2248. 어떻게 해요? - ¿Cómo lo haremos?

2249. 생각해봐요. - Piénsalo.

2250. 쌓다 - apilar

2251. 그녀는 상자를 쌓았다. - Ella apila las cajas.

2252. 우리는 책을 쌓는다. - Nosotros apilamos libros.

2253. 당신들은 블록을 쌓을 것이다. - Tú apilarás bloques.

2254. 높게 쌓을까요? - ¿Los apilamos alto?

2255. 조심해요. - Ten cuidado.

2256. 쏟다 - Verter

2257. 우리는 물을 쏟았다. - Nosotros derramamos agua.

2258. 당신들은 쌀을 쏟는다. - Tú derramarás arroz.

2259. 그들은 콩을 쏟을 것이다. - Ellos derramarán judías.

2260. 다 쏟았어요? - ¿Lo derramaste todo?

2261. 다 쏟았어요. - Lo derramé todo.

2262. 채우다 - llenar

2263. 당신들은 병을 채웠다. - Tú llenas la botella.

2264. 그들은 가방을 채운다. - Ellos llenan la bolsa.

2265. 나는 그릇을 채울 것이다. - Llenaré el cuenco.

2266. 가득할까요? - ¿Estará lleno?

2267. 가득해요. - Está lleno.

2268. 비우다 - Vaciar

2269. 그들은 통을 비웠다. - Vaciaron el barril.

2270. 나는 바구니를 비운다. - Yo vaciaré la cesta.

2271. 너는 컵을 비울 것이다. - Tú vaciarás la taza.

2272. 이것도 비울까요? - ¿Vaciamos ésta también?

2273. 네, 비워요. - Sí, vacíalo.

2274. 뿌리다 - Sembrar

2275. 나는 씨앗을 뿌렸다. - Yo sembré las semillas.

2276. 너는 물을 뿌린다. - Tú rociarás agua.

2277. 그는 페인트를 뿌릴 것이다. - Él rociará pintura.

2278. 여기에요? - ¿Aquí?

2279. 여기에요. - Aquí.

2280. 건너뛰다 - Saltarse

2281. 너는 장애물을 건너뛰었다. - Tú saltaste la valla.

2282. 그는 줄넘기를 한다. - Saltará la cuerda.

2283. 그녀는 울타리를 건너뛸 것이다. - Saltará la valla.

2284. 저기로 갈까요? - ¿Vamos allí?

2285. 저기로 가요. - Vamos allí.

2286. 기울이다 - Inclinar

2287. 나는 병을 기울였다. - Yo incliné la botella.

2288. 너는 컵을 기울인다. - Inclinará la taza.

2289. 그는 그릇을 기울일 것이다. - Él inclinará la taza.

2290. 컵을 기울여? - ¿Inclinar la taza?

2291. 예, 기울여줘. - Sí, inclínala.

2292. 25. 명사 단어들 외우기, 필수 10개 동사의 단어들을 가지고 50문장 연습하기 - 25. memorizar palabras sustantivas, practicar 50 frases con las 10 palabras verbales esenciales

2293. 버튼 - botón

2294. 스위치 - interruptor

2295. 페달 - pedal

2296. 스티커 - pegatina

2297. 라벨 - etiqueta

2298. 포스터 - cartel

2299. 사진 - imagen

2300. 메모 - memo

2301. 공지 - notificación

2302. 선 - línea

2303. 원 - un

2304. 사각형 - Plaza

2305. 글자 - letra

2306. 오류 - error

2307. 데이터 - datos

2308. 이름 - nombre

2309. 주소 - dirección

2310. 번호 - número

2311. 비용 - gasto

2312. 합계 - Suma

2313. 예산 - presupuesto

2314. 별 - estrella

2315. 사과 - pedir disculpas

2316. 페이지 - Página

2317. 결과 - resultado

2318. 날씨 - tiempo

2319. 승자 - victor

2320. 프로젝트 - proyecto

2321. 누르다 - pulsar

2322. 나는 버튼을 눌렀다. - He pulsado el botón.

2323. 너는 스위치를 누른다. - Usted pulsará el interruptor.

2324. 그녀는 페달을 누를 것이다. - Ella pulsará el pedal.

2325. 스위치 누를까? - ¿Presiono el interruptor?

2326. 네, 눌러. - Sí, púlselo.

2327. 떼다 - despegar

2328. 나는 스티커를 뗐다. - He despegado la etiqueta.

2329. 너는 라벨을 뗀다. - Quita tú la etiqueta.

2330. 우리는 포스터를 뗄 것이다. - Quitaremos el cartel.

2331. 라벨 떼어도 돼? - ¿Puedo despegar la etiqueta?

2332. 그래, 떼. - Sí, despega.

2333. 붙이다 - pegar

2334. 나는 사진을 붙였다. - Yo pegué la foto.

2335. 너는 메모를 붙인다. - Pegá notas.

2336. 당신들은 공지를 붙일 것이다. - Pegarás una nota.

2337. 메모 붙일까? - ¿Pego una nota?

2338. 예, 붙여. - Sí, pegar.

2339. 긋다 - Dibujar una línea

2340. 나는 선을 그었다. - Dibujé una línea.

2341. 너는 원을 그린다. - Tú dibujarás un círculo.

2342. 그들은 사각형을 그을 것이다. - Ellos dibujarán un cuadrado.

2343. 선 긋기 좋아? - ¿Te gusta dibujar líneas?

2344. 네, 좋아. - Sí, bien.

2345. 지우다 - borrar

2346. 나는 글자를 지웠다. - He borrado las letras.

2347. 너는 오류를 지운다. - Tú borra el error.

2348. 그는 데이터를 지울 것이다. - Él borrará los datos.

2349. 오류 지울까? - ¿Borraré el error?

2350. 그래, 지워. - Sí, borrar.

2351. 적다 - Anotar

2352. 나는 이름을 적었다. - Yo escribo el nombre.

2353. 너는 주소를 적는다. - Usted escribirá la dirección.

2354. 그녀는 번호를 적을 것이다. - Ella escribirá el número.

2355. 주소 적어 줄래? - ¿Puedes escribir la dirección?

2356. 좋아, 적어. - Vale, escríbela.

2357. 계산하다 - calcular

2358. 나는 비용을 계산했다. - He calculado el coste.

2359. 너는 합계를 계산한다. - Calcule usted el total.

2360. 우리는 예산을 계산할 것이다. - Calcularemos el presupuesto.

2361. 합계 계산할까? - ¿Calculamos el total?

2362. 네, 계산해. - Sí, vamos a calcular.

2363. 세다 - Contar

2364. 나는 별을 셌다. - Yo conté las estrellas.

2365. 너는 사과를 센다. - Tú cuentas manzanas.

2366. 당신들은 페이지를 셀 것이다. - Tú cuentas páginas.

2367. 사과 몇 개야? - ¿Cuántas manzanas?

2368. 지금 세. - Cuenta ahora.

2369. 추측하다 - Adivinar

2370. 나는 결과를 추측했다. - Adiviné el resultado.

2371. 너는 날씨를 추측한다. - Adivina el tiempo.

2372. 그들은 승자를 추측할 것이다. - Ellos adivinarán el ganador.

2373. 날씨 어때? - ¿Qué tiempo hace?

2374. 비 올까 봐. - Creo que va a llover.

2375. 가정하다 - Suponer

2376. 나는 그가 올 것이라고 가정했다. - Supuse que vendría.

2377. 너는 그녀가 승리할 것이라고 가정한다. - Supones que ganará.

2378. 우리는 프로젝트가 성공할 것이라고 가정할 것이다. - Supondremos que el proyecto tendrá éxito.

2379. 그녀가 승리할까? - ¿Ganará?

2380. 아마 그럴것이다. - Probablemente sí.

2381. 26. 명사 단어들 외우기, 필수 10개 동사의 단어들을 가지고 50문장 연습하기 - 26. Memoriza palabras sustantivas, practica 50 frases con las 10 palabras verbales necesarias

2382. 상황 - situación

2383. 의도 - intención

2384. 결과 - resultado

2385. 계획 - plan

2386. 날짜 - fecha

2387. 장소 - ubicación

2388. 요청 - solicitud

2389. 제안 - propuesta

2390. 계약 - contrato

2391. 의견 - opinión

2392. 변경사항 - Cambios

2393. 조언 - asesoramiento

2394. 문제 - problema

2395. 프로젝트 - proyecto

2396. 해결책 - solución

2397. 주제 - tema

2398. 모드 - modo

2399. 파일 - archivo

2400. 형식 - formulario

2401. 데이터 - datos

2402. 이슈 - tema

2403. 포인트 - punto

2404. 질문 - pregunta

2405. 호출 - llamada

2406. 온도 - temperatura

2407. 볼륨 - volumen

2408. 속도 - velocidad

2409. 판단하다 - juzgar

2410. 나는 상황을 판단했다. - Juzgue la situación.

2411. 너는 그의 의도를 판단한다. - Juzga sus intenciones.

2412. 그녀는 결과를 판단할 것이다. - Ella juzgará el resultado.

2413. 옳은 거야? - ¿Es correcto?

2414. 판단해 봐. - Al Juez.

2415. 확정하다 - Finalizar

2416. 나는 계획을 확정했다. - Finalicé el plan.

2417. 너는 날짜를 확정한다. - Usted finalizará la fecha.

2418. 그들은 장소를 확정할 것이다. - Confirmarán el lugar.

2419. 날짜 확정됐어? - ¿Está finalizada la fecha?

2420. 예, 됐어. - Sí, ya está fijada.

2421. 승인하다 - Aprobar

2422. 나는 요청을 승인했다. - Apruebo la solicitud.

2423. 너는 제안을 승인한다. - Ustedes aprueban la propuesta.

2424. 우리는 계약을 승인할 것이다. - Aprobaremos el contrato.

2425. 제안 승인할까? - ¿Aprobamos la propuesta?

2426. 네, 승인해. - Sí, aprobarla.

2427. 반영하다 - Reflejar

2428. 나는 의견을 반영했다. - Refleje los comentarios.

2429. 너는 변경사항을 반영한다. - Reflejará los cambios.

2430. 그는 조언을 반영할 것이다. - Tendrá en cuenta los consejos.

2431. 의견 반영됐어? - ¿Reflejaste?

2432. 예, 반영됐어. - Sí, se reflejaron.

2433. 접근하다 - Abordar

2434. 나는 문제에 접근했다. - Yo enfoqué el problema.

2435. 너는 프로젝트에 접근한다. - Usted aborda el proyecto.

2436. 그녀는 해결책에 접근할 것이다. - Ella abordará la solución.

2437. 해결책 찾았어? - ¿Encontraste una solución?

2438. 찾는 중이야. - La estoy buscando.

2439. 전환하다 - Cambiar

2440. 나는 주제를 전환했다. - Cambié de tema.

2441. 너는 모드를 전환한다. - Usted cambia de tema.

2442. 우리는 계획을 전환할 것이다. - Cambiaremos de planes.

2443. 모드 바꿀까? - ¿Cambiamos de modo?

2444. 네, 바꿔. - Sí, cambiar.

2445. 변환하다 - Convertir

2446. 나는 파일을 변환했다. - He convertido el archivo.

2447. 너는 형식을 변환한다. - Convierten un formato.

2448. 그들은 데이터를 변환할 것이다. - Convertirán los datos.

2449. 형식 맞춰줄래? - ¿Puedes formatearlo?

2450. 좋아, 맞출게. - Vale, lo formatearé.

2451. 조명하다 - Iluminar

2452. 나는 이슈를 조명했다. - Iluminé el tema.

2453. 너는 포인트를 조명한다. - Ilumina un punto.

2454. 그녀는 주제를 조명할 것이다. - Ella iluminará el tema.

2455. 주제 뭘까? - ¿Cuál es el tema?

2456. 곧 알려줄게. - Te lo diré pronto.

2457. 응답하다 - Responder

2458. 나는 질문에 응답했다. - Respondí a la pregunta.

2459. 너는 요청에 응답한다. - Usted responde a la petición.

2460. 우리는 호출에 응답할 것이다. - Nosotros responderemos a la llamada.

2461. 답변 줄 수 있어? - ¿Puedes darme una respuesta?

2462. 네, 할 수 있어. - Sí, puedo

2463. 조절하다 - regular

2464. 나는 온도를 조절했다. - Yo regulé la temperatura.

2465. 너는 볼륨을 조절한다. - Ajusten el volumen.

2466. 그들은 속도를 조절할 것이다. - Ellos ajustan la velocidad.

2467. 볼륨 낮출까? - ¿Quieres que baje el volumen?

2468. 네, 낮춰 줘. - Sí, por favor, bájalo.

2469. 27. 명사 단어들 외우기, 필수 10개 동사의 단어들을 가지고 50문장 연습하기 - 27. memorizar palabras sustantivas, practicar 50 frases con las 10 palabras verbales esenciales

2470. 시스템 - sistema

2471. 드론 - dron

2472. 로봇 - robot

2473. 프로젝트 - proyecto

2474. 팀 - equipo

2475. 회사 - empresa

2476. 가게 - tienda

2477. 사이트 - sitio

2478. 카페 - cafetería

2479. 주문 - pedido

2480. 신청 - aplicación

2481. 문제 - problema

2482. 기술 - tecnología

2483. 능력 - capacidad

2484. 경험 - experiencia

2485. 지식 - conocimiento

2486. 사업 - empresa

2487. 영역 - área

2488. 시장 - mercado

2489. 비용 - gasto

2490. 규모 - Escala

2491. 지출 - gasto

2492. 매출 - ventas

2493. 노력 - Esfuerzo

2494. 효율 - Eficiencia

2495. 제어하다 - Controlar

2496. 나는 시스템을 제어했다. - Yo controlo el sistema.

2497. 너는 드론을 제어한다. - Controla el dron.

2498. 우리는 로봇을 제어할 것이다. - Nosotros controlaremos el robot.

2499. 드론 조종해 봤어? - ¿Has pilotado alguna vez un dron?

2500. 아니, 안 해봤어. - No, no lo he hecho.

2501. 관리하다 - Gestionar

2502. 나는 프로젝트를 관리했다. - Yo gestioné el proyecto.

2503. 너는 팀을 관리한다. - Usted gestiona el equipo.

2504. 그는 회사를 관리할 것이다. - Gestionará la empresa.

2505. 팀 잘 돼가? - ¿Cómo va el equipo?

2506. 네, 잘 돼. - Sí, va bien.

2507. 운영하다 - Dirigir

2508. 나는 가게를 운영했다. - Yo dirijo la tienda.

2509. 너는 사이트를 운영한다. - Tú dirigirás el sitio.

2510. 그녀는 카페를 운영할 것이다. - Ella dirigirá la cafetería.

2511. 사이트 잘 운영돼? - ¿El sitio va bien?

2512. 예, 잘 돼. - Sí, va bien.

2513. 처리하다 - procesar

2514. 나는 주문을 처리했다. - Yo tramité el pedido.

2515. 너는 신청을 처리한다. - Tramita tú la solicitud.

2516. 우리는 문제를 처리할 것이다. - Nos ocuparemos del problema.

2517. 신청 처리됐어? - ¿Has tramitado la solicitud?

2518. 네, 처리됐어. - Sí, está procesada.

2519. 처리하다 - procesar

2520. 나는 주문을 처리했다. - He tramitado la solicitud.

2521. 너는 신청을 처리한다. - Usted tramita la solicitud.

2522. 그는 문제를 처리할 것이다. - Él se encargará del problema.

2523. 신청 처리됐어? - ¿Has tramitado la solicitud?

2524. 됐어. - Ya está hecha.

2525. 발전하다 - Avanzar.

2526. 그녀는 기술을 발전시켰다. - Desarrolló sus habilidades.

2527. 우리는 능력을 발전시킨다. - Nosotros desarrollamos nuestras habilidades.

2528. 당신들은 시스템을 발전시킬 것이다. - Avanzarás en el sistema.

2529. 기술 좋아졌니? - ¿Has mejorado tus habilidades?

2530. 네, 좋아. - Sí, está bien.

2531. 성장하다 - Crecer

2532. 그들은 빠르게 성장했다. - Crecieron rápido.

2533. 나는 경험을 성장시킨다. - Crezco en experiencia.

2534. 너는 지식을 성장시킬 것이다. - Crecerás en conocimientos.

2535. 경험 많아졌어? - ¿Creciste en experiencia?

2536. 많아. - Tengo mucha.

2537. 확장하다 - Expandir

2538. 나는 사업을 확장했다. - Expandí mi negocio.

2539. 너는 영역을 확장한다. - Expandirá su territorio.

2540. 그는 시장을 확장할 것이다. - Expandirá el mercado.

2541. 시장 크니? - ¿Es grande el mercado?

2542. 네, 크다. - Sí, es grande.

2543. 축소하다 - Reducir

2544. 그녀는 비용을 축소했다. - Redujo sus gastos.

2545. 우리는 규모를 축소한다. - Reduciremos gastos.

2546. 당신들은 지출을 축소할 것이다. - Reducirás tus gastos.

2547. 비용 줄었어? - ¿Ha reducido los gastos?

2548. 네, 줄었어. - Sí, han disminuido.

2549. 증가하다 - Aumentar

2550. 그들은 매출을 증가시켰다. - Aumentaron las ventas.

2551. 나는 노력을 증가시킨다. - Aumento el esfuerzo.

2552. 너는 효율을 증가시킬 것이다. - Aumentan la eficacia.

2553. 매출 올랐어? - ¿Aumentaron las ventas?

2554. 네, 올랐어. - Sí, aumentaron.

2555. 28. 명사 단어들 외우기, 필수 10개 동사의 단어들을 가지고 50문장 연습하기 - 28. memorizar palabras sustantivas, practicar 50 frases con las 10 palabras verbales esenciales

2556. 오류 - error

2557. 리스크 - riesgo

2558. 부채 - fan

2559. 앱 - app

2560. 소프트웨어 - software

2561. 기술 - tecnología

2562. 기계 - máquina

2563. 아이디어 - idea

2564. 제품 - producto

2565. 예술작품 - obra de arte

2566. 콘텐츠 - contenido

2567. 비전 - visión

2568. 해결책 - solución

2569. 정보 - información

2570. 답 - respuesta

2571. 우주 - universo

2572. 신세계 - nuevo mundo

2573. 바다 - océano

2574. 시장 - mercado

2575. 사건 - Evento

2576. 현상 - fenómeno

2577. 도움 - ayuda

2578. 지원 - apoyar

2579. 협력 - Cooperación

2580. 계획 - plan

2581. 전략 - estrategia

2582. 제안 - propuesta

2583. 조건 - condición

2584. 요청 - solicitud

2585. 감소하다 - reducir

2586. 나는 오류를 감소시켰다. - Reduzca los errores.

2587. 너는 리스크를 감소시킨다. - Usted reduce el riesgo.

2588. 그는 부채를 감소시킬 것이다. - Reducirá la deuda.

2589. 리스크 적어졌어? - ¿Menos riesgo?

2590. 적어. - Menos.

2591. 개발하다 - Desarrollar

2592. 그녀는 앱을 개발했다. - Ella desarrolló una aplicación.

2593. 우리는 소프트웨어를 개발한다. - Nosotros desarrollamos software.

2594. 당신들은 기술을 개발할 것이다. - Ustedes desarrollarán tecnología.

2595. 앱 나왔어? - ¿Ya salió la app?

2596. 나왔어. - Ya ha salido.

2597. 발명하다 - Inventar

2598. 그들은 기계를 발명했다. - Inventan una máquina.

2599. 나는 아이디어를 발명한다. - Yo invento una idea.

2600. 너는 제품을 발명할 것이다. - Tú inventarás un producto.

2601. 기계 새로운 거야? - ¿Es nueva la máquina?

2602. 새로워. - Nueva.

2603. 창조하다 - Crear

2604. 나는 예술작품을 창조했다. - Yo creo una obra de arte.

2605. 너는 콘텐츠를 창조한다. - Creará un contenido.

2606. 그는 비전을 창조할 것이다. - Creará una visión.

2607. 콘텐츠 재밌어? - ¿Es divertido el contenido?

2608. 재밌어. - Es divertido.

2609. 찾아내다 - Averiguar.

2610. 그녀는 해결책을 찾아냈다. - Ella encontró una solución.

2611. 우리는 정보를 찾아낸다. - Encontramos información.

2612. 당신들은 답을 찾아낼 것이다. - Encontrará la respuesta.

2613. 정보 찾았어? - ¿Encontraste la información?

2614. 찾았어. - La encontré.

2615. 탐사하다 - explorar

2616. 그들은 우주를 탐사했다. - Ellos exploraron el universo.

2617. 나는 신세계를 탐사한다. - Yo exploro nuevos mundos.

2618. 너는 바다를 탐사할 것이다. - Explorarás el océano.

2619. 우주 멋져? - ¿Es guay el espacio?

2620. 멋져. - Mola.

2621. 조사하다 - Investigar

2622. 나는 시장을 조사했다. - Yo investigué el mercado.

2623. 너는 사건을 조사한다. - Investigarás el caso.

2624. 그는 현상을 조사할 것이다. - Investigará el fenómeno.

2625. 사건 해결됐어? - ¿Está resuelto el caso?

2626. 해결돼. - Está resuelto.

2627. 청하다 - Pedir

2628. 그녀는 도움을 청했다. - Ella pidió ayuda.

2629. 우리는 지원을 청한다. - Pedimos ayuda.

2630. 당신들은 협력을 청할 것이다. - Se le pedirá que colabore.

2631. 도움 필요해? - ¿Necesita ayuda?

2632. 필요해. - La necesito.

2633. 제안하다 - Proponer

2634. 그들은 계획을 제안했다. - Proponen un plan.

2635. 나는 아이디어를 제안한다. - Yo propongo una idea.

2636. 너는 전략을 제안할 것이다. - Tú propondrás una estrategia.

2637. 아이디어 있어? - ¿Tienes una idea?

2638. 있어. - La tengo.

2639. 승낙하다 - Aceptar

2640. 나는 제안을 승낙했다. - Acepto la propuesta.

2641. 너는 조건을 승낙한다. - Acepta las condiciones.

2642. 그는 요청을 승낙할 것이다. - Aceptará la petición.

2643. 조건 괜찮아? - ¿Están bien las condiciones?

2644. 괜찮아. - Me parecen bien.

2645. 29. 명사 단어들 외우기, 필수 10개 동사의 단어들을 가지고 50문장 연습하기 - 29. Memoriza palabras sustantivas, practica 50 frases con las 10 palabras verbales necesarias

2646. 문제 - problema

2647. 주제 - sujeto

2648. 해결책 - solución

2649. 의견 - opinión

2650. 친구 - amigo

2651. 여행 - viaje

2652. 부모님 - padres

2653. 조언 - consejo

2654. 위험 - peligro

2655. 소식 - Noticias

2656. 정보 - información

2657. 변화 - cambiar

2658. 사랑 - amor

2659. 마음 - mente

2660. 진심 - Sinceridad

2661. 문서 - documento

2662. 이미지 - imagen

2663. 자료 - datos

2664. 표 - gráfico

2665. 보고서 - informe

2666. 그래프 - gráfico

2667. 부분 - trabajo a tiempo parcial

2668. 문장 - frase

2669. 영상 - vídeo

2670. 장면 - escena

2671. 답 - respuesta

2672. 장소 - ubicación

2673. 주소 - dirección

2674. 토론하다 - discutir

2675. 그는 어제 문제에 대해 토론했다. - Ayer discutió el problema.

2676. 그녀는 지금 중요한 주제를 토론한다. - Ahora discute temas importantes.

2677. 우리는 내일 해결책을 토론할 것이다. - Discutiremos la solución mañana.

2678. 의견 있어? - ¿Tienes alguna opinión?

2679. 네, 있어. - Sí, la tengo.

2680. 설득하다 - persuadir

2681. 그녀는 친구를 여행 가기로 설득했다. - Convenció a su amiga para que fuera de viaje.

2682. 나는 지금 부모님을 설득한다. - Ahora estoy convenciendo a mis padres.

2683. 너는 내일 그들을 설득할 것이다. - Los convencerás mañana.

2684. 설득됐어? - ¿Convencido?

2685. 응, 됐어. - Sí, estoy convencido.

2686. 조언하다 - aconsejar

2687. 그들은 나에게 좋은 조언을 해주었다. - Me dieron un buen consejo.

2688. 나는 지금 친구에게 조언한다. - Ahora aconsejo a mi amigo.

2689. 너는 내일 조언을 할 것이다. - Mañana le darás un consejo.

2690. 조언 필요해? - ¿Necesitas un consejo?

2691. 필요해, 고마워. - Lo necesito, gracias.

2692. 경고하다 - advertir

2693. 그녀는 위험에 대해 경고했다. - Ella le advirtió del peligro.

2694. 우리는 지금 위험을 경고한다. - Advertimos del peligro ahora.

2695. 당신들은 내일 그들을 경고할 것이다. - Usted les advertirá mañana.

2696. 경고 들었어? - ¿Ha oído la advertencia?

2697. 네, 들었어. - Sí, lo he oído.

2698. 알리다 - informar

2699. 그는 어제 소식을 알렸다. - Ayer dio a conocer la noticia.

2700. 그녀는 지금 정보를 알린다. - Comunica la información ahora.

2701. 우리는 내일 변화를 알릴 것이다. - Mañana anunciaremos el cambio.

2702. 소식 알아? - ¿Conoce la noticia?

2703. 아니, 몰라. - No, no la conozco.

2704. 고백하다 - confesar

2705. 그녀는 그에게 사랑을 고백했다. - Ella le confesó su amor.

2706. 나는 지금 마음을 고백한다. - Ahora confieso mi corazón.

2707. 너는 내일 진심을 고백할 것이다. - Confesarás tu corazón mañana.

2708. 고백할 거야? - ¿Vas a confesarte?

2709. 응, 할 거야. - Sí, lo haré.

2710. 붙여넣다 - Pegar

2711. 그는 문서에 이미지를 붙여넣었다. - Ha pegado la imagen en el documento.

2712. 그녀는 지금 자료에 표를 붙여넣는다. - Ahora está pegando una tabla en el documento.

2713. 우리는 내일 보고서에 그래프를 붙여넣을 것이다. - Mañana pegaremos el gráfico en el informe.

2714. 완성됐어? - ¿Has terminado?

2715. 거의 다 됐어. - Casi.

2716. 잘라내다 - recortar

2717. 그들은 불필요한 부분을 잘라냈다. - Recortan las partes innecesarias.

2718. 나는 지금 문서에서 문장을 잘라낸다. - Ahora estoy recortando frases del documento.

2719. 너는 내일 영상에서 장면을 잘라낼 것이다. - Mañana cortarás escenas del vídeo.

2720. 줄일 필요 있어? - ¿Necesitas cortar algo?

2721. 응, 있어. - Sí, lo necesito.

2722. 검색하다 - Buscar

2723. 그녀는 정보를 검색했다. - Buscó información.

2724. 나는 지금 자료를 검색한다. - Ahora estoy buscando material.

2725. 너는 내일 답을 검색할 것이다. - Mañana buscarás respuestas.

2726. 정보 찾고 있어? - ¿Estás buscando información?

2727. 찾고 있어. - La estoy buscando.

2728. 찾아보다 - Buscar

2729. 그는 옛 친구를 찾아보았다. - Buscó a su viejo amigo.

2730. 그녀는 지금 문서를 찾아본다. - Ahora está buscando el documento.

2731. 우리는 내일 그 장소를 찾아볼 것이다. - Buscaremos el lugar mañana.

2732. 주소 찾았어? - ¿Has encontrado la dirección?

2733. 아직 못 찾았어. - No, aún no la he encontrado.

2734. 30. 명사 단어들 외우기, 필수 10개 동사의 단어들을 가지고 50문장 연습하기 - 30. memorizar palabras sustantivas, practicar 50 frases con las 10 palabras verbales esenciales

2735. 리더 - líder

2736. 메뉴 - menú

2737. 색상 - color

2738. 프로젝트 - proyecto

2739. 계획 - plan

2740. 아이디어 - idea

2741. 스케줄 - horario

2742. 예약 - reserva

2743. 보안 - seguridad

2744. 비밀번호 - contraseña

2745. 규칙 - regla

2746. 입장 - Entrada

2747. 영향력 - Influencia

2748. 제한 - límite

2749. 프로세스 - proceso

2750. 시스템 - sistema

2751. 웹사이트 - Página web

2752. 기능 - función

2753. 계정 - cuenta

2754. 서비스 - servicio

2755. 알림 - alarma

2756. 옵션 - opción

2757. 컴퓨터 - ordenador

2758. 인터넷 - Internet

2759. 기기 - dispositivo

2760. 부분 - trabajo a tiempo parcial

2761. 요소 - elemento

2762. 구성 - composición

2763. 선택하다 - elegir

2764. 그들은 새 리더를 선택했다. - Eligieron un nuevo lector.

2765. 나는 지금 메뉴를 선택한다. - Ahora elijo el menú.

2766. 너는 내일 색상을 선택할 것이다. - Mañana elegirán un color.

2767. 쉽게 고를 수 있어? - ¿Es fácil elegir?

2768. 네, 쉬워. - Sí, es fácil

2769. 구상하다 - concebir

2770. 그녀는 새 프로젝트를 구상했다. - Concibió un nuevo proyecto.

2771. 나는 지금 계획을 구상한다. - Concibo un plan ahora.

2772. 우리는 내일 아이디어를 구상할 것이다. - Idearemos mañana.

2773. 아이디어 있어? - ¿Tienes ideas?

2774. 응, 많아. - Sí, tengo muchas.

2775. 변경하다 - cambiar

2776. 그는 계획을 변경했다. - Ha cambiado sus planes.

2777. 그녀는 지금 스케줄을 변경한다. - Ahora cambia sus planes.

2778. 당신들은 내일 예약을 변경할 것이다. - Cambiarán la cita mañana.

2779. 날짜 바꿀래? - ¿Quieres cambiar la fecha?

2780. 그래, 바꿀래. - Sí, la cambiaré.

2781. 강화하다 - Para reforzar

2782. 그들은 보안을 강화했다. - Han aumentado la seguridad.

2783. 나는 지금 비밀번호를 강화한다. - Ahora estoy reforzando mi contraseña.

2784. 너는 내일 규칙을 강화할 것이다. - Mañana reforzarán las normas.

2785. 보안 더 필요해? - ¿Necesitas más seguridad?

2786. 네, 필요해. - Sí, la necesito.

2787. 약화하다 - Debilitar.

2788. 그녀는 입장을 약화시켰다. - Ella debilitó su posición.

2789. 우리는 지금 영향력을 약화시킨다. - Debilitamos nuestra influencia ahora.

2790. 당신들은 내일 제한을 약화시킬 것이다. - Mañana debilitarás las restricciones.

2791. 영향 줄어들었어? - ¿Menos influencia?

2792. 응, 줄었어. - Sí, ha disminuido.

2793. 최적화하다 - Optimizar

2794. 그는 프로세스를 최적화했다. - Optimizó el proceso.

2795. 그녀는 지금 시스템을 최적화한다. - Optimiza el sistema ahora.

2796. 우리는 내일 웹사이트를 최적화할 것이다. - Optimizaremos el sitio web

mañana.

2797. 성능 좋아졌어? - ¿Es mejor el rendimiento?

2798. 많이 좋아졌어. - Es mucho mejor.

2799. 활성화하다 - activar

2800. 그들은 기능을 활성화했다. - Han activado la función.

2801. 나는 지금 계정을 활성화한다. - Estoy activando la cuenta ahora.

2802. 너는 내일 서비스를 활성화할 것이다. - Mañana activarás el servicio.

2803. 작동하나요? - ¿Funciona?

2804. 응, 잘 돼. - Sí, funciona.

2805. 비활성화하다 - Desactivar

2806. 그녀는 알림을 비활성화했다. - Ha desactivado las notificaciones.

2807. 우리는 지금 옵션을 비활성화한다. - Desactivamos la opción ahora.

2808. 당신들은 내일 기능을 비활성화할 것이다. - Mañana desactivarán la opción.

2809. 더 이상 안 나와? - ¿No saldrá más?

2810. 아니, 안 나와. - No, no saldrá.

2811. 연결하다 - Conectar

2812. 나는 컴퓨터를 연결했다. - Conecté mi ordenador.

2813. 너는 인터넷을 연결한다. - Conectará Internet.

2814. 그는 기기를 연결할 것이다. - Conectará el aparato.

2815. 연결 됐어? - ¿Está conectado?

2816. 됐어. - Listo.

2817. 분리하다 - Separar

2818. 그녀는 두 부분을 분리했다. - Separó las dos partes.

2819. 우리는 요소들을 분리한다. - Separamos los elementos.

2820. 당신들은 구성을 분리할 것이다. - Usted separará la composición.

2821. 분리해야 해? - ¿Tenemos que separar?

2822. 해야 해. - Debes hacerlo.

2823. 31. 명사 단어들 외우기, 필수 10개 동사의 단어들을 가지고 50문장 연습하기 - 31. memorizar palabras sustantivas, practicar 50 frases con las 10 palabras verbales esenciales

2824. 가구 - muebles

2825. 모델 - Modelo

2826. 장난감 - juguete

2827. 기계 - máquina

2828. 구조 - estructura

2829. 시스템 - sistema

2830. 선물 - regalo

2831. 상품 - Mercancías

2832. 박스 - caja

2833. 편지 - carta

2834. 패키지 - paquete

2835. 상자 - Caja

2836. 볼륨 - volumen

2837. 뚜껑 - Tapa

2838. 핸들 - asa

2839. 페이지 - Página

2840. 채널 - canal

2841. 장 - página

2842. 종이 - papel

2843. 천 - tela

2844. 나무 - árbol

2845. 국물 - sopa

2846. 음료 - bebida

2847. 소스 - salsa

2848. 요리 - cocinar

2849. 스무디 - batido

2850. 케이크 - pastel

2851. 목욕 - baño

2852. 온천 - Spa

2853. 조립하다 - montar

2854. 그들은 가구를 조립했다. - Ellos montaron los muebles.

2855. 나는 모델을 조립한다. - Yo monto la maqueta.

2856. 너는 장난감을 조립할 것이다. - Tú montarás el juguete.

2857. 도와줄까? - ¿Quieres que te ayude?

2858. 좋아. - Sí.

2859. 해체하다 - A desmontar

2860. 그녀는 기계를 해체했다. - Ella desmontó la máquina.

2861. 우리는 구조를 해체한다. - Nosotros desmontamos la estructura.

2862. 당신들은 시스템을 해체할 것이다. - Usted desmantelará el sistema.

2863. 해체 필요해? - ¿Necesitas desmantelar?

2864. 필요해. - Lo necesito.

2865. 포장하다 - Para envolver

2866. 나는 선물을 포장했다. - Envolví el regalo.

2867. 너는 상품을 포장한다. - Usted embalará la mercancía.

2868. 그는 박스를 포장할 것이다. - Empacará las cajas.

2869. 끝났어? - ¿Terminaste?

2870. 아직. - Todavía no.

2871. 개봉하다 - Para abrir

2872. 그녀는 편지를 개봉했다. - Ella abrió la carta.

2873. 우리는 패키지를 개봉한다. - Desempaquetamos el paquete.

2874. 당신들은 상자를 개봉할 것이다. - Tú abrirás la caja.

2875. 열어볼까? - ¿La abrimos?

2876. 열어봐. - Abrirla.

2877. 돌리다 - girar

2878. 그들은 볼륨을 돌렸다. - Giraron el volumen.

2879. 나는 뚜껑을 돌린다. - Giro la tapa.

2880. 너는 핸들을 돌릴 것이다. - Tú girarás la manivela.

2881. 돌려야 돼? - ¿Tengo que girarla?

2882. 응, 돼. - Sí, puedes

2883. 넘기다 - Dar la vuelta

2884. 그녀는 페이지를 넘겼다. - Ella pasó la página.

2885. 우리는 채널을 넘긴다. - Pasamos de canal.

2886. 당신들은 장을 넘길 것이다. - Se pasa de capítulo.

2887. 넘길까? - ¿Le damos la vuelta?

2888. 넘겨. - Dar la vuelta.

2889. 자르다 - Cortar

2890. 나는 종이를 자르다. - Yo corto el papel.

2891. 너는 천을 자른다. - Tú cortarás la tela.

2892. 그는 나무를 자를 것이다. - Él cortará la madera.

2893. 자를까? - ¿Cortamos?

2894. 자르자. - Vamos a cortar.

2895. 저다 - Remover

2896. 그녀는 국물을 저었다. - Ella revuelve el caldo.

2897. 우리는 음료를 젓는다. - Nosotros removemos la bebida.

2898. 당신들은 소스를 저을 것이다. - Vosotros removeréis la salsa.

2899. 더 저을까? - ¿Revolvemos un poco más?

2900. 응, 저어. - Sí, remover.

2901. 맛보다 - Probar

2902. 그들은 새 요리를 맛보았다. - Probaron el nuevo plato.

2903. 나는 스무디를 맛본다. - Yo probé el batido.

2904. 너는 케이크를 맛볼 것이다. - Tú probarás el pastel.

2905. 맛있어? - ¿Está delicioso?

2906. 맛있어. - Está delicioso.

2907. 목욕하다 - bañarse

2908. 그녀는 긴 목욕을 했다. - Se dio un largo baño.

2909. 우리는 온천에서 목욕한다. - Nos bañamos en las termas.

2910. 당신들은 집에서 목욕할 것이다. - Te bañarás en casa.

2911. 뜨거워? - ¿Está caliente?

2912. 적당해. - Está en su punto.

2913. 32. 명사 단어들 외우기, 필수 10개 동사의 단어들을 가지고 50문장 연습하기 - 32. memorizar palabras sustantivas, practicar 50 frases con las palabras de los 10 verbos esenciales

2914. 샤워 - ducharse

2915. 드레스 - vestir

2916. 유니폼 - uniforme

2917. 옷 - ropa

2918. 잠옷 - pijama

2919. 신발 - zapatos

2920. 코트 - abrigo

2921. 파티복 - ropa de fiesta

2922. 운동복 - Ropa deportiva

2923. 머리 - cabeza

2924. 고양이 - gato

2925. 말 - palabra

2926. 방 - habitación

2927. 트리 - árbol

2928. 집 - casa

2929. 문서 - documento

2930. 보고서 - informe

2931. 이메일 - correo electrónico

2932. 그림 - pintura

2933. 스케치 - boceto

2934. 만화 - cómic

2935. 길 - carretera

2936. 눈길 - línea de visión

2937. 정글 - selva

2938. 샤워하다 - ducharse

2939. 나는 아침에 샤워했다. - Me duché por la mañana.

2940. 너는 지금 샤워한다. - Se duchará ahora.

2941. 그는 저녁에 샤워할 것이다. - Se duchará por la tarde.

2942. 빨리 할까? - ¿Lo hacemos rápido?

2943. 빨리 해. - Hazlo rápido.

2944. 입다 - Ponerse

2945. 그녀는 드레스를 입었다. - Ella se puso el vestido.

2946. 우리는 유니폼을 입는다. - Llevamos uniforme.

2947. 당신들은 새 옷을 입을 것이다. - Vais a llevar ropa nueva.

2948. 예뻐? - ¿Es bonito?

2949. 예뻐. - Es bonito.

2950. 벗다 - quitarse

2951. 그들은 잠옷을 벗었다. - Se quitaron el pijama.

2952. 나는 신발을 벗는다. - Yo me quito los zapatos.

2953. 너는 코트를 벗을 것이다. - Te quitarás el abrigo.

2954. 춥지 않아? - ¿No tienes frío?

2955. 괜찮아. - Estoy bien.

2956. 갈아입다 - cambiarse

2957. 그녀는 파티복으로 갈아입었다. - Se ha puesto la ropa de fiesta.

2958. 우리는 운동복으로 갈아입는다. - Nos pondremos la ropa de deporte.

2959. 당신들은 편안한 옷으로 갈아입을 것이다. - Tú te pondrás ropa cómoda.

2960. 빨리 할 수 있어? - ¿Puedes hacerlo rápido?

2961. 할 수 있어. - Puedo hacerlo.

2962. 빗다 - peinar

2963. 나는 머리를 빗었다. - Me he peinado.

2964. 너는 고양이를 빗는다. - Tú peinarás al gato.

2965. 그는 말을 빗을 것이다. - Él peinará al caballo.

2966. 도와줄까? - ¿Quieres que te ayude?

2967. 좋아. - Vale.

2968. 꾸미다 - Para decorar

2969. 그녀는 방을 꾸몄다. - Ella decoró su habitación.

2970. 우리는 트리를 꾸민다. - Nosotros decoramos el árbol.

2971. 당신들은 집을 꾸밀 것이다. - Tú decorarás la casa.

2972. 예쁘게 할까? - ¿La ponemos bonita?

2973. 그래, 예쁘게. - Sí, embellecer.

2974. 단장하다 - Vestirse

2975. 그들은 축제에 맞춰 단장했다. - Se disfrazaron para el festival.

2976. 나는 면접에 맞춰 단장한다. - Me voy a vestir para una entrevista de trabajo.

2977. 너는 결혼식에 맞춰 단장할 것이다. - Te arreglarás para la boda.

2978. 준비 됐어? - ¿Estás preparada?

2979. 됐어. - Estoy lista.

2980. 교정하다 - corregir

2981. 그녀는 문서를 교정했다. - Ella corrigió el documento.

2982. 우리는 보고서를 교정한다. - Nosotros corregimos el informe.

2983. 당신들은 이메일을 교정할 것이다. - Vosotros corregiréis el correo electrónico.

2984. 오류 있어? - ¿Algún error?

2985. 없어. - No.

2986. 채색하다 - Colorear

2987. 나는 그림에 채색했다. - Yo coloreé el dibujo.

2988. 너는 스케치를 채색한다. - Tú colorearás el dibujo.

2989. 그는 만화를 채색할 것이다. - Él coloreará el dibujo.

2990. 끝났어? - ¿Has terminado?

2991. 거의. - Casi.

2992. 헤치다 - Cubrir

2993. 그녀는 길을 헤쳤다. - Ella cubrió su camino.

2994. 우리는 눈길을 헤친다. - Aramos a través de la nieve.

2995. 당신들은 정글을 헤칠 것이다. - Lo harás a través de la selva.

2996. 힘들어? - ¿Duro?

2997. 좀 힘들어. - Es un poco duro.

2998. 33. 명사 단어들 외우기, 필수 10개 동사의 단어들을 가지고 50문장 연습하기 - 33. Memoriza palabras sustantivas, practica 50 frases con las palabras de los 10 verbos esenciales

2999. 팬케이크 - tortita

3000. 책장 - estantería

3001. 매트 - colchoneta

3002. 공원 - parque

3003. 해변 - playa

3004. 산길 - camino de montaña

3005. 줄넘기 - saltar la cuerda

3006. 장애물 - obstáculo

3007. 역사 - historia

3008. 수학 - matemáticas

3009. 과학 - ciencia

3010. 기술 - tecnología

3011. 레시피 - receta

3012. 노래 - cantar

3013. 시 - ciudad

3014. 공식 - oficial

3015. 단어 - palabra

3016. 시장 - mercado

3017. 문화 - cultura

3018. 생태계 - ecosistema

3019. 우주 - universo

3020. 인간 마음 - mente humana

3021. 심해 - mar profundo

3022. 방법 - método

3023. 화학 반응 - reacción química

3024. 생물학적 실험 - experimento biológico

3025. 제품 - producto

3026. 능력 - capacidad

3027. 뒤집다 - voltear

3028. 그들은 팬케이크를 뒤집었다. - Voltearon las tortitas.

3029. 나는 책장을 뒤집는다. - Volteo la estantería.

3030. 너는 매트를 뒤집을 것이다. - Tú voltearás la alfombrilla.

3031. 잘 됐어? - ¿Ha ido bien?

3032. 잘 됐어. - Ha ido bien.

3033. 뛰다 - correr

3034. 그녀는 공원을 뛰었다. - Corrió por el parque.

3035. 우리는 해변을 뛴다. - Nosotros corrimos por la playa.

3036. 당신들은 산길을 뛸 것이다. - Vosotros correréis por los senderos de la montaña.

3037. 피곤해? - ¿Estás cansada?

3038. 아니, 괜찮아. - No, estoy bien.

3039. 점프하다 - Saltar

3040. 나는 높이 점프했다. - Salté alto.

3041. 너는 줄넘기를 점프한다. - Saltará la cuerda.

3042. 그는 장애물을 점프할 것이다. - Saltará la valla.

3043. 할 수 있어? - ¿Puedes hacerlo?

3044. 할 수 있어. - Puedo hacerlo.

3045. 공부하다 - estudiar

3046. 그녀는 역사를 공부했다. - Ella estudia historia.

3047. 우리는 수학을 공부한다. - Nosotros estudiamos matemáticas.

3048. 당신들은 과학을 공부할 것이다. - Vosotros estudiaréis ciencias.

3049. 어려워? - ¿Es difícil?

3050. 조금 어려워. - Un poco difícil.

3051. 익히다 - Dominar

3052. 그들은 새로운 기술을 익혔다. - Dominan una nueva habilidad.

3053. 나는 레시피를 익힌다. - Yo domino una receta.

3054. 너는 노래를 익힐 것이다. - Dominarás la canción.

3055. 쉬워? - ¿Es fácil?

3056. 쉬워. - Es fácil.

3057. 암기하다 - Memorizar

3058. 그녀는 시를 암기했다. - Ella memorizó el poema.

3059. 우리는 공식을 암기한다. - Nosotros memorizamos fórmulas.

3060. 당신들은 단어를 암기할 것이다. - Memorizarás las palabras.

3061. 외웠어? - ¿Lo memorizaste?

3062. 외웠어. - Lo memoricé.

3063. 연구하다 - estudiar

3064. 나는 시장을 연구했다. - Estudié el mercado.

3065. 너는 문화를 연구한다. - Estudiará la cultura.

3066. 그는 생태계를 연구할 것이다. - Estudiará el ecosistema.

3067. 발견했어? - ¿Lo encontraste?

3068. 발견했어. - Lo encontré.

3069. 탐구하다 - explorar

3070. 그녀는 우주를 탐구했다. - Ella exploró el universo.

3071. 우리는 인간 마음을 탐구한다. - Nosotros exploramos la mente humana.

3072. 당신들은 심해를 탐구할 것이다. - Explorarás las profundidades marinas.

3073. 무엇을 탐구해? - ¿Explorar qué?

3074. 심해를 탐구해. - Explorar las profundidades marinas.

3075. 실험하다 - Experimentar.

3076. 나는 새로운 방법을 실험했다. - Experimenté con un nuevo método.

3077. 너는 화학 반응을 실험한다. - Experimentará con reacciones químicas.

3078. 그는 생물학적 실험을 할 것이다. - Hará un experimento biológico.

3079. 성공했어? - ¿Tuvo éxito?

3080. 네, 성공했어. - Sí, tuvo éxito.

3081. 시험하다 - probar

3082. 그들은 제품을 시험했다. - Probaron el producto.

3083. 나는 내 능력을 시험한다. - Pongo a prueba mis habilidades.

3084. 너는 새 기술을 시험할 것이다. - Tú probarás tus nuevas habilidades.

3085. 어때? - ¿Qué tal va?

3086. 잘 작동해. - Funciona bien.

3087. 34. 명사 단어들 외우기, 필수 10개 동사의 단어들을 가지고 50문장 연습하기 - 34. memorizar palabras sustantivas, practicar 50 frases con las

10 palabras verbales esenciales

3088. 친구 - amigo

3089. 대화 - conversación

3090. 주제 - tema

3091. 세계 평화 - mundo paz

3092. 팀 - equipo

3093. 가족 - familia

3094. 다국어 - multilingüe

3095. 질문 - pregunta

3096. 퀴즈 - Cuestionario

3097. 인터뷰 질문 - preguntas de la entrevista

3098. 사건 - Evento

3099. 독립 기념일 - cuarto

3100. 업적 - Logros

3101. 졸업 - graduado

3102. 승진 - ascenso

3103. 생일 - cumpleaños

3104. 영웅 - héroe

3105. 역사적 사건 - incidente histórico

3106. 인물 - personaje

3107. 사람 - persona

3108. 학생 - estudiante

3109. 노력 - esfuerzo

3110. 성취 - logro

3111. 성공 - éxito

3112. 실수 - error

3113. 부정적 행동 - comportamiento negativo

3114. 불공정 - injusto

3115. 대화하다 - conversar

3116. 그녀는 친구와 깊은 대화를 했다. - Mantiene una conversación profunda con su amiga.

3117. 우리는 중요한 주제에 대해 대화한다. - Hablamos de temas importantes.

3118. 당신들은 세계 평화에 대해 대화할 것이다. - Usted hablará de la paz

mundial.

3119. 흥미로워? - ¿Interesante?

3120. 매우 흥미로워. - Muy interesante.

3121. 소통하다 - Comunicar

3122. 나는 팀과 효과적으로 소통했다. - Me comuniqué eficazmente con mi equipo.

3123. 너는 가족과 소통한다. - Se comunicará con su familia.

3124. 그는 다국어로 소통할 것이다. - Se comunicará en varios idiomas.

3125. 쉬워? - ¿Es fácil?

3126. 노력이 필요해. - Requiere esfuerzo.

3127. 답하다 - Responder

3128. 그들은 내 질문에 답했다. - Respondieron a mi pregunta.

3129. 나는 퀴즈에 답한다. - Contestaré a la pregunta.

3130. 너는 인터뷰 질문에 답할 것이다. - Responderás a las preguntas de la entrevista.

3131. 준비됐어? - ¿Estás preparado?

3132. 예, 준비됐어. - Sí, estoy preparado.

3133. 기념하다 - conmemorar

3134. 그녀는 중요한 사건을 기념했다. - Ella conmemoró un acontecimiento importante.

3135. 우리는 독립 기념일을 기념한다. - Celebramos el Día de la Independencia.

3136. 당신들은 업적을 기념할 것이다. - Tú celebrarás un logro.

3137. 언제야? - ¿Cuándo es?

3138. 내일이야. - Mañana.

3139. 경축하다 - Celebrar.

3140. 나는 졸업을 경축했다. - Yo celebré mi graduación.

3141. 너는 승진을 경축한다. - Tú celebrarás tu ascenso.

3142. 그는 생일을 경축할 것이다. - Celebrará su cumpleaños.

3143. 파티 할 거야? - ¿Vais de fiesta?

3144. 그래, 파티할 거야. - Sí, vamos de fiesta.

3145. 추모하다 - Conmemorar

3146. 그녀는 영웅을 추모했다. - Ella conmemoró al héroe.

3147. 우리는 역사적 사건을 추모한다. - Conmemoramos acontecimientos

históricos.

3148. 당신들은 위대한 인물을 추모할 것이다. - Tú conmemorarás a una gran persona.

3149. 슬픈 날이야? - ¿Es un día triste?

3150. 네, 매우 슬퍼. - Sí, muy triste.

3151. 위로하다 - consolar

3152. 나는 친구를 위로했다. - Yo consolé a mi amigo.

3153. 너는 슬픈 이를 위로한다. - Consuela a la persona triste.

3154. 그는 가족을 위로할 것이다. - Consolará a su familia.

3155. 괜찮아졌어? - ¿Te sientes mejor?

3156. 조금 나아졌어. - Me siento un poco mejor.

3157. 격려하다 - Animar

3158. 그들은 서로를 격려했다. - Se animaron mutuamente.

3159. 나는 너를 격려한다. - Yo te animo a ti.

3160. 너는 팀을 격려할 것이다. - Animarás al equipo.

3161. 힘낼래? - ¿Te animarás?

3162. 네, 힘낼게! - Sí, ios animaré!

3163. 칭찬하다 - Elogiar

3164. 그녀는 학생의 노력을 칭찬했다. - Alabó el esfuerzo del alumno.

3165. 우리는 성취를 칭찬한다. - Alabamos los logros.

3166. 당신들은 성공을 칭찬할 것이다. - Elogiarás tu éxito.

3167. 잘했어? - ¿Lo has hecho bien?

3168. 너무 잘했어! - ¡Lo has hecho muy bien!

3169. 비난하다 - Criticar

3170. 나는 실수를 비난했다. - Culparé el error.

3171. 너는 부정적 행동을 비난한다. - Condenará el comportamiento negativo.

3172. 그는 불공정을 비난할 것이다. - Condenará la injusticia.

3173. 그게 맞아? - ¿Es eso correcto?

3174. 아니, 잘못됐어. - No, está mal.

3175. 35. 명사 단어들 외우기, 필수 10개 동사의 단어들을 가지고 50문장 연습하기 - 35. memorizar palabras sustantivas, practicar 50 frases con las 10 palabras verbales esenciales

3176. 정책 - Política

3177. 아이디어 - idea

3178. 계획 - plan

3179. 동료 - colega

3180. 리더 - líder

3181. 파트너 - socio

3182. 경고 - advertencia

3183. 조언 - consejo

3184. 위험 - peligro

3185. 변경사항 - Cambios

3186. 결정 - decisión

3187. 결과 - resultado

3188. 회의 일정 - programa de la reunión

3189. 이벤트 - acontecimiento

3190. 변경 - cambio

3191. 데이터 - datos

3192. 시스템 - sistema

3193. 기계 - máquina

3194. 스케줄 - programa

3195. 전략 - estrategia

3196. 규칙 - regla

3197. 방침 - política

3198. 기회 - oportunidad

3199. 자원 - recurso

3200. 정보 - información

3201. 계약 - contrato

3202. 멤버십 - Afiliación

3203. 라이선스 - Licencias

3204. 비판하다 - Criticar

3205. 그들은 정책을 비판했다. - Criticaron la política.

3206. 나는 아이디어를 비판한다. - Yo critico la idea.

3207. 너는 계획을 비판할 것이다. - Criticarán el plan.

3208. 개선 필요해? - ¿Necesita mejoras?

3209. 네, 필요해. - Sí, lo necesita.

3210. 신뢰하다 - Confiar

3211. 그녀는 동료를 신뢰했다. - Ella confiaba en su compañero de trabajo.

3212. 우리는 리더를 신뢰한다. - Confiamos en nuestros líderes.

3213. 당신들은 파트너를 신뢰할 것이다. - Usted confiará en su compañero.

3214. 믿을 수 있어? - ¿Puede confiar en ellos?

3215. 물론이야. - Por supuesto.

3216. 주의하다 - Hacer caso

3217. 나는 경고를 주의했다. - Hice caso de la advertencia.

3218. 너는 조언을 주의한다. - Preste atención al consejo.

3219. 그는 위험을 주의할 것이다. - Tendrá cuidado con el peligro.

3220. 조심해야 해? - ¿Debo tener cuidado?

3221. 예, 조심해. - Sí, tenga cuidado.

3222. 통보하다 - notificar

3223. 그들은 변경사항을 통보했다. - Notificaron el cambio.

3224. 나는 결정을 통보한다. - Informaré de la decisión.

3225. 너는 결과를 통보할 것이다. - Informarán del resultado.

3226. 알려줄 거야? - ¿Me informarás?

3227. 네, 알려줄게. - Sí, te informaré.

3228. 공지하다 - anunciar

3229. 그녀는 회의 일정을 공지했다. - Ella anunció la reunión.

3230. 우리는 이벤트를 공지한다. - Anunciaremos el acontecimiento.

3231. 당신들은 변경을 공지할 것이다. - Anunciará el cambio.

3232. 언제 시작해? - ¿Cuándo empieza?

3233. 내일 시작해. - Empezaremos mañana.

3234. 조작하다 - Manipular

3235. 나는 데이터를 조작했다. - Yo manipulé los datos.

3236. 너는 시스템을 조작한다. - Usted manipulará el sistema.

3237. 그는 기계를 조작할 것이다. - Manipulará la máquina.

3238. 쉬워? - ¿Es fácil?

3239. 아니, 어려워. - No, es difícil.

3240. 조정하다 - Coordinar

3241. 그들은 계획을 조정했다. - Coordinaron sus planes.

3242. 나는 스케줄을 조정한다. - Ajusto el programa.

3243. 너는 전략을 조정할 것이다. - Ajustarán su estrategia.

3244. 변경됐어? - ¿Ha cambiado?

3245. 네, 변경됐어. - Sí, ha cambiado.

3246. 적용하다 - Aplicar

3247. 그녀는 규칙을 적용했다. - Ella aplicó la norma.

3248. 우리는 정책을 적용한다. - Nosotros aplicamos la política.

3249. 당신들은 방침을 적용할 것이다. - Usted aplicará la política.

3250. 필요해? - ¿La necesitas?

3251. 네, 필요해. - Sí, la necesito.

3252. 활용하다 - Utilizar

3253. 나는 기회를 활용했다. - Utilicé la oportunidad.

3254. 너는 자원을 활용한다. - Utilizará los recursos.

3255. 그는 정보를 활용할 것이다. - Utilizará la información.

3256. 유용해? - ¿Util?

3257. 매우 유용해. - Es muy útil.

3258. 갱신하다 - renovar

3259. 그들은 계약을 갱신했다. - Renovaron el contrato.

3260. 나는 멤버십을 갱신한다. - Renuevo mi afiliación.

3261. 너는 라이선스를 갱신할 것이다. - Renovarás tu licencia.

3262. 필요한 거야? - ¿La necesita?

3263. 예, 필요해. - Sí, lo necesito.

3264. 36. 명사 단어들 외우기, 필수 10개 동사의 단어들을 가지고 50문장 연습하기 - 36. memorizar palabras sustantivas, practicar 50 frases con las 10 palabras verbales esenciales

3265. 소프트웨어 - software

3266. 시스템 - sistema

3267. 하드웨어 - hardware

3268. 파일 - archivo

3269. 아이콘 - icono

3270. 이미지 - imagen

3271. 그룹 - grupo

3272. 경로 - Ruta

3273. 계획 - plano

3274. 위험 - peligro

3275. 루틴(습관) - rutina (hábito)

3276. 지루함 - aburrimiento

3277. 문제 - problema

3278. 책임 - responsabilidad

3279. 현장 - sitio

3280. 도둑 - ladrón

3281. 꿈 - sueño

3282. 목표 - objetivo

3283. 고양이 - gato

3284. 행복 - felicidad

3285. 성공 - éxito

3286. 순간 - momento

3287. 기회 - oportunidad

3288. 장면 - escena

3289. 변화 - cambio

3290. 상황 - situación

3291. 필요 - necesario

3292. 업그레이드하다 - actualizar

3293. 그녀는 소프트웨어를 업그레이드했다. - Se actualiza el software.

3294. 우리는 시스템을 업그레이드한다. - Actualizamos el sistema.

3295. 당신들은 하드웨어를 업그레이드할 것이다. - Ustedes van a actualizar el hardware.

3296. 더 좋아질까? - ¿Será mejor?

3297. 분명히 그래. - Seguro que sí.

3298. 드래그하다 - Arrastrar

3299. 나는 파일을 드래그했다. - Arrastré un archivo.

3300. 너는 아이콘을 드래그한다. - Arrastraste un icono.

3301. 그는 이미지를 드래그할 것이다. - Arrastrará imágenes.

3302. 쉬운 일이야? - ¿Es fácil?

3303. 네, 매우 쉬워. - Sí, muy fácil.

3304. 이탈하다 - Desviarse

3305. 그들은 그룹에서 이탈했다. - Se desviaron del grupo.

3306. 나는 경로에서 이탈한다. - Me desvío del camino.

3307. 너는 계획에서 이탈할 것이다. - Te desviarás del plan.

3308. 계획 변경해? - ¿Cambiar el plan?

3309. 네, 변경해. - Sí, cambiarlo.

3310. 탈출하다 - escapar

3311. 그녀는 위험에서 탈출했다. - Ella escapó del peligro.

3312. 우리는 루틴에서 탈출한다. - Nosotros escapamos de la rutina.

3313. 당신들은 지루함에서 탈출할 것이다. - Tú escaparás del aburrimiento.

3314. 벗어날 수 있어? - ¿Puedes escapar?

3315. 예, 벗어날 수 있어. - Sí, puedes escapar.

3316. 도망치다 - Escapar de

3317. 나는 문제에서 도망쳤다. - Huyo de los problemas.

3318. 너는 책임에서 도망친다. - Huyes de la responsabilidad.

3319. 그는 현장에서 도망칠 것이다. - Huye de la escena.

3320. 두려워? - ¿Tienes miedo?

3321. 아니, 두렵지 않아. - No, no tengo miedo.

3322. 추격하다 - Perseguir

3323. 그들은 도둑을 추격했다. - Persiguieron al ladrón.

3324. 나는 꿈을 추격한다. - Yo persigo sueños.

3325. 너는 목표를 추격할 것이다. - Perseguirás tu meta.

3326. 따라잡을 수 있어? - ¿Puedes alcanzarlo?

3327. 네, 할 수 있어. - Sí, puedo.

3328. 쫓다 - Perseguir

3329. 그녀는 고양이를 쫓았다. - Ella persiguió al gato.

3330. 우리는 행복을 쫓는다. - Nosotros perseguimos la felicidad.

3331. 당신들은 성공을 쫓을 것이다. - Tú perseguirás el éxito.

3332. 성공할까? - ¿Tendrás éxito?

3333. 네, 분명히 성공해. - Sí, seguro que lo conseguirás.

3334. 포착하다 - aprovechar

3335. 나는 순간을 포착했다. - Aproveché el momento.

3336. 너는 기회를 포착한다. - Aprovecha la oportunidad.

3337. 그는 장면을 포착할 것이다. - Él capturará la escena.

3338. 멋진 사진이야? - ¿Es una buena foto?

3339. 네, 정말 멋져. - Sí, es muy bonita.

3340. 감지하다 - Percibir

3341. 나는 변화를 감지했다. - Percibo un cambio.

3342. 너는 위험을 감지한다. - Percibe el peligro.

3343. 그는 기회를 감지할 것이다. - Él sentirá una oportunidad.

3344. 뭔가 느껴져? - ¿Sientes algo?

3345. 네, 뭔가 느껴져. - Sí, percibo algo.

3346. 인지하다 - Percibir.

3347. 그녀는 문제를 인지했다. - Ella percibió un problema.

3348. 우리는 상황을 인지한다. - Percibimos una situación.

3349. 당신들은 필요를 인지할 것이다. - Reconocerá la necesidad.

3350. 알고 있어? - ¿Reconoces?

3351. 네, 알고 있어. - Sí, soy consciente.

3352. 37. 명사 단어들 외우기, 필수 10개 동사의 단어들을 가지고 50문장 연습하기 - 37. Memoriza palabras sustantivas, practica 50 frases con las 10 palabras verbales esenciales

3353. 핵심 - núcleo

3354. 진실 - verdad

3355. 해결책 - solución

3356. 발표 - presentación

3357. 기타 - etc

3358. 스피치(말) - discurso (palabras)

3359. 영어 - inglés

3360. 코딩 - codificación

3361. 요리 - cocina

3362. 게임 - juego

3363. 악기 - instrumento

3364. 기술 - tecnología

3365. 환경 - medio ambiente

3366. 변화 - cambiar

3367. 도전 - desafío

3368. 규칙 - norma

3369. 조건 - condición

3370. 기준 - estándar

3371. 칼 - cuchillo

3372. 배트 - bate

3373. 막대기 - barra

3374. 공 - pelota

3375. 종이비행기 - avión de papel

3376. 주사위 - dado

3377. 손 - mano

3378. 기회 - oportunidad

3379. 아기 - bebé

3380. 강아지 - cachorro

3381. 책 - libro

3382. 파악하다 - agarrar

3383. 우리는 핵심을 파악했다. - Nosotros captamos la esencia.

3384. 당신들은 진실을 파악한다. - Ustedes captan la verdad.

3385. 그들은 해결책을 파악할 것이다. - Averiguarán la solución.

3386. 이해했어? - ¿Entiendes?

3387. 네, 이해했어. - Sí, lo entiendo.

3388. 연습하다 - Practicar

3389. 나는 발표를 연습했다. - Practiqué mi presentación.

3390. 너는 기타를 연습한다. - Practica la guitarra.

3391. 그는 스피치를 연습할 것이다. - Practicará su discurso.

3392. 열심히 하고 있니? - ¿Estás practicando mucho?

3393. 응, 열심히 해. - Sí, estoy practicando mucho.

3394. 숙달하다 - dominar

3395. 그녀는 영어를 숙달했다. - Ella domina el inglés.

3396. 우리는 코딩을 숙달한다. - Dominamos la codificación.

3397. 당신들은 요리를 숙달할 것이다. - Vosotros dominaréis la cocina.

3398. 잘하게 됐어? - ¿Se te ha dado bien?

3399. 네, 잘하게 됐어. - Sí, lo he dominado.

3400. 마스터하다 - dominar

3401. 우리는 게임을 마스터했다. - Dominamos el juego.

3402. 당신들은 악기를 마스터한다. - Dominan un instrumento.

3403. 그들은 기술을 마스터할 것이다. - Dominan una habilidad.

3404. 전문가야? - ¿Son expertos?

3405. 네, 전문가야. - Sí, son expertos.

3406. 적응하다 - Adaptarse

3407. 나는 새 환경에 적응했다. - Me adapté al nuevo entorno.

3408. 너는 변화에 적응한다. - Se adaptará al cambio.

3409. 그는 도전에 적응할 것이다. - Se adaptará al reto.

3410. 괜찮아지고 있어? - ¿Estás mejorando?

3411. 네, 괜찮아지고 있어. - Sí, estoy mejorando.

3412. 순응하다 - conformarse

3413. 그녀는 규칙에 순응했다. - Ella se amoldó a las normas.

3414. 우리는 조건에 순응한다. - Nos ajustamos a las condiciones.

3415. 당신들은 기준에 순응할 것이다. - Te ajustarás a las normas.

3416. 쉽게 따라가? - ¿Sigues fácilmente?

3417. 응, 쉽게 따라가. - Sí, sigo fácilmente.

3418. 휘두르다 - blandir

3419. 나는 칼을 휘두렀다. - Yo blandí una espada.

3420. 너는 배트를 휘두른다. - Tú blandirás el bate.

3421. 그는 막대기를 휘두를 것이다. - Él blandirá un palo.

3422. 잘 할 수 있어? - ¿Puedes hacerlo bien?

3423. 네, 잘 할 수 있어. - Sí, puedo hacerlo bien.

3424. 던지다 - lanzar

3425. 그녀는 공을 던졌다. - Ella lanzó la pelota.

3426. 우리는 종이비행기를 던진다. - Nosotros lanzamos aviones de papel.

3427. 당신들은 주사위를 던질 것이다. - Tú lanzarás el dado.

3428. 멀리 갈까? - ¿Llegará lejos?

3429. 응, 멀리 갈 거야. - Sí, llegará lejos.

3430. 잡다 - atrapar

3431. 그는 공을 잡았다. - Atrapó la pelota.

3432. 너는 손을 잡는다. - Se coge de la mano.

3433. 그녀는 기회를 잡을 것이다. - Se arriesgará.

3434. 공 잡을래? - ¿Atraparás la pelota?

3435. 네, 잡을게. - Sí, la cogeré.

3436. 눕히다 - acostar

3437. 나는 아기를 눕혔다. - He acostado al bebé.

3438. 우리는 강아지를 눕힌다. - Hemos acostado al cachorro.

3439. 당신들은 책을 눕힐 것이다. - Vas a acostar el libro.

3440. 아기 재울래? - ¿Quieres acostar al bebé?

3441. 네, 지금 할게. - Sí, lo haré ahora.

3442. 38. 명사 단어들 외우기, 필수 10개 동사의 단어들을 가지고 50문장 연습하기 - 38. memorizar palabras sustantivas, practicar 50 frases con las

10 palabras verbales esenciales

3443. 인형 - muñeca

3444. 모형 - maqueta

3445. 자전거 - bicicleta

3446. 음식 - comida

3447. 책 - libro

3448. 차 - coche

3449. 창문 - ventana

3450. 문 - puerta

3451. 상자 - caja

3452. 가방 - bolsa

3453. 불 - fuego

3454. 컴퓨터 - ordenador

3455. 텔레비전 - televisión

3456. 라디오 - radio

3457. 등 - etc.

3458. 엔진 - motor

3459. 방 - sala

3460. 길 - carretera

3461. 화면 - pantalla

3462. 눈 - ojo

3463. 그림 - pintura

3464. 감정 - emoción

3465. 실력 - habilidad

3466. 성과 - resultado

3467. 세우다 - montar

3468. 그녀는 인형을 세웠다. - Ella preparó la muñeca.

3469. 그들은 모형을 세운다. - Han montado una maqueta.

3470. 나는 자전거를 세울 것이다. - Voy a montar una bicicleta.

3471. 모형 세울까? - ¿Montamos una maqueta?

3472. 좋아, 세우자. - Vale, vamos a montarla.

3473. 덮다 - cubrir

3474. 우리는 음식을 덮었다. - Cubrimos la comida.

3475. 당신은 책을 덮는다. - Tú cubre el libro.

3476. 그들은 차를 덮을 것이다. - Ellos cubrirán el coche.

3477. 이불 덮을래? - ¿Quieres cubrir la colcha?

3478. 아니, 괜찮아. - No, está bien.

3479. 열다 - abrir

3480. 그녀는 창문을 열었다. - Abrió la ventana.

3481. 나는 문을 연다. - Yo abro la puerta.

3482. 우리는 상자를 열 것이다. - Abriremos la caja.

3483. 문 열까? - ¿Abro la puerta?

3484. 네, 열어줘. - Sí, ábreme.

3485. 닫다 - Cerrar

3486. 그는 책을 닫았다. - Cierra el libro.

3487. 그녀는 상자를 닫는다. - Cierra la caja.

3488. 너는 가방을 닫을 것이다. - Cerrará la bolsa.

3489. 창문 닫을래? - ¿Cerrarás la ventana?

3490. 네, 닫을게. - Sí, la cerraré.

3491. 켜다 - Encender

3492. 우리는 불을 켰다. - Encendemos la luz.

3493. 당신들은 컴퓨터를 켠다. - Ustedes encienden el ordenador.

3494. 그들은 텔레비전을 켤 것이다. - Ellos encenderán la televisión.

3495. 불 켤까? - ¿Encendemos la luz?

3496. 좋아, 켜자. - Vale, vamos a encenderla.

3497. 끄다 - apagar

3498. 나는 라디오를 껐다. - Apagué la radio.

3499. 그녀는 등을 끈다. - Ella apagó las luces.

3500. 그는 차의 엔진을 끌 것이다. - Apagará el motor del coche.

3501. 등 끌래? - ¿Quieres apagar la luz?

3502. 네, 끌게. - Sí, la apagaré.

3503. 밝히다 - encender

3504. 그녀는 방을 밝혔다. - Ella encendió la habitación.

3505. 우리는 등을 밝힌다. - Nosotros encendemos las luces.

3506. 당신들은 길을 밝힐 것이다. - Tú iluminarás el camino.

3507. 더 밝게 할까? - ¿Lo iluminamos?

3508. 그래, 좋아. - Sí.

3509. 어둡게 하다 - Oscurecer

3510. 그는 화면을 어둡게 했다. - Oscurece la pantalla.

3511. 너는 방을 어둡게 한다. - Oscurecerá la habitación.

3512. 그녀는 불빛을 어둡게 할 것이다. - Oscurecerá las luces.

3513. 조명 낮출까? - ¿Quiere que oscurezca las luces?

3514. 네, 부탁해. - Sí, por favor.

3515. 가리다 - tapar

3516. 나는 눈을 가렸다. - Me cubrí los ojos.

3517. 우리는 창문을 가린다. - Cubrimos las ventanas.

3518. 그들은 그림을 가릴 것이다. - Cubrirán el cuadro.

3519. 이걸로 가릴까? - ¿Lo cubrimos con esto?

3520. 좋아, 그게 좋겠어. - Vale, eso estaría bien.

3521. 보이다 - Mostrar

3522. 그녀는 감정을 보였다. - Ella mostró emoción.

3523. 그는 실력을 보인다. - Él muestra habilidad.

3524. 너는 성과를 보일 것이다. - Mostrará rendimiento.

3525. 잘 보였어? - ¿Me vi bien?

3526. 응, 완벽해. - Sí, está perfecto.

3527. 39. 명사 단어들 외우기, 필수 10개 동사의 단어들을 가지고 50문장 연습하기 - 39. memorizar palabras sustantivas, practicar 50 frases con las palabras de los 10 verbos esenciales

3528. 요리 - cocinar

3529. 음료 - bebida

3530. 디저트 - postre

3531. 천 - tela

3532. 표면 - superficie

3533. 소재 - Material

3534. 마음 - mente

3535. 주제 - sujeto

3536. 문제 - problema

3537. 피아노 - piano

3538. 드럼 - tambor

3539. 기타 - etc

3540. 문 - puerta

3541. 탁자 - mesa

3542. 어깨 - hombro

3543. 벌레 - insecto

3544. 머리 - cabeza

3545. 등 - etc.

3546. 눈 - ojo

3547. 손 - mano

3548. 팔 - ocho

3549. 창문 - ventana

3550. 거울 - espejo

3551. 바닥 - suelo

3552. 마당 - patio

3553. 길 - carretera

3554. 침대 - cama

3555. 소파 - sofá

3556. 해먹 - hamaca

3557. 맛보다 - degustar

3558. 우리는 새로운 요리를 맛보았다. - Probamos un plato nuevo.

3559. 당신들은 음료를 맛본다. - Se prueba una bebida.

3560. 그들은 디저트를 맛볼 것이다. - Probarán el postre.

3561. 맛 좀 볼래? - ¿Quieres probar?

3562. 네, 감사해. - Sí, gracias.

3563. 만지다 - tocar

3564. 그는 부드러운 천을 만졌다. - Tocó el paño suave.

3565. 그녀는 표면을 만진다. - Toca la superficie.

3566. 나는 새로운 소재를 만질 것이다. - Voy a tocar un material nuevo.

3567. 이거 만져도 돼? - ¿Puedo tocar esto?

3568. 네, 괜찮아. - Sí, está bien.

3569. 건드리다 - tocar

3570. 나는 그의 마음을 건드렸다. - Toqué su corazón.

3571. 우리는 주제를 건드린다. - Tocamos un tema.

3572. 당신들은 문제를 건드릴 것이다. - Tocarás el tema.

3573. 이걸 건드려도 될까? - ¿Puedo tocar esto?

3574. 아니, 말아줘. - No, por favor, no lo hagas.

3575. 치다 - tocar

3576. 그녀는 피아노를 쳤다. - Toca el piano.

3577. 그는 드럼을 친다. - Tocará la batería.

3578. 너는 기타를 칠 것이다. - Tocará la guitarra.

3579. 음악 칠까? - ¿Tocamos música?

3580. 좋아, 시작해. - Vale, adelante.

3581. 두드리다 - Tocar

3582. 그녀는 문을 두드렸다. - Ella golpea la puerta.

3583. 우리는 탁자를 두드린다. - Nosotros golpeamos la mesa.

3584. 그들은 어깨를 두드릴 것이다. - Te darán un golpecito en el hombro.

3585. 더 두드려 볼까? - ¿Golpeamos un poco más?

3586. 아니, 됐어. - No, gracias.

3587. 긁다 - Rascar

3588. 나는 벌레 물린 곳을 긁었다. - Me rasqué la picadura de insecto.

3589. 그는 머리를 긁는다. - Se rasca la cabeza.

3590. 그녀는 등을 긁을 것이다. - Se rasca la espalda.

3591. 여기 긁어줄까? - ¿Quieres que me rasque aquí?

3592. 네, 부탁해. - Sí, por favor.

3593. 문지르다 - frotar

3594. 그녀는 눈을 문지렀다. - Se frota los ojos.

3595. 우리는 손을 문지른다. - Nos frotamos las manos.

3596. 너는 팔을 문지를 것이다. - Se frota el brazo.

3597. 더 문지를까? - ¿Nos frotamos un poco más?

3598. 아니, 괜찮아. - No, está bien.

3599. 닦다 - limpiar

3600. 그는 창문을 닦았다. - Limpia la ventana.

3601. 그녀는 거울을 닦는다. - Ella limpia el espejo.

3602. 우리는 바닥을 닦을 것이다. - Vamos a fregar el suelo.

3603. 이제 닦을까? - ¿Fregamos ahora?

3604. 좋아, 해줘. - Vale, hazlo.

3605. 쓸다 - Barrer

3606. 나는 바닥을 쓸었다. - Yo he barrido el suelo.

3607. 당신들은 마당을 쓴다. - Ustedes barran el patio.

3608. 그들은 길을 쓸 것이다. - Ellos barrerán el camino.

3609. 계속 쓸까? - ¿Sigo barriendo?

3610. 네, 계속해. - Sí, sigue.

3611. 눕다 - Tumbarse

3612. 그녀는 침대에 누웠다. - Ella se tumba en la cama.

3613. 너는 소파에 눕는다. - Se tumbará en el sofá.

3614. 그는 해먹에 누울 것이다. - Él se tumbará en la hamaca.

3615. 이제 누울까? - ¿Nos tumbamos ya?

3616. 응, 편해. - Sí, estoy cómodo.

3617. 40. 명사 단어들 외우기, 필수 10개 동사의 단어들을 가지고 50문장 연습하기 - 40. memorizar palabras sustantivas, practicar 50 frases con las palabras de los 10 verbos esenciales

3618. 새벽 - amanecer

3619. 잠 - dormir

3620. 꿈 - soñar

3621. 손 - mano

3622. 얼굴 - cara

3623. 발 - pie

3624. 물 - agua

3625. 샤워 - ducha

3626. 아이 - niño

3627. 친구 - amigo

3628. 사람 - persona

3629. 기금 - fondo

3630. 옷 - ropa

3631. 돈 - dinero

3632. 책 - libro

3633. 장난감 - juguete

3634. 컴퓨터 - ordenador

3635. 프로젝트 - proyecto

3636. 학생 - estudiante

3637. 이벤트 - evento

3638. 깨다 - Despertar

3639. 우리는 새벽에 깼다. - Nos despertamos al amanecer.

3640. 그는 잠에서 깬다. - Se despierta del sueño.

3641. 그녀는 꿈에서 깰 것이다. - Se despierta de su sueño.

3642. 벌써 깼어? - ¿Ya estás despierto?

3643. 아니, 아직이야. - No, todavía no.

3644. 잠들다 - Quedarse dormido

3645. 그는 빠르게 잠들었다. - Se duerme rápidamente.

3646. 그녀는 조용히 잠든다. - Se duerme tranquilamente.

3647. 우리는 일찍 잠들 것이다. - Nos dormiremos pronto.

3648. 잘 수 있을까? - ¿Puedes dormir?

3649. 응, 잘 수 있어. - Sí, puedo dormir.

3650. 씻다 - lavarse

3651. 나는 얼굴을 씻었다. - Me he lavado la cara.

3652. 당신들은 손을 씻는다. - Te lavas las manos.

3653. 그들은 발을 씻을 것이다. - Se lavarán los pies.

3654. 손 씻었어? - ¿Te lavaste las manos?

3655. 네, 씻었어. - Sí, me las lavé.

3656. 목욕하다 - bañarse

3657. 그녀는 긴 목욕을 했다. - Se dio un largo baño.

3658. 우리는 따뜻한 물에 목욕한다. - Nos bañamos en agua caliente.

3659. 너는 편안하게 목욕할 것이다. - Te darás un baño relajante.

3660. 목욕할 시간이야? - ¿Es la hora del baño?

3661. 그래, 지금이야. - Sí, ya es hora.

3662. 샤워하다 - ducharse

3663. 그는 아침에 샤워했다. - Se ha duchado por la mañana.

3664. 그녀는 빠르게 샤워한다. - Se da una ducha rápida.

3665. 우리는 저녁에 샤워할 것이다. - Nos ducharemos por la tarde.

3666. 샤워 해야 하나? - ¿Debo ducharme?

3667. 응, 해야 해. - Sí, tengo que hacerlo.

3668. 달래다 - calmar

3669. 나는 울고 있는 아이를 달랬다. - Calmé al niño que lloraba.

3670. 그는 친구를 달랜다. - Él consolará a su amigo.

3671. 그녀는 슬픈 사람을 달랠 것이다. - Ella consolará a la persona triste.

3672. 조금 달랠까? - ¿La calmo?

3673. 네, 부탁해. - Sí, por favor.

3674. 미소짓다 - sonreír

3675. 그녀는 따뜻하게 미소지었다. - Ella sonrió cálidamente.

3676. 우리는 서로에게 미소짓는다. - Nos sonreímos.

3677. 너는 행복을 느끼며 미소질 것이다. - Sonríes de felicidad.

3678. 미소질래? - ¿Sonreirás?

3679. 응, 물론이지. - Sí, por supuesto.

3680. 기부하다 - donar

3681. 그녀는 기금을 기부했다. - Ella donó los fondos.

3682. 우리는 옷을 기부한다. - Nosotros donamos ropa.

3683. 당신들은 돈을 기부할 것이다. - Ustedes donarán dinero.

3684. 기부 할래? - ¿Quieres donar?

3685. 네, 할래. - Sí, yo lo haré.

3686. 기증하다 - donar

3687. 나는 책을 기증했다. - Yo doné los libros.

3688. 너는 장난감을 기증한다. - Tú donarás un juguete.

3689. 그는 컴퓨터를 기증할 것이다. - Donará su ordenador.

3690. 책 줄까? - ¿Le doy el libro?

3691. 네, 줘. - Sí, dáselo.

3692. 후원하다 - Patrocinar

3693. 그들은 프로젝트를 후원했다. - Ellos patrocinaron el proyecto.

3694. 나는 학생을 후원한다. - Yo patrocino a un estudiante.

3695. 너는 이벤트를 후원할 것이다. - Tú patrocinarás un evento.

3696. 후원할래? - ¿Quieres apadrinar?

3697. 네, 할래. - Sí, lo haré.

3698. 41. 명사 단어들 외우기, 필수 10개 동사의 단어들을 가지고 50문장 연습하기 - 41. memorizar palabras sustantivas, practicar 50 frases con las 10 palabras verbales esenciales

3699. 친구 - amigo

3700. 팀 - equipo

3701. 프로그램 - programa

3702. 동료 - colega

3703. 파트너 - compañero

3704. 조직 - grupo

3705. 목표 - objetivo

3706. 커뮤니티 - comunidad

3707. 회의 - reunión

3708. 워크숍(공동 연수) - Taller (formación conjunta)

3709. 세미나 - seminario

3710. 파티 - fiesta

3711. 모임 - clase

3712. 이벤트 - evento

3713. 프로젝트 - proyecto

3714. 논의 - Argumento

3715. 결정 - decisión

3716. 분쟁 - disputa

3717. 협상 - Negociación

3718. 문제해결 - resolución de problemas

3719. 대화 - conversación

3720. 논쟁 - discusión

3721. 계획 - plan

3722. 작업 - trabajo

3723. 집중 - Concentración

3724. 싸움 - luchar

3725. 오해 - malentendido

3726. 지원하다 - apoyar

3727. 그녀는 친구를 지원했다. - Ella apoyó a su amiga.

3728. 우리는 팀을 지원한다. - Apoyamos al equipo.

3729. 당신들은 프로그램을 지원할 것이다. - Tú apoyarás el programa.

3730. 도울까? - ¿Quieres ayudar?

3731. 네, 도와줘. - Sí, ayúdame.

3732. 협력하다 - Colaborar

3733. 나는 동료와 협력했다. - Colaboré con un compañero.

3734. 너는 파트너와 협력한다. - Colabore con su compañero.

3735. 그는 조직과 협력할 것이다. - Cooperará con la organización.

3736. 같이 할래? - ¿Quieres unirte a nosotros?

3737. 네, 할래. - Sí, lo haré.

3738. 협동하다 - Cooperar

3739. 그들은 공동의 목표를 위해 협동했다. - Cooperan por un objetivo común.

3740. 나는 팀과 협동한다. - Yo colaboro con el equipo.

3741. 너는 커뮤니티와 협동할 것이다. - Tú colaborarás con la comunidad.

3742. 협력할까? - ¿Cooperamos?

3743. 네, 해. - Sí, lo haré.

3744. 참석하다 - asistir

3745. 그녀는 회의에 참석했다. - Asistió a la reunión.

3746. 우리는 워크숍에 참석한다. - Asistiremos al seminario.

3747. 당신들은 세미나에 참석할 것이다. - Asistirás al seminario.

3748. 갈까? - ¿Vamos?

3749. 네, 가자. - Sí, vamos.

3750. 불참하다 - Estar ausente

3751. 나는 파티에 불참했다. - No asistí a la fiesta.

3752. 너는 모임에 불참한다. - Se ausentará de la reunión.

3753. 그는 이벤트에 불참할 것이다. - Se ausentará del evento.

3754. 안 갈래? - ¿No quieres ir?

3755. 네, 안 갈래. - No, no voy a ir.

3756. 관여하다 - Participar en

3757. 그들은 프로젝트에 관여했다. - Participaron en el proyecto.

3758. 나는 논의에 관여한다. - Estoy involucrado en la discusión.

3759. 너는 결정에 관여할 것이다. - Participarás en la decisión.

3760. 참여할래? - ¿Participarás?

3761. 네, 할래. - Sí, lo haré.

3762. 개입하다 - intervenir

3763. 그녀는 분쟁에 개입했다. - Ella intervino en la disputa.

3764. 우리는 협상에 개입한다. - Nosotros intervenimos en la negociación.

3765. 당신들은 문제해결에 개입할 것이다. - Intervendrás en el problema.

3766. 도울까? - ¿Te ayudo?

3767. 네, 도와줘. - Sí, ayúdame.

3768. 참견하다 - intervenir

3769. 나는 그들의 대화에 참견했다. - Intervengo en su conversación.

3770. 너는 논쟁에 참견한다. - Te entrometes en la discusión.

3771. 그는 계획에 참견할 것이다. - Se entrometerá en el plan.

3772. 끼어들까? - ¿Interrumpo?

3773. 아니, 말아줘. - No, por favor, no lo haga.

3774. 방해하다 - interrumpir

3775. 그들은 작업을 방해했다. - Interrumpieron el trabajo.

3776. 나는 집중을 방해한다. - Soy una distracción.

3777. 너는 회의를 방해할 것이다. - Interrumpirás la reunión.

3778. 멈출까? - ¿Paramos?

3779. 네, 멈춰. - Sí, parar.

3780. 저지하다 - frustrar

3781. 그녀는 계획을 저지했다. - Ella frustró el plan.

3782. 우리는 싸움을 저지한다. - Detendremos la pelea.

3783. 당신들은 오해를 저지할 것이다. - Tú detendrás el malentendido.

3784. 막을까? - ¿Detener?

3785. 네, 막아. - Sí, parar.

3786. 42. 명사 단어들 외우기, 필수 10개 동사의 단어들을 가지고 50문장 연습하기 - 42. memorizar palabras sustantivas, practicar 50 frases con las 10 palabras verbales esenciales

3787. 길 - carretera

3788. 진입 - entrar en

3789. 문제 - problema

3790. 출구 - salir

3791. 소리 - sonido

3792. 소음 - ruido

3793. 광고 - publicidad

3794. 속도 - velocidad

3795. 사용 - utilizar

3796. 접근 - Acceso

3797. 시간 - hora

3798. 조건 - condición

3799. 선택 - seleccionar

3800. 가능성 - Posibilidad

3801. 규칙 - regla

3802. 행동 - acción

3803. 자유 - libertad

3804. 감정 - emoción

3805. 충동 - impulso

3806. 성장 - crecimiento

3807. 정보 - información

3808. 사실 - en realidad

3809. 증거 - evidencia

3810. 패턴 - patrón

3811. 위험 - peligro

3812. 기회 - oportunidad

3813. 상황 - situación

3814. 개념 - concepto

3815. 진실 - verdad

3816. 중요성 - importancia

3817. 가치 - valor

3818. 막다 - bloquear

3819. 그는 길을 막았다. - Bloquea el paso.

3820. 그녀는 진입을 막는다. - Bloquea la entrada.

3821. 우리는 문제를 막을 것이다. - Detendremos el problema.

3822. 출구 막혔나요? - ¿Está bloqueada la salida?

3823. 네, 막혔어요. - Sí, está bloqueada.

3824. 차단하다 - Bloquear

3825. 그녀는 소리를 차단했다. - Ella bloqueó el sonido.

3826. 우리는 소음을 차단한다. - Bloquearemos el ruido.

3827. 당신들은 광고를 차단할 것이다. - Bloquearás los anuncios.

3828. 소음 차단 됐나요? - ¿Está bloqueado el ruido?

3829. 네, 됐어요. - Sí.

3830. 제한하다 - limitar

3831. 그는 속도를 제한했다. - Limita su velocidad.

3832. 그녀는 사용을 제한한다. - Limita su uso.

3833. 우리는 접근을 제한할 것이다. - Limitaremos el acceso.

3834. 시간 제한 있나요? - ¿Hay un límite de tiempo?

3835. 네, 있어요. - Sí, lo hay.

3836. 제약하다 - Limitar

3837. 그녀는 조건을 제약했다. - Ella constriñe las condiciones.

3838. 우리는 선택을 제약한다. - Nosotros constreñimos la elección.

3839. 당신들은 가능성을 제약할 것이다. - Tú constriñes las posibilidades.

3840. 조건 제약 있나요? - ¿Ustedes constriñen las condiciones?

3841. 네, 있어요. - Sí, las hay.

3842. 구속하다 - constreñir

3843. 그는 규칙을 구속했다. - Él constriñe las normas.

3844. 그녀는 행동을 구속한다. - Constreñirá el comportamiento.

3845. 우리는 자유를 구속할 것이다. - Nosotros constreñimos la libertad.

3846. 자유 구속됐나요? - ¿Libertad redimida?

3847. 네, 됐어요. - Sí, eso es

3848. 억제하다 - refrenar

3849. 그녀는 감정을 억제했다. - Ella refrena sus emociones.

3850. 우리는 충동을 억제한다. - Refrenaremos los impulsos.

3851. 당신들은 성장을 억제할 것이다. - Inhibirá su crecimiento.

3852. 감정 억제되나요? - ¿Suprimen sus emociones?

3853. 네, 되요. - Sí.

3854. 검증하다 - verificar

3855. 그는 정보를 검증했다. - Verifica la información.

3856. 그녀는 사실을 검증한다. - Verifica los hechos.

3857. 우리는 증거를 검증할 것이다. - Verificamos las pruebas.

3858. 사실 검증됐나요? - ¿Verificó los hechos?

3859. 네, 됐어요. - Sí.

3860. 식별하다 - Identificar

3861. 그녀는 패턴을 식별했다. - Ella identificó un patrón.

3862. 우리는 위험을 식별한다. - Nosotros identificamos riesgos.

3863. 당신들은 기회를 식별할 것이다. - Ustedes identificarán oportunidades.

3864. 위험 식별됐나요? - ¿Riesgo identificado?

3865. 네, 됐어요. - Sí, estamos bien.

3866. 이해하다 - Comprender

3867. 그는 문제를 이해했다. - Comprende el problema.

3868. 그녀는 상황을 이해한다. - Comprende la situación.

3869. 우리는 개념을 이해할 것이다. - Comprendemos el concepto.

3870. 상황 이해돼요? - ¿Entiendes la situación?

3871. 네, 이해돼요. - Sí, comprendo.

3872. 깨닫다 - darse cuenta

3873. 그녀는 진실을 깨달았다. - Ella se dio cuenta de la verdad.

3874. 우리는 중요성을 깨닫는다. - Nos damos cuenta de la importancia.

3875. 당신들은 가치를 깨달을 것이다. - Te darás cuenta del valor.

3876. 진실 깨달았나요? - ¿Te diste cuenta de la verdad?

3877. 네, 깨달았어요. - Sí, me di cuenta.

3878. 43. 명사 단어들 외우기, 필수 10개 동사의 단어들을 가지고 50문장 연습하기 - 43. memorizar palabras sustantivas, practicar 50 frases con las palabras de los 10 verbos esenciales

3879. 변화 - cambiar

3880. 실수 - error

3881. 기회 - oportunidad

3882. 규칙 - regla

3883. 세부사항 - Detalle

3884. 절차 - procedimiento

3885. 기술 - tecnología

3886. 발표 - presentación

3887. 공연 - mostrar

3888. 언어 - lenguaje

3889. 전략 - estrategia

3890. 게임 - juego

3891. 악기 - instrumento

3892. 분야 - campo

3893. 집 - casa

3894. 프로젝트 - proyecto

3895. 시스템 - sistema

3896. 팀 - equipo

3897. 네트워크 - red

3898. 관계 - relación

3899. 영상 - vídeo

3900. 콘텐츠 - contenidos

3901. 제품 - producto

3902. 물건 - cosa

3903. 아이디어 - idea

3904. 에너지 - energía

3905. 기계 - máquina

3906. 시설 - instalación

3907. 알아차리다 - notar

3908. 그는 변화를 알아차렸다. - Se da cuenta del cambio.

3909. 그녀는 실수를 알아차린다. - Se da cuenta de los errores.

3910. 우리는 기회를 알아차릴 것이다. - Reconoceremos la oportunidad.

3911. 실수 알아차렸나요? - ¿Notó el error?

3912. 네, 알아차렸어요. - Sí, me di cuenta.

3913. 숙지하다 - Familiarizarse con

3914. 그녀는 규칙을 숙지했다. - Ella se familiarizó con las reglas.

3915. 우리는 세부사항을 숙지한다. - Nos familiarizamos con los detalles.

3916. 당신들은 절차를 숙지할 것이다. - Te familiarizarás con el procedimiento.

3917. 규칙 숙지됐나요? - ¿Conoces las normas?

3918. 네, 숙지됐어요. - Sí, me las sé de memoria.

3919. 연습하다 - practicar

3920. 그는 기술을 연습했다. - Practicó la técnica.

3921. 그녀는 발표를 연습한다. - Practicó su presentación.

3922. 우리는 공연을 연습할 것이다. - Vamos a ensayar la presentación.

3923. 발표 연습했나요? - ¿Practicasteis vuestra presentación?

3924. 네, 연습했어요. - Sí, practicamos.

3925. 숙달하다 - dominar

3926. 그녀는 언어를 숙달했다. - Ella domina el idioma.

3927. 우리는 기술을 숙달한다. - Dominamos una habilidad.

3928. 당신들은 전략을 숙달할 것이다. - Dominarás la estrategia.

3929. 기술 숙달됐나요? - ¿Has dominado la habilidad?

3930. 네, 숙달됐어요. - Sí, la domino.

3931. 마스터하다 - dominar

3932. 그는 게임을 마스터했다. - Domina el juego.

3933. 그녀는 악기를 마스터한다. - Domina el instrumento.

3934. 우리는 분야를 마스터할 것이다. - Dominaremos la disciplina.

3935. 악기 마스터했나요? - ¿Has dominado el instrumento?

3936. 네, 마스터했어요. - Sí, lo dominé.

3937. 설계하다 - Diseñar

3938. 그녀는 집을 설계했다. - Ella diseñó la casa.

3939. 우리는 프로젝트를 설계한다. - Diseñaremos un proyecto.

3940. 당신들은 시스템을 설계할 것이다. - Diseñará un sistema.

3941. 프로젝트 설계됐나요? - ¿Está diseñado el proyecto?

3942. 네, 설계됐어요. - Sí, está diseñado.

3943. 구축하다 - Construir

3944. 그는 팀을 구축했다. - Construye un equipo.

3945. 그녀는 네트워크를 구축한다. - Construye una red.

3946. 우리는 관계를 구축할 것이다. - Nosotros construiremos una relación.

3947. 네트워크 구축됐나요? - ¿Está construida la red?

3948. 네, 구축됐어요. - Sí, está construida.

3949. 제작하다 - Producir

3950. 그녀는 영상을 제작했다. - Ella produjo un vídeo.

3951. 우리는 콘텐츠를 제작한다. - Vamos a producir contenido.

3952. 당신들은 제품을 제작할 것이다. - Van a construir un producto.

3953. 콘텐츠 제작됐나요? - ¿El contenido está construido?

3954. 네, 제작됐어요. - Sí, se ha producido.

3955. 생산하다 - producir

3956. 그는 물건을 생산했다. - Produce cosas.

3957. 그녀는 아이디어를 생산한다. - Produce ideas.

3958. 우리는 에너지를 생산할 것이다. - Se produce energía.

3959. 아이디어 생산되나요? - ¿Se producen ideas?

3960. 네, 생산돼요. - Sí, se producen.

3961. 보수하다 - Reparar

3962. 그녀는 집을 보수했다. - Ella reparó la casa.

3963. 우리는 기계를 보수한다. - Nosotros reparamos máquinas.

3964. 당신들은 시설을 보수할 것이다. - Se repara la instalación.

3965. 기계 보수됐나요? - ¿La máquina está reparada?

3966. 네, 보수됐어요. - Sí, está reparada.

3967. 44. 명사 단어들 외우기, 필수 10개 동사의 단어들을 가지고 50문장 연습하기 - 44. memorizar palabras sustantivas, practicar 50 frases con las 10 palabras verbales esenciales

3968. 차 - coche

3969. 장비 - equipo

3970. 시스템 - sistema

3971. 창문 - ventanilla

3972. 바닥 - suelo

3973. 가구 - muebles

3974. 마당 - patio

3975. 방 - habitación

3976. 거리 - distancia

3977. 테이블 - mesa

3978. 유리 - cristal

3979. 집 - casa

3980. 축제 - festival

3981. 풍경 - vista

3982. 아이디어 - idea

3983. 디자인 - diseño

3984. 옷 - ropa

3985. 웹사이트 - Página web

3986. 앱 - aplicación

3987. 나무 - árbol

3988. 돌 - roca

3989. 얼음 - hielo

3990. 시 - ciudad

3991. 음악 - música

3992. 이야기 - historia

3993. 산 - montaña

3994. 계단 - escaleras

3995. 봉우리 - picos

3996. 정비하다 - mantener

3997. 그는 차를 정비했다. - Realiza el mantenimiento de su coche.

3998. 그녀는 장비를 정비한다. - Realiza el mantenimiento del equipo.

3999. 우리는 시스템을 정비할 것이다. - Vamos a revisar el sistema.

4000. 장비 정비됐나요? - ¿Se ha revisado el equipo?

4001. 네, 정비됐어요. - Sí, ha sido revisado.

4002. 닦다 - limpiar

4003. 그녀는 창문을 닦았다. - Ella lava las ventanas.

4004. 우리는 바닥을 닦는다. - Nosotros fregamos el suelo.

4005. 당신들은 가구를 닦을 것이다. - Vosotros puliréis los muebles.

4006. 바닥 닦았나요? - ¿Has fregado el suelo?

4007. 네, 닦았어요. - Sí, lo fregué.

4008. 쓸다 - Barrer

4009. 그는 마당을 쓸었다. - Él barrió el patio.

4010. 그녀는 방을 쓴다. - Ella barre la habitación.

4011. 우리는 거리를 쓸 것이다. - Vamos a barrer la calle.

4012. 방 쓸었나요? - ¿Has barrido la habitación?

4013. 네, 쓸었어요. - Sí, la he barrido.

4014. 문지르다 - frotar

4015. 그녀는 테이블을 문지렀다. - Ella fregó la mesa.

4016. 우리는 유리를 문지른다. - Nosotros fregamos el cristal.

4017. 당신들은 바닥을 문지를 것이다. - Vosotros fregaréis el suelo.

4018. 유리 문지렀나요? - ¿Frotaste el vaso?

4019. 네, 문지렀어요. - Sí, lo he frotado.

4020. 장식하다 - decorar

4021. 그녀는 방을 장식했다. - Ella decoró la habitación.

4022. 우리는 집을 장식한다. - Nosotros decoramos la casa.

4023. 당신들은 축제를 장식할 것이다. - Tú decorarás el festival.

4024. 장식 좋아해? - ¿Te gusta decorar?

4025. 네, 좋아해. - Sí, me gusta.

4026. 스케치하다 - esbozar

4027. 그는 풍경을 스케치했다. - Dibujó el paisaje.

4028. 우리는 아이디어를 스케치한다. - Nosotros esbozamos ideas.

4029. 그들은 새로운 디자인을 스케치할 것이다. - Esbozarán un nuevo diseño.

4030. 그림 그리기 좋아해? - ¿Te gusta dibujar?

4031. 응, 좋아해. - Sí, me gusta

4032. 디자인하다 - diseñar

4033. 그녀는 옷을 디자인했다. - Ella diseñó la ropa.

4034. 우리는 웹사이트를 디자인한다. - Nosotros diseñamos páginas web.

4035. 당신들은 새로운 앱을 디자인할 것이다. - Vosotros vais a diseñar una nueva aplicación.

4036. 디자인 재밌어? - ¿Es divertido diseñar?

4037. 네, 재밌어. - Sí, es divertido

4038. 조각하다 - tallar

4039. 그는 나무를 조각했다. - Él tallaba madera.

4040. 우리는 돌을 조각한다. - Nosotros tallamos piedra.

4041. 그들은 얼음을 조각할 것이다. - Ellos tallarán hielo.

4042. 조각하기 어려워? - ¿Es difícil tallar?

4043. 아니, 쉬워. - No, es fácil.

4044. 창작하다 - Crear

4045. 그녀는 시를 창작했다. - Ella creó un poema.

4046. 우리는 음악을 창작한다. - Nosotros creamos música.

4047. 당신들은 이야기를 창작할 것이다. - Tú crearás una historia.

4048. 창작 즐거워? - ¿Disfrutas creando?

4049. 응, 즐거워. - Sí, disfruto.

4050. 오르다 - escalar

4051. 그는 산을 올랐다. - Él escaló la montaña.

4052. 우리는 계단을 오른다. - Subimos las escaleras.

4053. 그들은 높은 봉우리를 오를 것이다. - Escalarán un pico alto.

4054. 등산 좋아해? - ¿Te gusta escalar?

4055. 네, 좋아해. - Sí, me gusta.

4056. 45. 명사 단어들 외우기, 필수 10개 동사의 단어들을 가지고 50문장 연습하기 - 45. Memorizar palabras sustantivas, practicar 50 frases con las 10 palabras verbales esenciales

4057. 영어 실력 - destreza en inglés

4058. 기술 - tecnología

4059. 통신 - comunicación

4060. 계획 - plan

4061. 방향 - dirección

4062. 생각 - pensamiento

4063. 디자인 - diseño

4064. 구조 - estructura

4065. 아이디어 - idea

4066. 부품 - parte

4067. 재료 - ingrediente

4068. 시스템 - sistema

4069. 일정 - programa

4070. 프로젝트 - proyecto

4071. 알람 - alarma

4072. 규칙 - regla

4073. 비밀번호 - contraseña

4074. 기기 - dispositivo

4075. 컴퓨터 - ordenador

4076. 설정 - configuración

4077. 데이터 - datos

4078. 기계 - máquina

4079. 프로그램 - programa

4080. 장치 - Dispositivo

4081. 앱 - aplicación

4082. 기능 - función

4083. 향상하다 - mejorar

4084. 그녀는 영어 실력을 향상시켰다. - Ella mejoró su inglés.

4085. 우리는 기술을 향상시킨다. - Mejoramos nuestras habilidades.

4086. 당신들은 통신을 향상시킬 것이다. - Mejorarás tu comunicación.

4087. 실력 늘었어? - ¿Mejoraste tus habilidades?

4088. 응, 늘었어. - Sí, he mejorado.

4089. 변화하다 - cambiar

4090. 나는 계획을 변화했다. - Cambié mis planes.

4091. 너는 방향을 변화한다. - Cambiará de dirección.

4092. 그는 생각을 변화할 것이다. - Cambiará de opinión.

4093. 계획 바꿀래? - ¿Quieres cambiar de planes?

4094. 네, 바꿀래. - Sí, quiero cambiar.

4095. 변형하다 - transformar

4096. 그녀는 디자인을 변형했다. - Transformará el diseño.

4097. 우리는 구조를 변형한다. - Transformaremos la estructura.

4098. 당신들은 아이디어를 변형할 것이다. - Tú transformarás la idea.

4099. 디자인 바뀌었어? - ¿Ha cambiado el diseño?

4100. 네, 바뀌었어. - Sí, ha cambiado.

4101. 대체하다 - sustituir

4102. 그들은 부품을 대체했다. - Sustituyeron piezas.

4103. 나는 재료를 대체한다. - Yo sustituyo el material.

4104. 너는 시스템을 대체할 것이다. - Sustituirán el sistema.

4105. 부품 바꿀까? - ¿Sustituiremos las piezas?

4106. 네, 바꿀까. - Sí, lo sustituiré.

4107. 조율하다 - Coordinar

4108. 그녀는 계획을 조율했다. - Coordinó el plan.

4109. 우리는 일정을 조율한다. - Coordinaremos el programa.

4110. 당신들은 프로젝트를 조율할 것이다. - Tú coordinarás el proyecto.

4111. 일정 맞출 수 있어? - ¿Puedes cumplir el calendario?

4112. 네, 맞출 수 있어. - Sí, puedo cumplirlo.

4113. 설정하다 - Configurar

4114. 그들은 시스템을 설정했다. - Ellos configuran el sistema.

4115. 나는 알람을 설정한다. - Yo pongo la alarma.

4116. 너는 규칙을 설정할 것이다. - Tú estableces las normas.

4117. 알람 켤까? - ¿Enciendo la alarma?

4118. 네, 켤까. - Sí, vamos a encenderla.

4119. 재설정하다 - restablecer

4120. 그녀는 비밀번호를 재설정했다. - Ella reseteó su contraseña.

4121. 우리는 기기를 재설정한다. - Reiniciamos el dispositivo.

4122. 당신들은 계획을 재설정할 것이다. - Ustedes van a resetear el plan.

4123. 다시 시작할까? - ¿Empezamos de nuevo?

4124. 네, 시작할까. - Sí, empecemos.

4125. 초기화하다 - inicializar

4126. 그들은 컴퓨터를 초기화했다. - Reinicializan el ordenador.

4127. 나는 설정을 초기화한다. - Inicializaré los ajustes.

4128. 너는 데이터를 초기화할 것이다. - Inicializarás tus datos.

4129. 전부 지울까? - ¿Quieres borrar todo?

4130. 네, 지울까. - Sí, vamos a borrarlo.

4131. 가동하다 - poner en marcha

4132. 그녀는 기계를 가동했다. - Arrancó la máquina.

4133. 우리는 시스템을 가동한다. - Pondremos en marcha el sistema.

4134. 당신들은 프로그램을 가동할 것이다. - Ejecutará el programa.

4135. 시작할 시간이야? - ¿Es hora de arrancar?

4136. 네, 시작할 시간이야. - Sí, es hora de arrancar.

4137. 작동하다 - accionar

4138. 그들은 장치를 작동했다. - Operaron el aparato.

4139. 나는 앱을 작동한다. - Operaré la aplicación.

4140. 너는 기능을 작동할 것이다. - Tú manejarás el aparato.

4141. 잘 되고 있어? - ¿Qué tal va?

4142. 네, 잘 되고 있어. - Sí, va bien.

4143. 46. 명사 단어들 외우기, 필수 10개 동사의 단어들을 가지고 50문장 연습하기 - 46. memorizar palabras sustantivas, practicar 50 frases con las 10 palabras verbales esenciales

4144. 공부 - estudiar

4145. 작업 - trabajar

4146. 프로그램 - programa

4147. 프로젝트 - proyecto

4148. 회의 - reunión

4149. 시스템 - sistema

4150. 연습 - práctica

4151. 논의 - Argumento

4152. 계획 - plan

4153. 대화 - conversación

4154. 이야기 - relato

4155. 이벤트 - acontecimiento

4156. 아이디어 - idea

4157. 전략 - estrategia

4158. 꿈 - sueño

4159. 목표 - objetivo

4160. 작품 - trabajo

4161. 보고서 - informe

4162. 과제 - tarea

4163. 준비 - Preparación

4164. 과정 - Proceso

4165. 재개하다 - Reanudar

4166. 그녀는 공부를 재개했다. - Reanuda sus estudios.

4167. 우리는 작업을 재개한다. - Reanudamos nuestro trabajo.

4168. 당신들은 프로그램을 재개할 것이다. - Se reanuda el programa.

4169. 다시 시작할까? - ¿Reanudamos?

4170. 네, 시작하자. - Sí, empecemos.

4171. 재시작하다 - reiniciar

4172. 그는 프로젝트를 재시작했다. - Reinició el proyecto.

4173. 우리는 회의를 재시작한다. - Vamos a reiniciar la reunión.

4174. 당신들은 시스템을 재시작할 것이다. - Vais a reiniciar el sistema.

4175. 다시 할 준비 됐어? - ¿Estás listo para hacerlo de nuevo?

4176. 네, 준비 됐어. - Sí, estoy listo.

4177. 계속하다 - Para continuar

4178. 그녀는 연습을 계속했다. - Continúa practicando.

4179. 우리는 논의를 계속한다. - Continuamos la discusión.

4180. 당신들은 계획을 계속할 것이다. - Ustedes continuarán con el plan.

4181. 계속 진행해도 돼? - ¿Podemos continuar?

4182. 네, 계속해. - Sí, adelante.

4183. 이어가다 - continuar

4184. 그들은 회의를 이어갔다. - Continúan la reunión.

4185. 우리는 프로젝트를 이어간다. - Nosotros continuamos el proyecto.

4186. 당신들은 대화를 이어갈 것이다. - Continuarán la conversación.

4187. 더 할 말 있어? - ¿Algo más?

4188. 아니, 괜찮아. - No, gracias.

4189. 진행하다 - Proceder.

4190. 그녀는 계획을 진행했다. - Ella procedió con el plan.

4191. 우리는 작업을 진행한다. - Procederemos con la tarea.

4192. 당신들은 프로그램을 진행할 것이다. - Procederá con el programa.

4193. 잘 되고 있어? - ¿Cómo va todo?

4194. 네, 잘 되고 있어. - Sí, va bien.

4195. 전개하다 - Desarrollar

4196. 그는 이야기를 전개했다. - Él desarrolló la historia.

4197. 우리는 계획을 전개한다. - Nosotros desarrollamos un plan.

4198. 당신들은 이벤트를 전개할 것이다. - Desarrollarás un evento.

4199. 어떻게 될까? - ¿Cómo irá?

4200. 잘 될 거야. - Saldrá bien.

4201. 구현하다 - Poner en práctica

4202. 그녀는 아이디어를 구현했다. - Ella implementó la idea.

4203. 우리는 전략을 구현한다. - Nosotros implementaremos la estrategia.

4204. 당신들은 시스템을 구현할 것이다. - Tú implantarás el sistema.

4205. 실행 가능해? - ¿Puedes hacerlo?

4206. 네, 가능해. - Sí, es posible.

4207. 실현하다 - Realizar

4208. 그들은 꿈을 실현했다. - Ellos realizaron su sueño.

4209. 우리는 목표를 실현한다. - Nosotros realizamos nuestros objetivos.

4210. 당신들은 계획을 실현할 것이다. - Tú realizarás tus planes.

4211. 꿈 이뤄질까? - ¿Se harán realidad mis sueños?

4212. 네, 이뤄질 거야. - Sí, se harán realidad.

4213. 완성하다 - Terminar

4214. 그녀는 작품을 완성했다. - Ella terminó su trabajo.

4215. 우리는 보고서를 완성한다. - Terminaremos el informe.

4216. 당신들은 프로젝트를 완성할 것이다. - Terminarás el proyecto.

4217. 다 됐어? - ¿Has terminado?

4218. 네, 다 됐어. - Sí, he terminado.

4219. 완료하다 - terminar

4220. 그는 과제를 완료했다. - Completó la tarea.

4221. 우리는 준비를 완료한다. - Completaremos los preparativos.

4222. 당신들은 과정을 완료할 것이다. - Completará el curso.

4223. 끝났어? - ¿Has terminado?

4224. 네, 끝났어. - Sí, he terminado.

4225. 47. 명사 단어들 외우기, 필수 10개 동사의 단어들을 가지고 50문장 연습하기 - 47. memorizar palabras sustantivas, practicar 50 frases con las palabras de los 10 verbos esenciales

4226. 회의 - reunión

4227. 세션(시간, 기간) - sesión (tiempo, duración)

4228. 서비스 - servicio

4229. 프로젝트 - proyecto

4230. 논의 - Argumento

4231. 작업 - trabajo

4232. 연구 - investigación

4233. 프로그램 - programa

4234. 기계 - máquina

4235. 계획 - plan

4236. 프로세스(처리기) - proceso (manipulador)

4237. 활동 - actividad

4238. 결정 - decisión

4239. 발표 - presentación

4240. 공부 - estudio

4241. 노래 - cantar

4242. 게임 - juego

4243. 기록 - grabar

4244. 사진 - foto

4245. 문서 - documentar

4246. 경험 - experiencia

4247. 지식 - conocimiento

4248. 자원 - recurso

4249. 종료하다 - terminar(quit)

4250. 그들은 회의를 종료했다. - Han terminado la reunión.

4251. 우리는 세션을 종료한다. - Estamos terminando la sesión.

4252. 당신들은 서비스를 종료할 것이다. - Van a cerrar el servicio.

4253. 이제 끝낼까? - ¿Terminamos ya?

4254. 네, 끝내자. - Sí, terminemos.

4255. 마무리하다 - finalizar

4256. 그녀는 프로젝트를 마무리했다. - Ha finalizado el proyecto.

4257. 우리는 논의를 마무리한다. - Estamos concluyendo nuestra discusión.

4258. 당신들은 작업을 마무리할 것이다. - Vosotros concluiréis vuestro trabajo.

4259. 모두 정리됐어? - ¿Está todo organizado?

4260. 네, 정리됐어. - Sí, está organizado.

4261. 개시하다 - Para iniciar

4262. 그는 연구를 개시했다. - Ha abierto el estudio.

4263. 우리는 회의를 개시한다. - Estamos abriendo la reunión.

4264. 당신들은 프로그램을 개시할 것이다. - Iniciará un programa.

4265. 시작해도 괜찮아? - ¿Estamos listos?

4266. 네, 시작해. - Sí, adelante.

4267. 발동하다 - activar

4268. 그녀는 기계를 발동했다. - Activó la máquina.

4269. 우리는 계획을 발동한다. - Activaremos un plan.

4270. 당신들은 프로세스를 발동할 것이다. - Tú activarás el proceso.

4271. 작동할까? - ¿Funcionará?

4272. 네, 작동할 거야. - Sí, funcionará.

4273. 정지하다 - Detener

4274. 그들은 작업을 정지했다. - Paran la tarea.

4275. 우리는 활동을 정지한다. - Paramos una actividad.

4276. 당신들은 프로젝트를 정지할 것이다. - Van a parar el proyecto.

4277. 멈출 시간이야? - ¿Es hora de parar?

4278. 네, 멈출 시간이야. - Sí, es hora de parar.

4279. 보류하다 - Dejar en suspenso

4280. 그녀는 결정을 보류했다. - Dejó en suspenso su decisión.

4281. 우리는 계획을 보류한다. - Hemos aplazado el plan.

4282. 당신들은 발표를 보류할 것이다. - Vas a poner la presentación en espera.

4283. 조금 기다릴까? - ¿Esperamos?

4284. 네, 기다리겠습니다. - Sí, esperaremos.

4285. 중단하다 - Interrumpir

4286. 나는 공부를 중단했다. - Interrumpí mi estudio.

4287. 너는 노래를 중단한다. - Dejará de cantar.

4288. 그는 게임을 중단할 것이다. - Dejará de jugar.

4289. 멈출까? - ¿Parará?

4290. 아니, 안 멈출 거야. - No, no pararé.

4291. 중지하다 - parar

4292. 그녀는 작업을 중지했다. - Dejará de trabajar.

4293. 우리는 회의를 중지한다. - Vamos a cancelar la reunión.

4294. 당신들은 프로젝트를 중지할 것이다. - Van a parar el proyecto.

4295. 중지할까? - ¿Paramos?

4296. 아니, 안 할 거야. - No, no lo haremos.

4297. 보관하다 - Para mantener

4298. 그들은 기록을 보관했다. - Ellos guardaban registros.

4299. 나는 사진을 보관한다. - Yo guardo fotos.

4300. 너는 문서를 보관할 것이다. - Tú guardarás documentos.

4301. 보관해둘까? - ¿Debo guardarlos?

4302. 아니, 안 해도 돼. - No, no hace falta.

4303. 축적하다 - Acumular

4304. 그녀는 경험을 축적했다. - Ella acumuló experiencia.

4305. 우리는 지식을 축적한다. - Nosotros acumulamos conocimientos.

4306. 당신들은 자원을 축적할 것이다. - Tú acumularás recursos.

4307. 축적할까? - ¿Acumulamos?

4308. 아니, 필요 없어. - No, no hace falta.

4309. 48. 명사 단어들 외우기, 필수 10개 동사의 단어들을 가지고 50문장 연습하기 - 48. memorizar palabras sustantivas, practicar 50 frases con las palabras de los 10 verbos esenciales

4310. 용기 - valor

4311. 능력 - habilidad

4312. 진심 - sinceridad

4313. 구덩이 - foso

4314. 정원 - jardín

4315. 채널 - canal

4316. 휴식 - descanso

4317. 휴가 - vacaciones

4318. 창문 - ventana

4319. 장난감 - juguete

4320. 장벽 - barrera

4321. 저녁 - cena

4322. 식사 - comida

4323. 평화 - paz

4324. 변화 - cambiar

4325. 음식 - comida

4326. 책 - libro

4327. 우산 - paraguas

4328. 기회 - oportunidad

4329. 쓰레기 - basura

4330. 선물 - regalo

4331. 위험 - peligro

4332. 논쟁 - discusión

4333. 책임 - responsabilidad

4334. 보이다 - mostrar

4335. 나는 용기를 보였다. - Yo demuestro valor

4336. 너는 능력을 보인다. - Tú demuestras competencia

4337. 그는 진심을 보일 것이다. - Mostrará sinceridad

4338. 보여줄까? - ¿La muestro?

4339. 아니, 괜찮아. - No, está bien

4340. 소리치다 - gritar

4341. 그녀는 기쁨을 소리쳤다. - Ella gritó de alegría.

4342. 우리는 승리를 소리친다. - Gritamos victoria.

4343. 당신들은 이름을 소리칠 것이다. - Gritarás tu nombre.

4344. 소리쳐도 돼? - ¿Puedo gritar?

4345. 아니, 조용히 해. - No, cállate.

4346. 파다 - para cavar

4347. 그들은 구덩이를 팠다. - Ellos cavaron una fosa.

4348. 나는 정원을 파낸다. - Yo cavo un jardín.

4349. 너는 채널을 파낼 것이다. - Tú cavarás un canal.

4350. 계속 파도 될까? - ¿Sigo cavando?

4351. 아니, 그만 파. - No, deja de cavar.

4352. 쉬다 - Descansar

4353. 그녀는 잠시 쉬었다. - Descansó un rato.

4354. 우리는 휴식을 취한다. - Nos tomamos un descanso.

4355. 당신들은 휴가를 취할 것이다. - Se van de vacaciones.

4356. 잠깐 쉴까? - ¿Tomamos un descanso?

4357. 아니, 계속할게. - No, continuaré.

4358. 부수다 - romper

4359. 그는 창문을 부쉈다. - Ha roto la ventana.

4360. 그녀는 장난감을 부수고 있다. - Está rompiendo sus juguetes.

4361. 우리는 장벽을 부술 것이다. - Romperemos la barrera.

4362. 부술까요? - ¿La rompemos?

4363. 그래, 부셔요. - Sí, rompámosla.

4364. 요리하다 - cocinar

4365. 나는 저녁을 요리했다. - He cocinado la cena.

4366. 너는 요리하고 있다. - Está cocinando.

4367. 그는 식사를 요리할 것이다. - Él cocinará la comida.

4368. 뭐 요리할까? - ¿Qué cocinaré?

4369. 간단한 거로 해. - Algo sencillo.

4370. 원하다 - querer

4371. 그녀는 휴식을 원했다. - Ella quería descansar.

4372. 우리는 평화를 원한다. - Queremos paz.

4373. 당신들은 변화를 원할 것이다. - Tú quieres un cambio.

4374. 무엇을 원해요? - ¿Qué quieres tú?

4375. 조용한 시간이요. - Un poco de tranquilidad.

4376. 가져오다 - Traer

4377. 그들은 음식을 가져왔다. - Ellos trajeron comida.

4378. 나는 책을 가져온다. - Yo traigo un libro.

4379. 너는 우산을 가져올 것이다. - Tú traerás el paraguas.

4380. 가져올까요? - ¿Lo traigo yo?

4381. 네, 부탁해요. - Sí, por favor.

4382. 가져가다 - Tómalo.

4383. 그녀는 기회를 가져갔다. - Se arriesgó.

4384. 우리는 쓰레기를 가져간다. - Nos llevamos la basura.

4385. 당신들은 선물을 가져갈 것이다. - Te llevarás el regalo.

4386. 가져갈게요? - ¿Te lo llevarás?

4387. 좋아요, 가져가세요. - Vale, cógelo.

4388. 회피하다 - evitar

4389. 나는 위험을 회피했다. - Evité el peligro.

4390. 너는 논쟁을 회피하고 있다. - Evitará la discusión.

4391. 그는 책임을 회피할 것이다. - Eludirá la responsabilidad.

4392. 회피해야 하나요? - ¿Debo evitar?

4393. 아니요, 마주해요. - No, afróntalo.

4394. 49. 명사 단어들 외우기, 필수 10개 동사의 단어들을 가지고 50문장 연습하기 - 49. memoriza las palabras sustantivas, practica 50 frases con las palabras de los 10 verbos esenciales

4395. 기쁨 - placer

4396. 어려움 - dificultad

4397. 성공 - éxito

4398. 추위 - frío

4399. 성취감 - logro

4400. 도움 - ayuda

4401. 지원 - apoyo

4402. 협력 - Cooperación

4403. 결과 - resultado

4404. 여행 - viaje

4405. 실패 - fracaso

4406. 어둠 - oscuridad

4407. 위험 - peligro

4408. 문제 - problema

4409. 슬픔 - tristeza

4410. 과학 - ciencia

4411. 예술 - arte

4412. 취미 - hobby

4413. 주말 - fin de semana

4414. 선생님 - profesor

4415. 부모님 - padres

4416. 리더 - líder

4417. 상황 - situación

4418. 경험하다 - experimentar

4419. 그녀는 기쁨을 경험했다. - Ella experimentó alegría.

4420. 우리는 어려움을 경험하고 있다. - Experimentamos dificultades.

4421. 당신들은 성공을 경험할 것이다. - Experimentarás el éxito.

4422. 경험해 볼래요? - ¿Quieres experimentarlo?

4423. 예, 해보고 싶어요. - Sí, me gustaría probarlo.

4424. 느끼다 - sentir

4425. 그는 기쁨을 느꼈다. - Sintió alegría.

4426. 나는 추위를 느낀다. - Siento frío.

4427. 너는 성취감을 느낄 것이다. - Sentirás una sensación de logro.

4428. 행복해요? - ¿Se siente feliz?

4429. 네, 매우 그래요. - Sí, mucho.

4430. 약속하다 - Prometer

4431. 그녀는 도움을 약속했다. - Ella prometió ayudar.

4432. 우리는 지원을 약속한다. - Nosotros prometemos ayudar.

4433. 당신들은 협력을 약속할 것이다. - Tú prometes cooperar.

4434. 늦지 않겠죠? - No llegarás tarde, ¿verdad?

4435. 아니요, 시간 맞출게요. - No, llegaré a tiempo.

4436. 기대하다 - esperar

4437. 그들은 좋은 결과를 기대했다. - Esperaban un buen resultado.

4438. 나는 여행을 기대한다. - Yo espero viajar.

4439. 너는 성공을 기대할 것이다. - Tú esperarías el éxito.

4440. 설레나요? - ¿Estás emocionado?

4441. 네, 정말로요. - Sí, mucho.

4442. 두려워하다 - Tener miedo

4443. 나는 실패를 두려워했다. - Tenía miedo al fracaso.

4444. 너는 어둠을 두려워한다. - Tiene miedo a la oscuridad.

4445. 그는 위험을 두려워할 것이다. - Tiene miedo al riesgo.

4446. 겁나나요? - ¿Tiene miedo?

4447. 조금요, 괜찮아요. - Un poco, pero no pasa nada.

4448. 웃어대다 - reírse de ello

4449. 그녀는 문제를 웃어넘겼다. - Se rió del problema.

4450. 우리는 슬픔을 웃어낸다. - Nos reímos de nuestras penas.

4451. 당신들은 어려움을 웃어넘길 것이다. - Te reirás de tus dificultades.

4452. 웃을 수 있어요? - ¿Puedes reírte?

4453. 네, 물론이죠. - Sí, por supuesto.

4454. 관심가지다 - interesarse por

4455. 그는 과학에 관심을 가졌다. - Le interesaba la ciencia.

4456. 나는 예술에 관심을 가진다. - Me interesa el arte.

4457. 너는 새 취미에 관심을 가질 것이다. - Te interesará un nuevo hobby.

4458. 관심 있어요? - ¿Te interesa?

4459. 네, 많이요. - Sí, mucho.

4460. 휴식하다 - descansar

4461. 그들은 주말에 휴식했다. - Descansaron el fin de semana.

4462. 나는 지금 휴식한다. - Ahora estoy descansando.

4463. 너는 여행 후 휴식할 것이다. - Descansarás después del viaje.

4464. 쉬고 싶어요? - ¿Quieres descansar?

4465. 예, 필요해요. - Sí, lo necesito.

4466. 존경하다 - honrar

4467. 나는 선생님을 존경했다. - Yo respetaba a mi profesor.

4468. 너는 부모님을 존경한다. - Respeta a tus padres.

4469. 그는 리더를 존경할 것이다. - Respetará al líder.

4470. 존경해요? - ¿Tú respetas?

4471. 네, 존경해요. - Sí, los admiro.

4472. 절망하다 - Desesperar

4473. 그녀는 실패에 절망했다. - Se desespera ante el fracaso.

4474. 우리는 상황을 절망한다. - Nos desesperamos de la situación.

4475. 당신들은 결과에 절망할 것이다. - Se desespera del resultado.

4476. 희망이 있어? - ¿Hay esperanza?

4477. 네, 여전히 있어. - Sí, aún la hay.

4478. 50. 명사 단어들 외우기, 필수 10개 동사의 단어들을 가지고 50문장 연습하기 - 50. memorizar palabras sustantivas, practicar 50 frases con las 10 palabras verbales esenciales

4479. 대회 - Concurso

4480. 경기 - juego

4481. 시합 - coincidir

4482. 도전 - desafío

4483. 시험 - prueba

4484. 어린 시절 - Infancia

4485. 추억 - memoria

4486. 순간 - Momento

4487. 도움 - ayuda

4488. 정보 - información

4489. 지원 - apoyo

4490. 조심 - cuidado

4491. 성실 - Sinceridad

4492. 주의 - precaución

4493. 사업 - negocio

4494. 집 - casa

4495. 작업 - trabajo

4496. 자격 - Cualificación

4497. 기술 - tecnología

4498. 능력 - capacidad

4499. 강좌 - conferencia

4500. 프로그램 - programa

4501. 관계 - relación

4502. 건강 - salud

4503. 균형 - equilibrio

4504. 전통 - tradición

4505. 환경 - medio ambiente

4506. 문화 - cultura

4507. 승리하다 - ganar

4508. 그는 대회에서 승리했다. - Gano la competición.

4509. 나는 경기를 승리한다. - Gano el partido.

4510. 너는 시합을 승리할 것이다. - Ganará el partido.

4511. 기분 좋아요? - ¿Te sientes bien?

4512. 네, 매우 좋아요. - Sí, me siento muy bien.

4513. 패배하다 - Perder

4514. 그들은 경기에서 패배했다. - Perdieron el partido.

4515. 나는 도전에서 패배한다. - Pierdo el desafío.

4516. 너는 시험에서 패배할 것이다. - Perderás la prueba.

4517. 괜찮아요? - ¿Estás bien?

4518. 네, 괜찮아요. - Sí, estoy bien.

4519. 회상하다 - rememorar

4520. 나는 어린 시절을 회상했다. - Rememoré mi infancia.

4521. 너는 좋은 추억을 회상한다. - Rememorará buenos recuerdos.

4522. 그는 행복한 순간을 회상할 것이다. - Rememorará momentos felices.

4523. 추억 나눌래? - ¿Quieres rememorar?

4524. 네, 좋아요. - Sí, me encantaría

4525. 구하다 - Pedir ayuda.

4526. 그녀는 도움을 구했다. - Ella pidió ayuda.

4527. 우리는 정보를 구한다. - Buscamos información.

4528. 당신들은 지원을 구할 것이다. - Buscará ayuda.

4529. 도와줄까요? - ¿Te ayudo?

4530. 네, 부탁해요. - Sí, por favor.

4531. 당부하다 - pedir

4532. 그는 조심을 당부했다. - Él pidió cautela.

4533. 나는 성실을 당부한다. - Pido sinceridad.

4534. 너는 주의를 당부할 것이다. - Pedirás cautela.

4535. 약속해요? - ¿Lo prometes?

4536. 네, 약속해요. - Sí, lo prometo.

4537. 계약하다 - Contratar

4538. 그들은 사업에 계약했다. - Contrataron el negocio.

4539. 나는 집을 계약한다. - Yo contrato una casa.

4540. 너는 작업을 계약할 것이다. - Tú contratarás un trabajo.

4541. 성공할까요? - ¿Funcionará?

4542. 네, 분명해요. - Sí, seguro.

4543. 인증하다 - Certificar

4544. 그녀는 자격을 인증했다. - Ella certificó sus cualificaciones.

4545. 우리는 기술을 인증한다. - Nosotros certificamos aptitudes.

4546. 당신들은 능력을 인증할 것이다. - Tú certificarás tus aptitudes.

4547. 준비됐나요? - ¿Está listo?

4548. 네, 완벽해요. - Sí, perfecto.

4549. 등록하다 - Inscribirse

4550. 나는 강좌에 등록했다. - Me inscribo en un curso.

4551. 너는 대회에 등록한다. - Se inscribirá en la oposición.

4552. 그는 프로그램에 등록할 것이다. - Se inscribirá en el programa.

4553. 참여할래? - ¿Quieres apuntarte?

4554. 네, 신나요. - Sí, estoy entusiasmado.

4555. 유지하다 - Mantener

4556. 그들은 관계를 유지했다. - Mantienen su relación.

4557. 나는 건강을 유지한다. - Yo mantengo mi salud.

4558. 너는 균형을 유지할 것이다. - Mantendrás el equilibrio.

4559. 쉽나요? - ¿Es fácil?

4560. 네, 쉬어요. - Sí, es fácil.

4561. 보존하다 - preservar

4562. 그녀는 전통을 보존했다. - Ella preservó la tradición.

4563. 우리는 환경을 보존한다. - Nosotros preservamos el medio ambiente.

4564. 당신들은 문화를 보존할 것이다. - Tú preservarás la cultura.

4565. 중요하죠? - Es importante, ¿verdad?

4566. 네, 매우 중요해요. - Sí, es muy importante.

4567. 51. 명사 단어들 외우기, 필수 10개 동사의 단어들을 가지고 50문장 연습

하기 - 51. memorizar palabras sustantivas, practicar 50 frases con las 10 palabras verbales esenciales

4568. 차 - coche

4569. 옷 - ropa

4570. 신발 - zapatos

4571. 자동차 - automóvil

4572. 방 - habitación

4573. 집 - casa

4574. 제품 - producto

4575. 앱 - aplicación

4576. 게임 - juego

4577. 계획 - plan

4578. 정보 - información

4579. 사실 - en realidad

4580. 편지 - carta

4581. 상품 - Productos

4582. 초대장 - invitación

4583. 신호 - señal

4584. 데이터 - datos

4585. 메시지 - mensaje

4586. 뉴스 - noticias

4587. 프로그램 - programa

4588. 쇼 - programa

4589. 영화 - película

4590. 음악 - música

4591. 콘서트 - concierto

4592. 조건 - condición

4593. 계약 - contrato

4594. 가격 - precio

4595. 목표 - objetivo

4596. 방침 - política

4597. 세척하다 - lavar

4598. 그는 차를 세척했다. - Lavó el coche.

4599. 나는 옷을 세척한다. - Lavo mi ropa.

4600. 너는 신발을 세척할 것이다. - Lavará sus zapatos.

4601. 깨끗해졌나요? - ¿Están limpios?

4602. 네, 반짝반짝해요. - Sí, están relucientes.

4603. 개조하다 - Renovar

4604. 그는 자동차를 개조했다. - Ha renovado el coche.

4605. 나는 방을 개조한다. - Renovaré la habitación.

4606. 너는 집을 개조할 것이다. - Renovarás la casa.

4607. 새로워 보이나요? - ¿Parece nueva?

4608. 네, 완전히 달라요. - Sí, es completamente diferente.

4609. 출시하다 - Lanzar

4610. 그녀는 새 제품을 출시했다. - Ella lanzó un nuevo producto.

4611. 우리는 앱을 출시한다. - Nosotros lanzamos una aplicación.

4612. 당신들은 게임을 출시할 것이다. - Ustedes van a lanzar un juego.

4613. 관심 있어요? - ¿Te interesa?

4614. 네, 궁금해요. - Sí, me interesa.

4615. 비밀하다 - Ser reservado

4616. 그들은 계획을 비밀했다. - Mantienen sus planes en secreto.

4617. 나는 정보를 비밀한다. - Yo mantengo la información en secreto.

4618. 너는 사실을 비밀할 것이다. - Mantendrás el hecho en secreto.

4619. 알고 싶어요? - ¿Quiere saberlo?

4620. 아니요, 괜찮아요. - No, gracias.

4621. 발송하다 - enviar

4622. 그녀는 편지를 발송했다. - Envió la carta.

4623. 우리는 상품을 발송한다. - Enviamos la mercancía.

4624. 당신들은 초대장을 발송할 것이다. - Ustedes van a enviar las invitaciones.

4625. 받았어요? - ¿La recibiste?

4626. 네, 잘 받았어요. - Sí, la recibí bien.

4627. 송출하다 - transmitir

4628. 그는 신호를 송출했다. - Transmitió una señal.

4629. 나는 데이터를 송출한다. - Estoy enviando datos.

4630. 너는 메시지를 송출할 것이다. - Transmitirá un mensaje.

4631. 작동하나요? - ¿Funciona?

4632. 네, 잘 되요. - Sí, funciona.

4633. 방송하다 - Transmitir

4634. 그들은 뉴스를 방송했다. - Ellos emiten las noticias.

4635. 나는 프로그램을 방송한다. - Yo emito un programa.

4636. 너는 쇼를 방송할 것이다. - Tú emites un programa.

4637. 볼래요? - ¿Quieres verlo?

4638. 네, 흥미로워요. - Sí, es interesante.

4639. 스트리밍하다 - Transmitir

4640. 그녀는 영화를 스트리밍했다. - Ella transmitió una película.

4641. 우리는 음악을 스트리밍한다. - Nosotros transmitimos música en streaming.

4642. 당신들은 콘서트를 스트리밍할 것이다. - Ustedes van a transmitir un concierto.

4643. 즐기나요? - ¿Lo disfrutas?

4644. 네, 많이요. - Sí, mucho.

4645. 협상하다 - negociar

4646. 그는 조건을 협상했다. - Negoció las condiciones.

4647. 나는 계약을 협상한다. - Yo negocio el contrato.

4648. 너는 가격을 협상할 것이다. - Negociará el precio.

4649. 합의했나요? - ¿Hemos llegado a un acuerdo?

4650. 네, 도달했어요. - Sí, hemos llegado a un acuerdo.

4651. 합의하다 - ponerse de acuerdo

4652. 그들은 목표에 합의했다. - Han acordado el objetivo.

4653. 나는 방침에 합의한다. - Acordaré una política.

4654. 너는 계획에 합의할 것이다. - Se pondrán de acuerdo sobre el plan.

4655. 만족해요? - ¿Están satisfechos?

4656. 네, 완전히요. - Sí, completamente.

4657. 52. 명사 단어들 외우기, 필수 10개 동사의 단어들을 가지고 50문장 연습하기 - 52. memorizar palabras sustantivas, practicar 50 frases con las 10 palabras verbales esenciales

4658. 프로젝트 - proyecto

4659. 발전 - Desarrollo

4660. 성공 - éxito

4661. 사진 - imagen

4662. 아이디어 - idea

4663. 경험 - experiencia

4664. 건물 - edificio

4665. 회의실 - sala de reuniones

4666. 도서관 - biblioteca

4667. 파티 - fiesta

4668. 회의 - reunión

4669. 강당 - auditorio

4670. 목록 - Lista

4671. 보고서 - informe

4672. 계획 - plan

4673. 명단 - lista

4674. 주제 - tema

4675. 옵션 - opción

4676. 시험 - prueba

4677. 비상사태 - Emergencia

4678. 경쟁 - competir

4679. 예산 - presupuesto

4680. 기대 - expectativa

4681. 목표 - objetivo

4682. 극한 - límite

4683. 한계 - Límite

4684. 정상 - normal

4685. 합의 - acuerdo

4686. 결론 - conclusión

4687. 기여하다 - Contribuir

4688. 그녀는 프로젝트에 기여했다. - Ella contribuyó al proyecto.

4689. 우리는 발전에 기여한다. - Nosotros contribuimos al desarrollo.

4690. 당신들은 성공에 기여할 것이다. - Tú contribuirás al éxito.

4691. 도움됐나요? - ¿Ha contribuido?

4692. 네, 많이요. - Sí, mucho.

4693. 공유하다 - Compartir

4694. 그는 사진을 공유했다. - Compartió la foto.

4695. 나는 아이디어를 공유한다. - Yo comparto ideas.

4696. 너는 경험을 공유할 것이다. - Compartirá su experiencia.

4697. 보여줄래요? - ¿Me la mostrarás?

4698. 네, 기꺼이요. - Sí, con mucho gusto.

4699. 출입하다 - Entrar y salir

4700. 그들은 건물에 출입했다. - Entraron en el edificio.

4701. 나는 회의실에 출입한다. - Yo entro en la sala de conferencias.

4702. 너는 도서관에 출입할 것이다. - Usted entrará en la biblioteca.

4703. 허용되나요? - ¿Está permitido?

4704. 네, 가능해요. - Sí, está permitido.

4705. 퇴장하다 - Salir

4706. 그녀는 파티에서 퇴장했다. - Se fue de la fiesta.

4707. 우리는 회의에서 퇴장한다. - Nos vamos de la reunión.

4708. 당신들은 강당에서 퇴장할 것이다. - Pueden retirarse del auditorio.

4709. 끝났나요? - ¿Ha terminado?

4710. 네, 끝났어요. - Sí, ha terminado.

4711. 포함하다 - Incluir

4712. 그는 목록에 이름을 포함했다. - Incluyó los nombres en la lista.

4713. 나는 보고서에 결과를 포함한다. - Incluyo los resultados en el informe.

4714. 너는 계획에 이 아이디어를 포함할 것이다. - Incluyo la idea en su plan.

4715. 필요해요? - ¿Es necesario?

4716. 네, 중요해요. - Sí, es importante.

4717. 배제하다 - excluir

4718. 그들은 명단에서 그를 배제했다. - Lo excluyeron de la lista.

4719. 나는 논의에서 주제를 배제한다. - Excluyo el tema de la discusión.

4720. 너는 제안에서 그 옵션을 배제할 것이다. - Excluirás la opción de la propuesta.

4721. 제외되나요? - ¿Excluir?

4722. 네, 그렇게 결정했어요. - Sí, eso es lo que hemos decidido.

4723. 대비하다 - preparar

4724. 그녀는 시험에 대비했다. - Ella se preparó para el examen.

4725. 우리는 비상사태에 대비한다. - Nos preparamos para las emergencias.

4726. 당신들은 경쟁에 대비할 것이다. - Te prepararás para la competición.

4727. 준비됐나요? - ¿Estás preparado?

4728. 네, 완벽해요. - Sí, estoy perfecto.

4729. 초과하다 - Excederse

4730. 그는 예산을 초과했다. - Superó el presupuesto.

4731. 나는 기대를 초과한다. - Supero las expectativas.

4732. 너는 목표를 초과할 것이다. - Superará su objetivo.

4733. 문제 있나요? - ¿Hay algún problema?

4734. 아니요, 괜찮아요. - No, estoy bien.

4735. 미치다 - Estar loco

4736. 그는 극한에 미쳤다. - Está loco hasta el extremo.

4737. 나는 한계에 미친다. - Estoy loco hasta el límite.

4738. 너는 목표에 미칠 것이다. - Estarás loco con tus metas.

4739. 미쳤어? - ¿Estás loco?

4740. 아니, 정상이야. - No, es normal.

4741. 도달하다 - llegar

4742. 그녀는 정상에 도달했다. - Llegó a la cima.

4743. 우리는 합의에 도달한다. - Llegamos a un acuerdo.

4744. 당신들은 결론에 도달할 것이다. - Se llega a una conclusión.

4745. 도착했니? - ¿Hemos llegado?

4746. 네, 여기야. - Sí, ya hemos llegado.

4747. 53. 명사 단어들 외우기, 필수 10개 동사의 단어들을 가지고 50문장 연습하기 - 53. Memorizar palabras sustantivas, practicar 50 frases con las 10 palabras verbales esenciales

4748. 자원 - recurso

4749. 정보 - información

4750. 지지 - apoyo

4751. 미래 - futuro

4752. 가능성 - posibilidad

4753. 세계 - mundo

4754. 새로운 것 - nuevo

4755. 해결 - resolver

4756. 변화 - cambiar

4757. 목표 - objetivo

4758. 계획 - planificar

4759. 시험 - probar

4760. 사업 - empresa

4761. 노력 - esfuerzo

4762. 프로젝트 - proyecto

4763. 결정 - decisión

4764. 방향 - dirección

4765. 선택 - seleccione

4766. 경고 - advertencia

4767. 위험 - peligro

4768. 조언 - consejo

4769. 세부사항 - Detalle

4770. 결과 - resultado

4771. 작업 - trabajo

4772. 공부 - estudio

4773. 공원 - parque

4774. 생각 - pensamiento

4775. 감정 - emoción

4776. 확보하다 - asegurar

4777. 그들은 자원을 확보했다. - Aseguraron recursos.

4778. 나는 정보를 확보한다. - Yo aseguro información.

4779. 너는 지지를 확보할 것이다. - Tú asegurarás apoyo.

4780. 준비됐니? - ¿Estás preparado?

4781. 네, 다 됐어. - Sí, estoy preparado.

4782. 상상하다 - Para imaginar

4783. 그녀는 미래를 상상했다. - Ella imaginó el futuro.

4784. 우리는 가능성을 상상한다. - Imaginamos posibilidades.

4785. 당신들은 세계를 상상할 것이다. - Tú imaginarás el mundo.

4786. 꿈꿔? - ¿Sueñas?

4787. 네, 가끔. - Sí, a veces.

4788. 시도하다 - probar

4789. 그는 새로운 것을 시도했다. - Intentó algo nuevo.

4790. 나는 해결을 시도한다. - Intento resolver.

4791. 너는 변화를 시도할 것이다. - Intentará cambiar.

4792. 해봤어? - ¿Lo has intentado?

4793. 아직 안 해. - Aún no lo he hecho.

4794. 실패하다 - Fracasar

4795. 그들은 목표에 실패했다. - Fracasaron en su objetivo.

4796. 나는 계획에 실패한다. - Fracaso en el plan.

4797. 너는 시험에 실패할 것이다. - Suspenderás el examen.

4798. 실패했니? - ¿Fallaste?

4799. 네, 아쉽게도. - Sí, por desgracia.

4800. 성공하다 - Tener éxito

4801. 그녀는 사업에서 성공했다. - Ella tuvo éxito en los negocios.

4802. 우리는 노력에서 성공한다. - Nosotros tenemos éxito en nuestros empeños.

4803. 당신들은 프로젝트에서 성공할 것이다. - Tendrás éxito en el proyecto.

4804. 성공했어? - ¿Tuviste éxito?

4805. 네, 됐어! - Sí, ¡está hecho!

4806. 확신하다 - estar seguro

4807. 그는 결정에 확신했다. - Estaba seguro de su decisión.

4808. 나는 방향에 확신한다. - Estoy seguro de la dirección.

4809. 너는 선택에 확신할 것이다. - Estará seguro de su elección.

4810. 확실해? - ¿Está seguro?

4811. 네, 확실해. - Sí, estoy seguro.

4812. 무시하다 - ignorar

4813. 그들은 경고를 무시했다. - Ignoraron la advertencia.

4814. 나는 위험을 무시한다. - Ignoro el riesgo.

4815. 너는 조언을 무시할 것이다. - Ignorarán el consejo.

4816. 무시해? - ¿Ignorar?

4817. 아니, 들어. - No, escucha.

4818. 주목하다 - notar

4819. 그녀는 변화에 주목했다. - Se dio cuenta del cambio.

4820. 우리는 세부사항에 주목한다. - Prestamos atención a los detalles.

4821. 당신들은 결과에 주목할 것이다. - Notará los resultados.

4822. 보고 있니? - ¿Estás prestando atención?

4823. 네, 주목해. - Sí, estoy prestando atención.

4824. 집중하다 - Concentrarse

4825. 그는 작업에 집중했다. - Se concentró en la tarea.

4826. 나는 목표에 집중한다. - Me concentro en el objetivo.

4827. 너는 공부에 집중할 것이다. - Te concentrarás en tus estudios.

4828. 집중돼? - ¿Estás concentrado?

4829. 네, 잘 돼. - Sí, va bien.

4830. 흩어지다 - dispersarse

4831. 그들은 공원에서 흩어졌다. - Se dispersaron en el parque.

4832. 나는 생각에 흩어진다. - Estoy disperso en mis pensamientos.

4833. 너는 감정에 흩어질 것이다. - Estarás disperso en tus sentimientos.

4834. 헤어졌어? - ¿Has roto?

4835. 네, 이제 그래. - Sí, ahora sí.

4836. 54. 명사 단어들 외우기, 필수 10개 동사의 단어들을 가지고 50문장 연습하기 - 54. Memoriza palabras sustantivas, practica 50 frases con las 10 palabras verbales esenciales

4837. 자원 - recurso

4838. 관심 - interés

4839. 투자 - invertir

4840. 데이터 - datos

4841. 시스템 - sistema

4842. 노력 - esfuerzo

4843. 색상 - color

4844. 재료 - ingrediente

4845. 아이디어 - idea

4846. 문제 - problema

4847. 과정 - procedimiento

4848. 절차 - procedimiento

4849. 계획 - plan

4850. 상황 - situación

4851. 설명 - explicación

4852. 작업 - trabajo

4853. 생각 - pensamiento

4854. 보고서 - informe

4855. 내용 - detalle

4856. 결과 - resultado

4857. 용어 - Términos

4858. 목적 - propósito

4859. 개념 - concepto

4860. 주장 - opinión

4861. 의견 - opinión

4862. 결론 - conclusión

4863. 이론 - teoría

4864. 가설 - hipótesis

4865. 분산하다 - dispersar

4866. 그들은 자원을 분산했다. - Dispersaron sus recursos.

4867. 우리는 관심을 분산한다. - Diversificamos nuestra atención.

4868. 당신들은 투자를 분산할 것이다. - Diversificarán sus inversiones.

4869. 관심 있어? - ¿Te interesa?

4870. 조금 있어. - Tengo algunas.

4871. 통합하다 - Integrar

4872. 그녀는 데이터를 통합했다. - Ella consolidó los datos.

4873. 우리는 시스템을 통합한다. - Integramos los sistemas.

4874. 당신들은 노력을 통합할 것이다. - Integrará sus esfuerzos.

4875. 쉬웠어? - ¿Fue fácil?

4876. 아니, 어려웠어. - No, fue difícil.

4877. 혼합하다 - mezclar

4878. 그는 색상을 혼합했다. - Mezcló los colores.

4879. 나는 재료를 혼합한다. - Mezclo ingredientes.

4880. 너는 아이디어를 혼합할 것이다. - Mezclará ideas.

4881. 잘 됐어? - ¿Salió bien?

4882. 네, 잘 됐어. - Sí, salió bien.

4883. 단순화하다 - Simplificar

4884. 그들은 문제를 단순화했다. - Simplificaron el problema.

4885. 우리는 과정을 단순화한다. - Nosotros simplificamos el proceso.

4886. 당신들은 절차를 단순화할 것이다. - Ustedes van a simplificar el proceso.

4887. 필요해? - ¿Lo necesitas?

4888. 네, 필요해. - Sí, lo necesito.

4889. 복잡하게 하다 - Complicar

4890. 그녀는 계획을 복잡하게 했다. - Complicó el plan.

4891. 나는 상황을 복잡하게 한다. - Yo complico la situación.

4892. 너는 설명을 복잡하게 할 것이다. - Complicarás la explicación.

4893. 문제 있어? - ¿Hay algún problema?

4894. 아니, 괜찮아. - No, estoy bien.

4895. 간소화하다 - Simplificar

4896. 그는 절차를 간소화했다. - Simplifico el procedimiento.

4897. 나는 작업을 간소화한다. - Simplifico la tarea.

4898. 너는 생각을 간소화할 것이다. - Simplificará su pensamiento.

4899. 도움 돼? - ¿Ayuda?

4900. 네, 도움 돼. - Sí, ayuda.

4901. 요약하다 - Resumir

4902. 그들은 보고서를 요약했다. - Resumieron el informe.

4903. 우리는 내용을 요약한다. - Nosotros resumimos el contenido.

4904. 당신들은 결과를 요약할 것이다. - Usted resumirá los resultados.

4905. 간단해? - ¿Es sencillo?

4906. 응, 간단해. - Sí, es sencillo.

4907. 정의하다 - Definir

4908. 그녀는 용어를 정의했다. - Ella definió los términos.

4909. 나는 목적을 정의한다. - Yo defino el propósito.

4910. 너는 개념을 정의할 것이다. - Usted definirá el concepto.

4911. 이해했어? - ¿Entiendes?

4912. 네, 이해했어. - Sí, lo entiendo.

4913. 반박하다 - Refutar

4914. 그는 주장을 반박했다. - Refutó el argumento.

4915. 나는 의견을 반박한다. - Refuto la opinión.

4916. 너는 결론을 반박할 것이다. - Refutará la conclusión.

4917. 확실해? - ¿Está seguro?

4918. 네, 확실해. - Sí, estoy seguro.

4919. 논박하다 - refutar

4920. 그들은 이론을 논박했다. - Refutan la teoría.

4921. 우리는 가설을 논박한다. - Nosotros refutamos la hipótesis.

4922. 당신들은 주장을 논박할 것이다. - Refutarán la afirmación.

4923. 가능해? - ¿Es posible?

4924. 어렵지만 가능해. - Es difícil, pero es posible.

4925. 55. 명사 단어들 외우기, 필수 10개 동사의 단어들을 가지고 50문장 연습

하기 - 55. memorizar las palabras sustantivas, practicar 50 frases con las palabras de los 10 verbos esenciales

4926. 문헌 - literatura

4927. 연구 - investigación

4928. 전문가 - experto

4929. 사건 - Evento

4930. 이슈 - tema

4931. 사실 - en realidad

4932. 행복 - felicidad

4933. 목표 - objetivo

4934. 성공 - éxito

4935. 기술 - tecnología

4936. 학문 - Beca

4937. 경력 - carrera

4938. 발전 - Desarrollo

4939. 계획 - plan

4940. 집 - casa

4941. 사무실 - oficina

4942. 공간 - espacio

4943. 작품 - Trabajo

4944. 데이터 - datos

4945. 디자인 - diseño

4946. 실수 - error

4947. 과정 - procedimiento

4948. 패턴 - patrón

4949. 스타일 - estilo

4950. 방식 - método

4951. 기법 - técnica

4952. 동작 - movimiento

4953. 말투 - discurso

4954. 절차 - procedimiento

4955. 인용하다 - citar

4956. 그녀는 문헌을 인용했다. - Citó la bibliografía.

4957. 나는 연구를 인용한다. - Yo cito un estudio.

4958. 너는 전문가를 인용할 것이다. - Citará a un experto.

4959. 필요한 거야? - ¿Es necesario?

4960. 네, 필요해. - Sí, es necesario.

4961. 언급하다 - mencionar

4962. 그는 사건을 언급했다. - Se refirió al asunto.

4963. 나는 이슈를 언급한다. - Me refiero al asunto.

4964. 너는 사실을 언급할 것이다. - Mencionará el hecho.

4965. 언급됐어? - ¿Mencionado?

4966. 네, 언급됐어. - Sí, se mencionó.

4967. 추구하다 - perseguir

4968. 그들은 행복을 추구했다. - Ellos perseguían la felicidad.

4969. 우리는 목표를 추구한다. - Nosotros perseguimos metas.

4970. 당신들은 성공을 추구할 것이다. - Tú perseguirás el éxito.

4971. 성공했어? - ¿Has tenido éxito?

4972. 아직은 모르겠어. - Aún no lo sé.

4973. 진보하다 - Progresar

4974. 그녀는 기술에서 진보했다. - Progresó en tecnología.

4975. 나는 학문에서 진보한다. - Avanzo en mis estudios.

4976. 너는 경력에서 진보할 것이다. - Avanzarás en tu carrera.

4977. 어떻게 됐어? - ¿Cómo va todo?

4978. 잘 되고 있어. - Va bien.

4979. 후퇴하다 - Retroceder

4980. 그는 발전에서 후퇴했다. - Retroceder en el avance.

4981. 나는 계획에서 후퇴한다. - Retrocedo del plan.

4982. 너는 목표에서 후퇴할 것이다. - Retrocederá de la meta.

4983. 괜찮아? - ¿Estás bien?

4984. 괜찮아, 다시 해볼게. - Está bien, lo intentaré de nuevo.

4985. 리모델링하다 - remodelar

4986. 그들은 집을 리모델링했다. - Remodelaron la casa.

4987. 우리는 사무실을 리모델링한다. - Nosotros remodelamos la oficina.

4988. 당신들은 공간을 리모델링할 것이다. - Vas a remodelar tu espacio.

4989. 비쌌어? - ¿Fue caro?

4990. 네, 좀 비쌌어. - Sí, fue un poco caro.

4991. 복제하다 - reproducir

4992. 그녀는 작품을 복제했다. - Hizo reproducir su obra de arte.

4993. 나는 데이터를 복제한다. - Reproduzco los datos.

4994. 너는 디자인을 복제할 것이다. - Reproducirá el diseño.

4995. 허락됐어? - ¿Se le permite?

4996. 네, 허락됐어. - Sí, se me permite.

4997. 반복하다 - Repetir

4998. 그는 실수를 반복했다. - Repitió su error.

4999. 나는 과정을 반복한다. - Repito el proceso.

5000. 너는 패턴을 반복할 것이다. - Repetirás el patrón.

5001. 배웠어? - ¿Aprendió?

5002. 네, 배웠어. - Sí, aprendí.

5003. 모방하다 - Imitar

5004. 그들은 스타일을 모방했다. - Imitaron el estilo.

5005. 우리는 방식을 모방한다. - Nosotros imitamos los métodos.

5006. 당신들은 기법을 모방할 것이다. - Ustedes copiarán la técnica.

5007. 좋았어? - ¿Estuvo bien?

5008. 응, 괜찮았어. - Sí, estuvo bien.

5009. 따라하다 - Imitar.

5010. 그녀는 동작을 따라했다. - Ella copió los movimientos.

5011. 나는 말투를 따라한다. - Yo imito el tono de voz.

5012. 너는 절차를 따라할 것이다. - Sigue el procedimiento.

5013. 쉬웠어? - ¿Fue fácil?

5014. 응, 쉬웠어. - Sí, ha sido fácil.

5015. 56. 명사 단어들 외우기, 필수 10개 동사의 단어들을 가지고 50문장 연습하기 - 56. Memoriza las palabras sustantivas, practica 50 frases con las 10 palabras verbales esenciales

5016. 정보 - información

5017. 아이 - niño

5018. 환경 - medio ambiente

5019. 시장 - mercado

5020. 행동 - acción

5021. 프로세스 - proceso

5022. 위험 - peligro

5023. 오류 - error

5024. 실패 - fracaso

5025. 질병 - enfermedad

5026. 사고 - accidente

5027. 문제 - problema

5028. 아이디어 - idea

5029. 시스템 - sistema

5030. 의견 - opinión

5031. 자원 - recurso

5032. 데이터 - datos

5033. 옵션 - opción

5034. 후보 - candidato

5035. 보상 - compensación

5036. 비용 - gasto

5037. 권리 - derecho

5038. 계획 - plan

5039. 제안 - propuesta

5040. 주장 - opinión

5041. 포지션 - posición

5042. 영역 - zona

5043. 보호하다 - proteger

5044. 그는 정보를 보호했다. - Protejo la información.

5045. 나는 아이를 보호한다. - Protejo al niño.

5046. 너는 환경을 보호할 것이다. - Protege el medio ambiente.

5047. 중요해? - ¿Es importante?

5048. 네, 매우 중요해. - Sí, es muy importante

5049. 감시하다 - vigilar

5050. 그들은 시장을 감시했다. - Vigilaban el mercado.

5051. 우리는 행동을 감시한다. - Nosotros vigilamos el comportamiento.

5052. 당신들은 프로세스를 감시할 것이다. - Ustedes supervisarán el proceso.

5053. 필요했어? - ¿Era necesario?

5054. 네, 필요했어. - Sí, era necesario

5055. 경계하다 - estar en guardia

5056. 그녀는 위험을 경계했다. - Estaba en guardia por si había peligro.

5057. 나는 오류를 경계한다. - Estaré atento a los errores.

5058. 너는 실패를 경계할 것이다. - Estará atento a los fallos.

5059. 조심해야 해? - ¿Debo tener cuidado?

5060. 네, 조심해야 해. - Sí, debes tener cuidado.

5061. 예방하다 - prevenir

5062. 그녀는 질병을 예방했다. - Ella previno la enfermedad.

5063. 우리는 사고를 예방한다. - Nosotros prevenimos los accidentes.

5064. 당신들은 문제를 예방할 것이다. - Tú prevendrás los problemas.

5065. 감기 걸렸어? - ¿Estás resfriado?

5066. 아니, 괜찮아. - No, estoy bien.

5067. 혁신하다 - Innovar

5068. 그는 프로세스를 혁신했다. - Innovó un proceso.

5069. 나는 아이디어를 혁신한다. - Yo innovo ideas.

5070. 너는 시스템을 혁신할 것이다. - Tú innovarás un sistema.

5071. 새로워? - ¿Nuevo?

5072. 응, 새로워. - Sí, nuevo.

5073. 교환하다 - intercambiar

5074. 그녀는 정보를 교환했다. - Ella intercambió información.

5075. 우리는 의견을 교환한다. - Nosotros intercambiamos opiniones.

5076. 당신들은 자원을 교환할 것이다. - Intercambiarás recursos.

5077. 바꿨어? - ¿Intercambiaste?

5078. 응, 바꿨어. - Sí, lo hice.

5079. 선별하다 - cribar

5080. 그는 데이터를 선별했다. - Tamizó los datos.

5081. 나는 옵션을 선별한다. - Cribaré las opciones.

5082. 너는 후보를 선별할 것이다. - Cribarás candidatos.

5083. 선택했어? - ¿Has elegido?

5084. 네, 했어. - Sí, lo hice.

5085. 청구하다 - Reclamar

5086. 그녀는 보상을 청구했다. - Reclamó su indemnización.

5087. 우리는 비용을 청구한다. - Reclamaremos los gastos.

5088. 당신들은 권리를 청구할 것이다. - Reclamará sus derechos.

5089. 비싸? - ¿Es caro?

5090. 아니, 적당해. - No, es asequible.

5091. 동조하다 - simpatizar

5092. 그는 의견에 동조했다. - Simpatizó con la opinión.

5093. 나는 계획에 동조한다. - Simpatizo con el plan.

5094. 너는 제안에 동조할 것이다. - Simpatizarás con la propuesta.

5095. 동의해? - ¿Estás de acuerdo?

5096. 응, 동의해. - Sí, estoy de acuerdo.

5097. 방어하다 - defender

5098. 그녀는 주장을 방어했다. - Ella defendió la reclamación.

5099. 우리는 포지션을 방어한다. - Nosotros defendemos la posición.

5100. 당신들은 영역을 방어할 것이다. - Usted defenderá su territorio.

5101. 준비됐어? - ¿Estás preparado?

5102. 네, 준비됐어. - Sí, estoy preparado.

5103. 57. 명사 단어들 외우기, 필수 10개 동사의 단어들을 가지고 50문장 연습하기 - 57. Memoriza palabras sustantivas, practica 50 frases con las 10 palabras verbales necesarias

5104. 오류 - error

5105. 변화 - cambiar

5106. 위험 - peligro

5107. 기술 - tecnología

5108. 방법 - método

5109. 지식 - conocimiento

5110. 학생들 - estudiantes

5111. 주제 - tema

5112. 서류 - documento

5113. 방 - sala

5114. 일정 - horario

5115. 정책 - Política

5116. 계획 - plan

5117. 규칙 - norma

5118. 목표 - objetivo

5119. 프로젝트 - proyecto

5120. 꿈 - sueño

5121. 결과 - resultado

5122. 성공 - éxito

5123. 예약 - reserva

5124. 주문 - pedido

5125. 규정 - Regla

5126. 시스템 - sistema

5127. 프로그램 - programa

5128. 병 - partido

5129. 상처 - herida

5130. 조건 - condición

5131. 탐지하다 - detectar

5132. 그는 오류를 탐지했다. - Detecto un error.

5133. 나는 변화를 탐지한다. - Detecto un cambio.

5134. 너는 위험을 탐지할 것이다. - Detectará un peligro.

5135. 봤어? - ¿Lo ha visto?

5136. 응, 봤어. - Sí, lo vi.

5137. 학습하다 - Aprender

5138. 그녀는 기술을 학습했다. - Aprendió la técnica.

5139. 우리는 방법을 학습한다. - Aprendemos los métodos.

5140. 당신들은 지식을 학습할 것이다. - Tú aprenderás el conocimiento.

5141. 이해해? - ¿Entiendes?

5142. 네, 이해해. - Sí, lo entiendo.

5143. 교육하다 - Educar

5144. 그는 학생들을 교육했다. - Educó a los alumnos.

5145. 나는 주제를 교육한다. - Yo educo al sujeto.

5146. 너는 기술을 교육할 것이다. - Tú educarás las habilidades.

5147. 잘 가르쳐? - ¿Enseñar bien?

5148. 응, 잘 가르쳐. - Sí, enseñar bien.

5149. 정돈하다 - organizar

5150. 그녀는 서류를 정돈했다. - Puso en orden sus papeles.

5151. 우리는 방을 정돈한다. - Organizamos nuestra habitación.

5152. 당신들은 일정을 정돈할 것이다. - Organizarás tu horario.

5153. 깨끗해? - ¿Está limpio?

5154. 네, 깨끗해. - Sí, está limpio.

5155. 시행하다 - hacer cumplir

5156. 그는 정책을 시행했다. - Él hizo cumplir la política.

5157. 나는 계획을 시행한다. - Yo hago cumplir el plan.

5158. 너는 규칙을 시행할 것이다. - Hará cumplir las normas.

5159. 작동해? - ¿Funciona?

5160. 응, 작동해. - Sí, funciona.

5161. 성취하다 - Cumplir

5162. 그녀는 목표를 성취했다. - Ella cumplió su objetivo.

5163. 우리는 프로젝트를 성취한다. - Cumpliremos el proyecto.

5164. 당신들은 꿈을 성취할 것이다. - Cumplirás tu sueño.

5165. 성공했어? - ¿Lo has conseguido?

5166. 네, 성공했어. - Sí, lo he conseguido.

5167. 달성하다 - Cumplir

5168. 그는 결과를 달성했다. - Logró el resultado.

5169. 나는 목표를 달성한다. - Logro mi objetivo.

5170. 너는 성공을 달성할 것이다. - Logrará el éxito.

5171. 됐어? - ¿Está hecho?

5172. 응, 됐어. - Sí, está hecho.

5173. 취소하다 - Cancelar

5174. 그녀는 계획을 취소했다. - Ella canceló sus planes.

5175. 우리는 예약을 취소한다. - Cancelamos la reserva.

5176. 당신들은 주문을 취소할 것이다. - Van a cancelar el pedido.

5177. 멈췄어? - ¿Se detuvo?

5178. 네, 멈췄어. - Sí, se detuvo.

5179. 폐지하다 - abolir

5180. 그는 규정을 폐지했다. - Abolió el reglamento.

5181. 나는 시스템을 폐지한다. - Abolir el sistema.

5182. 너는 프로그램을 폐지할 것이다. - Abolir el programa.

5183. 없어졌어? - ¿Se ha ido?

5184. 응, 없어졌어. - Sí, ha desaparecido.

5185. 치료하다 - curar

5186. 그녀는 병을 치료했다. - Se curó de su enfermedad.

5187. 우리는 상처를 치료한다. - Curamos las heridas.

5188. 당신들은 조건을 치료할 것이다. - Usted curará la enfermedad.

5189. 나았어? - ¿Estás mejor?

5190. 네, 나았어. - Sí, estoy mejor.

5191. 58. 명사 단어들 외우기, 필수 10개 동사의 단어들을 가지고 50문장 연습하기 - 58. Memoriza palabras sustantivas, practica 50 frases con las 10 palabras verbales esenciales

5192. 데이터 - datos

5193. 시스템 - sistema

5194. 기능 - función

5195. 중요 파일 - archivos importantes

5196. 자료 - datos

5197. 잡지 - revista

5198. 뉴스레터 - boletín

5199. 채널 - canal

5200. 계약 - contrato

5201. 멤버십 - afiliación

5202. 서비스 - servicio

5203. 클럽 - club

5204. 조직 - grupo

5205. 그룹 - grupo

5206. 인터넷 - Internet

5207. 사이트 - sitio

5208. 계정 - cuenta

5209. 앱 - aplicación

5210. 플랫폼 - plataforma

5211. 웹사이트 - Sitio web

5212. 정책 - Política

5213. 결정 - decisión

5214. 조치 - acción

5215. 조정 - ajuste

5216. 정확한 정보 - información precisa

5217. 적절한 조치 - acción apropiada

5218. 복원하다 - restaurar

5219. 그는 데이터를 복원했다. - Ha restaurado los datos.

5220. 나는 시스템을 복원한다. - Restauraré el sistema.

5221. 너는 기능을 복원할 것이다. - Restaurará la funcionalidad.

5222. 돌아왔어? - ¿Ha vuelto?

5223. 응, 돌아왔어. - Sí, he vuelto.

5224. 백업하다 - a la copia de seguridad

5225. 그는 데이터를 백업했다. - Hizo una copia de seguridad de sus datos.

5226. 그녀는 중요 파일을 백업한다. - Hace una copia de seguridad de sus archivos importantes.

5227. 우리는 자료를 백업할 것이다. - Haremos una copia de seguridad de los datos.

5228. 자료 안전해? - ¿Están seguros los datos?

5229. 네, 백업됐어. - Sí, se ha hecho una copia de seguridad.

5230. 구독하다 - Suscribirse a

5231. 그녀는 잡지를 구독했다. - Ella se suscribió a una revista.

5232. 우리는 뉴스레터를 구독한다. - Nos suscribimos al boletín.

5233. 당신들은 채널을 구독할 것이다. - Se suscribirá al canal.

5234. 새 소식 있어? - ¿Alguna novedad?

5235. 예, 업데이트 됐어. - Sí, me han puesto al día.

5236. 해지하다 - rescindir

5237. 그는 계약을 해지했다. - Ha cancelado el contrato.

5238. 그녀는 멤버십을 해지한다. - Va a cancelar su afiliación.

5239. 우리는 서비스를 해지할 것이다. - Daremos de baja el servicio.

5240. 계약 끝났어? - ¿Se ha terminado el contrato?

5241. 아니, 진행 중이야. - No, está en curso.

5242. 탈퇴하다 - Abandonar

5243. 그녀는 클럽을 탈퇴했다. - Abandona el club.

5244. 우리는 조직을 탈퇴한다. - Abandonamos la organización.

5245. 당신들은 그룹을 탈퇴할 것이다. - Estás dejando el grupo.

5246. 아직 멤버야? - ¿Todavía eres miembro?

5247. 아니, 탈퇴했어. - No, me fui.

5248. 접속하다 - acceder

5249. 그는 인터넷에 접속했다. - Accedió a Internet.

5250. 그녀는 사이트에 접속한다. - Accede a la web.

5251. 우리는 시스템에 접속할 것이다. - Se conecta al sistema.

5252. 인터넷 연결됐어? - ¿Está conectado a Internet?

5253. 네, 연결됐어. - Sí, estoy conectado.

5254. 로그인하다 - conectarse

5255. 그녀는 계정에 로그인했다. - Ella inicia sesión en su cuenta.

5256. 우리는 앱에 로그인한다. - Nos conectamos a la aplicación.

5257. 당신들은 플랫폼에 로그인할 것이다. - Inicia sesión en la plataforma.

5258. 로그인 문제 있어? - ¿Algún problema para iniciar sesión?

5259. 아니, 잘 됐어. - No, todo va bien.

5260. 로그아웃하다 - cerrar sesión

5261. 그는 웹사이트에서 로그아웃했다. - Ha cerrado sesión en el sitio web.

5262. 그녀는 시스템에서 로그아웃한다. - Se desconecta del sistema.

5263. 우리는 계정에서 로그아웃할 것이다. - Cerraremos la sesión de nuestra cuenta.

5264. 로그아웃 했어? - ¿Has cerrado la sesión?

5265. 예, 했어. - Sí.

5266. 항의하다 - protestar

5267. 그녀는 정책에 항의했다. - Ella protestó por la política.

5268. 우리는 결정에 항의한다. - Protestamos por la decisión.

5269. 당신들은 조치에 항의할 것이다. - Protestará por la acción.

5270. 불만 있어? - ¿Tiene alguna queja?

5271. 예, 있어. - Sí, la tengo.

5272. 요구하다 - Exigir

5273. 그는 조정을 요구했다. - Exige un ajuste.

5274. 그녀는 정확한 정보를 요구한다. - Exige información precisa.

5275. 우리는 적절한 조치를 요구할 것이다. - Exigiremos una acción apropiada.

5276. 더 필요한 거 있어? - ¿Necesita algo más?

5277. 아뇨, 다 됐어요. - No, ya he terminado.

5278. 59. 명사 단어들 외우기, 필수 10개 동사의 단어들을 가지고 50문장 연습하기 - 59. memorizar palabras sustantivas, practicar 50 frases con las 10 palabras verbales esenciales

5279. 업무 우선순위 - prioridades de trabajo

5280. 프로젝트의 우선순위 - Prioridad del proyecto

5281. 일의 순서 - orden del trabajo

5282. 회의 - reunión

5283. 이벤트 - evento

5284. 행사 - evento

5285. 파티 - fiesta

5286. 대회 - Concurso

5287. 경연 - concurso

5288. 워크숍 - taller

5289. 세미나 - seminario

5290. 포럼 - foro

5291. 회사 - empresa

5292. 단체 - organización

5293. 조직 - grupo

5294. 재단 - Fundación

5295. 기관 - Agencia

5296. 학교 - escuela

5297. 클럽 - club

5298. 협회 - Asociación

5299. 프로젝트 - proyecto

5300. 캠페인 - campaña

5301. 운동 - trabajo

5302. 사업 - empresa

5303. 파트너십 - asociación

5304. 모임 - clase

5305. 조합 - combinación

5306. 집단 - grupo

5307. 우선순위를 정하다 - Priorizar

5308. 그녀는 업무 우선순위를 정했다. - Priorizó su trabajo.

5309. 우리는 프로젝트의 우선순위를 정한다. - Priorizamos el proyecto.

5310. 당신들은 일의 순서를 정할 것이다. - Organizará el orden del trabajo.

5311. 뭐부터 할까? - ¿Qué haremos primero?

5312. 이거부터 해요. - Hagamos esto primero.

5313. 개최하다 - celebrar

5314. 그는 회의를 개최했다. - Celebra una reunión.

5315. 그녀는 이벤트를 개최한다. - Ella está celebrando un evento.

5316. 우리는 행사를 개최할 것이다. - Celebraremos un evento.

5317. 장소 예약됐어? - ¿Está reservado el sitio?

5318. 네, 예약됐어요. - Sí, está reservado.

5319. 주최하다 - Organizar

5320. 그녀는 파티를 주최했다. - Ella organizó una fiesta.

5321. 우리는 대회를 주최한다. - Nosotros organizamos un concurso.

5322. 당신들은 경연을 주최할 것이다. - Usted organizará un concurso.

5323. 시간 되나요? - ¿Tienes tiempo?

5324. 네, 괜찮아요. - Sí, estoy bien.

5325. 주관하다 - organizar

5326. 그는 워크숍을 주관했다. - Organizará un seminario.

5327. 그녀는 세미나를 주관한다. - Organizará un seminario.

5328. 우리는 포럼을 주관할 것이다. - Organizaremos un foro.

5329. 자료 준비됐어? - ¿Tienes los materiales?

5330. 네, 다 됐어요. - Sí, están listos.

5331. 창립하다 - Fundó una empresa

5332. 그녀는 회사를 창립했다. - Ella fundó una empresa.

5333. 우리는 단체를 창립한다. - Fundamos una organización.

5334. 당신들은 조직을 창립할 것이다. - Ustedes van a fundar una organización.

5335. 명칭 정해졌어? - ¿Tienen un nombre?

5336. 예, 정해졌어요. - Sí, ya está decidido.

5337. 설립하다 - fundar

5338. 그는 재단을 설립했다. - Él fundó una fundación.

5339. 그녀는 기관을 설립한다. - Fundó una organización.

5340. 우리는 학교를 설립할 것이다. - Fundaremos una escuela.

5341. 위치 결정됐어? - ¿Está decidido el lugar?

5342. 네, 결정됐어요. - Sí, está decidido.

5343. 창설하다 - crear

5344. 그는 조직을 창설했다. - Funda una organización.

5345. 그녀는 클럽을 창설한다. - Va a fundar un club.

5346. 우리는 협회를 창설할 것이다. - Crearemos una asociación.

5347. 이름 정했어? - ¿Tiene nombre?

5348. 아직이야. - Todavía no.

5349. 발기하다 - erigir

5350. 그녀는 프로젝트를 발기했다. - Ella lanzó un proyecto.

5351. 우리는 캠페인을 발기한다. - Lanzaremos una campaña.

5352. 당신들은 운동을 발기할 것이다. - Erigirá un movimiento.

5353. 누가 돕나요? - ¿Quién ayuda?

5354. 모두 함께해. - Todos nosotros.

5355. 청산하다 - liquidar

5356. 그는 사업을 청산했다. - Liquida su empresa.

5357. 그녀는 회사를 청산한다. - Va a liquidar la empresa.

5358. 우리는 파트너십을 청산할 것이다. - Vamos a liquidar la sociedad.

5359. 이유 알 수 있어? - ¿Adivinas por qué?

5360. 비밀이야. - Es un secreto.

5361. 해산하다 - Disolver

5362. 그녀는 모임을 해산했다. - Ella disolvió la reunión.

5363. 우리는 조합을 해산한다. - Vamos a disolver el sindicato.

5364. 당신들은 집단을 해산할 것이다. - Disolverá el grupo.

5365. 끝난 거야? - ¿Se acabó?

5366. 그래, 끝났어. - Sí, se ha acabado.

5367. 60. 명사 단어들 외우기, 필수 10개 동사의 단어들을 가지고 50문장 연습하기 - 60. memorizar palabras sustantivas, practicar 50 frases con palabras de los 10 verbos esenciales

5368. 두 회사 - dos empresas

5369. 기업들 - empresas

5370. 조직 - grupo

5371. 부서 - departamento

5372. 회사 - empresa

5373. 사업 - empresa

5374. 새로운 정부 - nuevo gobierno

5375. 프로그램 - programa

5376. 기관 - Agencia

5377. 책 - libro

5378. 잡지 - revista

5379. 가이드 - guía

5380. 신문 - periódico

5381. 보고서 - informe

5382. 뉴스레터 - boletín

5383. 포스터 - cartel

5384. 초대장 - invitación

5385. 메뉴 - menú

5386. 영상 - vídeo

5387. 문서 - documento

5388. 콘텐츠 - contenido

5389. 원고 - Manuscrito

5390. 번역 - traducción

5391. 글 - escritura

5392. 꿈 - sueño

5393. 데이터 - datos

5394. 결과 - resultado

5395. 합병하다 - fusionar

5396. 그는 두 회사를 합병했다. - Fusiona dos empresas.

5397. 그녀는 기업들을 합병한다. - Fusiona empresas.

5398. 우리는 조직을 합병할 것이다. - Fusionaremos las organizaciones.

5399. 잘 될까요? - ¿Funcionará?

5400. 잘 될 거예요. - Saldrá bien.

5401. 분할하다 - Dividir

5402. 그녀는 부서를 분할했다. - Ella dividió el departamento.

5403. 우리는 회사를 분할한다. - Vamos a dividir la empresa.

5404. 당신들은 사업을 분할할 것이다. - Vais a dividir la empresa.

5405. 필요한가요? - ¿Es necesario?

5406. 네, 필요해요. - Sí, es necesario.

5407. 출범하다 - Inaugurar

5408. 그는 새로운 정부를 출범했다. - Inauguró un nuevo gobierno.

5409. 그녀는 프로그램을 출범한다. - Inaugura un programa.

5410. 우리는 기관을 출범할 것이다. - Inauguraremos una agencia.

5411. 준비됐나요? - ¿Están listos?

5412. 다 준비됐어요. - Todo está listo.

5413. 출판하다 - Publicar

5414. 그녀는 책을 출판했다. - Ella publica un libro.

5415. 우리는 잡지를 출판한다. - Nosotros publicamos una revista.

5416. 당신들은 가이드를 출판할 것이다. - Ustedes van a publicar una guía.

5417. 새 책 나왔어? - ¿Salió su nuevo libro?

5418. 네, 나왔어요. - Sí, ha salido.

5419. 발행하다 - publicar

5420. 그는 신문을 발행했다. - Publica un periódico.

5421. 그녀는 보고서를 발행한다. - Publica un informe.

5422. 우리는 뉴스레터를 발행할 것이다. - Publicaremos un boletín.

5423. 언제 나와? - ¿Cuándo saldrá?

5424. 내일 나와. - Saldrá mañana.

5425. 인쇄하다 - Imprimir

5426. 그녀는 포스터를 인쇄했다. - Ella imprimió el cartel.

5427. 우리는 초대장을 인쇄한다. - Vamos a imprimir las invitaciones.

5428. 당신들은 메뉴를 인쇄할 것이다. - Ustedes van a imprimir el menú.

5429. 색깔 괜찮아? - ¿Está bien el color?

5430. 완벽해요. - Está perfecto.

5431. 편집하다 - Para editar

5432. 그는 영상을 편집했다. - Edita el vídeo.

5433. 그녀는 문서를 편집한다. - Edita el documento.

5434. 우리는 콘텐츠를 편집할 것이다. - Nosotros editaremos el contenido.

5435. 얼마나 걸려? - ¿Cuánto tiempo llevará?

5436. 조금 걸려요. - Tardaremos un poco.

5437. 감수하다 - editar

5438. 그녀는 원고를 감수했다. - Ella corrige el manuscrito.

5439. 우리는 번역을 감수한다. - Nosotros corregiremos la traducción.

5440. 당신들은 보고서를 감수할 것이다. - Usted revisará el informe.

5441. 검토 끝났어? - ¿Has terminado de revisar?

5442. 거의 다 됐어. - Ya casi está.

5443. 번역하다 - Traducir

5444. 그는 문서를 번역했다. - Traduce el documento.

5445. 그녀는 글을 번역한다. - Traduce artículos.

5446. 우리는 책을 번역할 것이다. - Nosotros traduciremos el libro.

5447. 이해 돼요? - ¿Tiene sentido?

5448. 네, 잘 돼요. - Sí, va bien.

5449. 해석하다 - Interpretar

5450. 그녀는 꿈을 해석했다. - Ella interpretó el sueño.

5451. 우리는 데이터를 해석한다. - Nosotros interpretamos los datos.

5452. 당신들은 결과를 해석할 것이다. - Ustedes van a interpretar los resultados.

5453. 맞을까요? - ¿Es así?

5454. 네, 맞아요. - Sí, así es.

5455. 61. 명사 단어들 외우기, 필수 10개 동사의 단어들을 가지고 50문장 연습하기 - 61. memorizar palabras sustantivas, practicar 50 frases con las 10 palabras verbales esenciales

5456. 범위 - gama

5457. 관심 - interés

5458. 영역 - área

5459. 상황 - situación

5460. 관계 - relación

5461. 문제 - problema

5462. 자료 - datos

5463. 정보 - información

5464. 요소들 - elementos

5465. 아이디어 - idea

5466. 기술 - tecnología

5467. 비용 - gasto

5468. 가능성 - posibilidad

5469. 결과 - resultado

5470. 가치 - valor

5471. 상태 - situación

5472. 품질 - calidad

5473. 변경사항 - Cambios

5474. 결정 - decisión

5475. 일정 - programa

5476. 옵션 - opción

5477. 해결책 - solución

5478. 데이터 - datos

5479. 문서 - documento

5480. 시스템 - sistema

5481. 설정 - configuración

5482. 시계 - reloj

5483. 기기 - dispositivo

5484. 확대하다 - acercar

5485. 나는 범위를 확대했다. - Aumenté el alcance.

5486. 너는 관심을 확대한다. - Amplía el interés.

5487. 그는 영역을 확대할 것이다. - Ampliará el ámbito.

5488. 범위 더 넓힐까? - ¿Ampliamos el ámbito?

5489. 네, 더 넓혀요. - Sí, ampliémoslo más.

5490. 악화하다 - Agravar

5491. 그녀는 상황을 악화시켰다. - Ella agravó la situación.

5492. 우리는 관계를 악화시킨다. - Nosotros agravamos la relación.

5493. 당신들은 문제를 악화시킬 것이다. - Tú agravarás el problema.

5494. 상태 더 나빠졌어? - ¿Lo has agravado?

5495. 아니, 안 그래. - No, no lo ha hecho.

5496. 참고하다 - consultar

5497. 그들은 자료를 참고했다. - Consultaron el material.

5498. 나는 정보를 참고한다. - Me remito a la información.

5499. 너는 자료를 참고할 것이다. - Te remitirás al material.

5500. 정보 찾아봤어? - ¿Has consultado la información?

5501. 응, 찾아봤어. - Sí, la consulté.

5502. 조합하다 - Para combinar

5503. 나는 요소들을 조합했다. - Uní los elementos.

5504. 너는 아이디어를 조합한다. - Combinará ideas.

5505. 그는 기술을 조합할 것이다. - Juntará la tecnología.

5506. 아이디어 합칠까? - ¿Combinamos ideas?

5507. 좋아, 합치자. - Bien, combinemos.

5508. 추정하다 - Estimar

5509. 그녀는 비용을 추정했다. - Ella estimó el coste.

5510. 우리는 가능성을 추정한다. - Nosotros estimamos las posibilidades.

5511. 당신들은 결과를 추정할 것이다. - Tú estimarás el resultado.

5512. 비용 얼마로 봐? - ¿Cuánto crees que costará?

5513. 몇 만원 될 거야. - Costará unos miles de wons.

5514. 감정하다 - Estimar

5515. 그들은 가치를 감정했다. - Ellos tasaron el valor.

5516. 나는 상태를 감정한다. - Yo tasaría el estado.

5517. 너는 품질을 감정할 것이다. - Tú tasarías la calidad.

5518. 가치 평가했어? - ¿Lo tasaste?

5519. 예, 평가했어. - Sí, lo tasé.

5520. 통지하다 - notificar

5521. 나는 변경사항을 통지했다. - Notifiqué el cambio.

5522. 너는 결정을 통지한다. - Notificará la decisión.

5523. 그는 일정을 통지할 것이다. - Notificará el horario.

5524. 소식 받았어? - ¿Has recibido la noticia?

5525. 아니, 못 받았어. - No, no la he recibido.

5526. 탐색하다 - explorar

5527. 그녀는 옵션을 탐색했다. - Exploró sus opciones.

5528. 우리는 가능성을 탐색한다. - Exploramos posibilidades.

5529. 당신들은 해결책을 탐색할 것이다. - Explorará soluciones.

5530. 더 찾아볼까? - ¿Exploramos más?

5531. 응, 더 찾아보자. - Sí, exploremos más.

5532. 검사하다 - examinar

5533. 그들은 데이터를 검사했다. - Examinaron los datos.

5534. 나는 문서를 검사한다. - Examinaré la documentación.

5535. 너는 시스템을 검사할 것이다. - Tú inspeccionarás el sistema.

5536. 모두 확인했니? - ¿Lo has comprobado todo?

5537. 네, 확인했어. - Sí, lo he comprobado.

5538. 리셋하다 - Restablecer

5539. 나는 설정을 리셋했다. - Restablezco la configuración.

5540. 너는 시계를 리셋한다. - Reiniciará el reloj.

5541. 그는 기기를 리셋할 것이다. - Reiniciará el dispositivo.

5542. 다시 시작할까? - ¿Empezamos de nuevo?

5543. 응, 다시 시작해. - Sí, empecemos de nuevo.

5544. 62. 명사 단어들 외우기, 필수 10개 동사의 단어들을 가지고 50문장 연습하기 - 62. memorizar palabras sustantivas, practicar 50 frases con las 10 palabras verbales esenciales

5545. 연락 - Comunicación

5546. 공급 - suministro

5547. 관계 - relación

5548. 잠금 - cerrar

5549. 계약 - contrato

5550. 약속 - promesa

5551. 자리 - asiento

5552. 티켓 - billete

5553. 방 - habitación

5554. 회의 - reunión

5555. 예약 - reserva

5556. 여행 - viaje

5557. 보고서 - informe

5558. 계획 - plan

5559. 제안 - propuesta

5560. 문서 - documento

5561. 요청 - solicitud

5562. 프로젝트 - proyecto

5563. 대회 - concurso

5564. 경기 - juego

5565. 상대 - oponente

5566. 게임 - juego

5567. 경쟁 - competir

5568. 대결 - Batalla

5569. 끊다 - cortar

5570. 그녀는 연락을 끊었다. - Ella cortó el contacto.

5571. 우리는 공급을 끊는다. - Nosotros cortamos el suministro.

5572. 당신들은 관계를 끊을 것이다. - Tú cortarás lazos.

5573. 연결 끊겼어? - ¿Desconectado?

5574. 아니, 아직이야. - No, todavía no.

5575. 해제하다 - Desbloquear

5576. 그들은 잠금을 해제했다. - Lo desbloquearon.

5577. 나는 계약을 해제한다. - Libero el contrato.

5578. 너는 약속을 해제할 것이다. - Liberarás la promesa.

5579. 잠금 풀었어? - ¿Lo desbloqueaste?

5580. 네, 풀었어. - Sí, lo he desbloqueado.

5581. 예약하다 - reservar

5582. 나는 자리를 예약했다. - Reservé un asiento.

5583. 너는 티켓을 예약한다. - Reservará un billete.

5584. 그는 방을 예약할 것이다. - Reservará una habitación.

5585. 자리 있어? - ¿Tiene asiento?

5586. 네, 있어요. - Sí, lo hay.

5587. 예약취소하다 - Para cancelar una reserva

5588. 그녀는 회의를 예약취소했다. - Ha cancelado la reunión.

5589. 우리는 예약을 예약취소한다. - Vamos a cancelar la reserva.

5590. 당신들은 여행을 예약취소할 것이다. - Van a cancelar el viaje.

5591. 취소해야 하나? - ¿Debo cancelar?

5592. 아니, 기다려. - No, espera.

5593. 제출하다 - Presentar

5594. 그들은 보고서를 제출했다. - Presentaron el informe.

5595. 나는 계획을 제출한다. - Yo presento un plan.

5596. 너는 제안을 제출할 것이다. - Presentarás una propuesta.

5597. 제출할 준비 됐어? - ¿Estás listo para presentar?

5598. 예, 준비됐어. - Sí, estoy listo.

5599. 반려하다 - Rechazar

5600. 나는 문서를 반려했다. - Rechazo el documento.

5601. 너는 요청을 반려한다. - Rechazará la solicitud.

5602. 그는 프로젝트를 반려할 것이다. - Rechazará el proyecto.

5603. 다시 보낼까? - ¿Quiere que se lo vuelva a enviar?

5604. 아니, 됐어. - No, gracias.

5605. 이기다 - Ganar

5606. 그녀는 대회를 이겼다. - Ella ganó la competición.

5607. 우리는 경기를 이긴다. - Ganamos el partido.

5608. 당신들은 상대를 이길 것이다. - Vencerás a tu oponente.

5609. 우리 이겼어? - ¿Ganamos?

5610. 네, 이겼어! - Sí, ¡hemos ganado!

5611. 지다 - perder

5612. 그는 게임을 졌다. - Ha perdido el partido.

5613. 너는 경쟁에서 진다. - Perderá la competición.

5614. 그녀는 대결에서 질 것이다. - Perderá el enfrentamiento.

5615. 경기 졌어? - ¿Perdiste el partido?

5616. 응, 졌어. - Sí, perdí.

5617. 싸우다 - pelear

5618. 우리는 자주 싸웠다. - Peleamos a menudo.

5619. 당신들은 매일 싸운다. - Se pelean todos los días.

5620. 그들은 내일 싸울 것이다. - Pelearán mañana.

5621. 또 싸웠어? - ¿Pelearon otra vez?

5622. 아니, 안 그래. - No, no lo hicimos.

5623. 다투다 - Discutir

5624. 나는 친구와 다퉜다. - Me peleé con mi amigo.

5625. 너는 이유 없이 다툰다. - Se pelean sin motivo.

5626. 그는 문제를 다룰 것이다. - Él se ocupará del problema.

5627. 왜 자꾸 다투니? - ¿Por qué sigues discutiendo?

5628. 모르겠어. - No lo sé.

5629. 63. 명사 단어들 외우기, 필수 10개 동사의 단어들을 가지고 50문장 연습하기 - 63. memorizar palabras sustantivas, practicar 50 frases con las 10 palabras verbales esenciales

5630. 나 - me

5631. 우리 - nosotros

5632. 당신들 - tú

5633. 계획 - planear

5634. 친구 - amigo

5635. 정당 - fiesta

5636. 자신 - Yo

5637. 노래 - cantar

5638. 동영상 - vídeo

5639. 기록 - grabar

5640. 그녀 - ella

5641. 의견 - opinión

5642. 회의 - reunión

5643. 교수 - profesor

5644. 세부사항 - Detalle

5645. 제안 - propuesta

5646. 결정 - decisión

5647. 소문 - rumor

5648. 혐의 - acusación

5649. 주장 - opinión

5650. 변경사항 - Cambios

5651. 규칙 - regla

5652. 도전 - impugnación

5653. 시도 - juicio

5654. 지지하다 - apoyar

5655. 그녀는 나를 지지했다. - Ella me apoyó.

5656. 우리는 서로를 지지한다. - Nos apoyamos mutuamente.

5657. 당신들은 계획을 지지할 것이다. - Apoyarás el plan.

5658. 지지해 줄래? - ¿Lo apoyarás?

5659. 물론이지. - Por supuesto.

5660. 변호하다 - defender

5661. 나는 친구를 변호했다. - Defendí a mi amigo.

5662. 너는 정당을 변호한다. - Defiende al partido.

5663. 그녀는 자신을 변호할 것이다. - Ella se defenderá.

5664. 변호할 수 있어? - ¿Puedes defender?

5665. 시도해 볼게. - Lo intentaré.

5666. 녹음하다 - Grabar

5667. 우리는 회의를 녹음했다. - Grabamos la reunión.

5668. 당신들은 강의를 녹음한다. - Graban conferencias.

5669. 그들은 공연을 녹음할 것이다. - Grabarán una actuación.

5670. 녹음 시작했어? - ¿Has empezado a grabar?

5671. 네, 시작했어. - Sí, he empezado.

5672. 재생하다 - tocar

5673. 나는 노래를 재생했다. - He tocado la canción.

5674. 너는 동영상을 재생한다. - Reproducirá el vídeo.

5675. 그는 기록을 재생할 것이다. - Él pondrá la grabación.

5676. 재생할 준비 됐어? - ¿Estás listo para tocar?

5677. 준비 됐어. - Estoy listo.

5678. 발언하다 - Para hablar

5679. 그녀는 중요한 발언을 했다. - Ella hizo un comentario importante.

5680. 우리는 의견을 발언한다. - Expresamos nuestras opiniones.

5681. 당신들은 회의에서 발언할 것이다. - Hablarás en la reunión.

5682. 발언할 거야? - ¿Vas a hablar?

5683. 아직 몰라. - Aún no lo sé.

5684. 질문하다 - Hacer una pregunta

5685. 나는 교수에게 질문했다. - Le he hecho una pregunta al profesor.

5686. 너는 어려운 질문을 한다. - Usted hace preguntas difíciles.

5687. 그녀는 세부사항을 질문할 것이다. - Pedirá detalles.

5688. 질문 있어? - ¿Alguna pregunta?

5689. 없어, 괜찮아. - No, gracias.

5690. 반문하다 - Cuestionar.

5691. 우리는 그의 의견을 반문했다. - Cuestionamos su opinión.

5692. 당신들은 제안을 반문한다. - Cuestionan la propuesta.

5693. 그들은 결정을 반문할 것이다. - Cuestionarán la decisión.

5694. 왜 반문해? - ¿Por qué cuestionas?

5695. 이해 안 돼서. - Porque no lo entiendo.

5696. 부정하다 - Negar

5697. 나는 소문을 부정했다. - Yo negué el rumor.

5698. 너는 혐의를 부정한다. - Usted niega las acusaciones.

5699. 그는 주장을 부정할 것이다. - Negará las acusaciones.

5700. 사실 부정해? - ¿Negar el hecho?

5701. 그래, 부정해. - Sí, lo niego.

5702. 반발하다 - Rebelarse

5703. 그녀는 결정에 반발했다. - Ella se rebeló contra la decisión.

5704. 우리는 변경사항에 반발한다. - Nos rebelamos contra los cambios.

5705. 당신들은 규칙에 반발할 것이다. - Se rebelará contra las normas.

5706. 반발할 이유 있어? - ¿Hay alguna razón para rebelarse?

5707. 있어, 분명해. - La hay, es obvio.

5708. 포기하다 - Renunciar

5709. 나는 도전을 포기했다. - Yo renuncié al reto.

5710. 너는 시도를 포기한다. - Renunciará a intentarlo.

5711. 그녀는 계획을 포기할 것이다. - Renunciará al plan.

5712. 포기해야 할까? - ¿Debo renunciar?

5713. 아니, 계속해. - No, siga adelante.

5714. 64. 명사 단어들 외우기, 필수 10개 동사의 단어들을 가지고 50문장 연습하기 - 64. Memorizar palabras sustantivas, practicar 50 frases con las

10 palabras verbales esenciales

5715. 전략 - estrategia

5716. 생각 - pensamiento

5717. 자원 - recurso

5718. 군대 - ejército

5719. 기술 - tecnología

5720. 성공 - éxito

5721. 평화 - paz

5722. 협력 - cooperación

5723. 변화 - cambio

5724. 기회 - oportunidad

5725. 해결 - resolver

5726. 미래 - futuro

5727. 결과 - resultado

5728. 영향 - efecto

5729. 상황 - situación

5730. 질문 - pregunta

5731. 발견 - descubrimiento

5732. 말 - palabra

5733. 지연 - retraso

5734. 거부 - negativa

5735. 결정 - decisión

5736. 불의 - ardiente

5737. 부정 - negación

5738. 불편함 - Malestar

5739. 장애 - obstáculo

5740. 태도 - actitud

5741. 반응 - reacción

5742. 재정비하다 - reorganizar

5743. 우리는 전략을 재정비했다. - Reorganizamos nuestra estrategia.

5744. 당신들은 생각을 재정비한다. - Reorganizan su pensamiento.

5745. 그들은 자원을 재정비할 것이다. - Reorganizan sus recursos.

5746. 재정비 필요해? - ¿Necesitamos reorganizarnos?

5747. 네, 필요해. - Sí, es necesario.

5748. 배치하다 - Desplegar

5749. 나는 자원을 배치했다. - Yo despliego recursos.

5750. 너는 군대를 배치한다. - Despliegue tropas.

5751. 그는 기술을 배치할 것이다. - Él desplegará la tecnología.

5752. 배치 완료됐니? - ¿Has terminado de desplegar?

5753. 아직이야. - Todavía no.

5754. 바라다 - Esperar

5755. 그녀는 성공을 바랐다. - Ella espera el éxito.

5756. 우리는 평화를 바란다. - Nosotros esperamos la paz.

5757. 당신들은 협력을 바랄 것이다. - Tú esperas cooperación.

5758. 무엇을 바래? - ¿Qué esperas tú?

5759. 행복을 바라. - Espero ser feliz.

5760. 소망하다 - desear

5761. 나는 변화를 소망했다. - Yo deseo un cambio.

5762. 너는 기회를 소망한다. - Usted espera una oportunidad.

5763. 그녀는 해결을 소망할 것이다. - Ella espera una resolución.

5764. 소망 있어? - ¿Tienes deseos?

5765. 있어, 많아. - Sí, tengo muchos.

5766. 우려하다 - Preocuparse

5767. 우리는 미래를 우려했다. - Estábamos preocupados por el futuro.

5768. 당신들은 결과를 우려한다. - Les preocupa el resultado.

5769. 그들은 영향을 우려할 것이다. - Estarán preocupados por el impacto.

5770. 걱정돼? - ¿Estás preocupado?

5771. 응, 걱정돼. - Sí, estoy preocupado.

5772. 당황하다 - Entrar en pánico

5773. 나는 상황에 당황했다. - Estoy desconcertado por la situación.

5774. 너는 질문에 당황한다. - La pregunta le deja perplejo.

5775. 그는 발견에 당황할 것이다. - Se sentirá avergonzado por el descubrimiento.

5776. 당황했어? - ¿Entraste en pánico?

5777. 응, 많이. - Sí, mucho.

5778. 화나다 - Enfadarse

5779. 그녀는 말에 화났다. - Está enfadada con el caballo.

5780. 우리는 지연에 화난다. - Nosotros estamos enfadados por el retraso.

5781. 당신들은 거부에 화낼 것이다. - Vosotros estaréis enfadados por el rechazo.

5782. 화났어? - ¿Estáis enfadados?

5783. 네, 많이. - Sí, mucho.

5784. 분노하다 - Estar enfadado

5785. 나는 결정에 분노했다. - Estoy enfadado por la decisión.

5786. 너는 불의에 분노한다. - Estará enfadada por la injusticia.

5787. 그녀는 부정에 분노할 것이다. - Estará enfadada por la injusticia.

5788. 분노해? - ¿Enfadada?

5789. 응, 분노해. - Sí, indignada.

5790. 짜증내다 - Estar molesto

5791. 우리는 불편함에 짜증냈다. - Estamos molestos por las molestias.

5792. 당신들은 지연에 짜증낸다. - Estarán molestos por el retraso.

5793. 그들은 장애에 짜증낼 것이다. - Estarán molestos por los obstáculos.

5794. 짜증나? - ¿Molesto?

5795. 응, 짜증나. - Sí, molestos.

5796. 실망하다 - Decepcionado

5797. 나는 결과에 실망했다. - Estoy decepcionado por el resultado.

5798. 너는 태도에 실망한다. - Está decepcionado por la actitud.

5799. 그는 반응에 실망할 것이다. - Estará decepcionado por la reacción.

5800. 실망했니? - ¿Está decepcionado?

5801. 네, 실망했어. - Sí, estoy decepcionado.

5802. 65. 명사 단어들 외우기, 필수 10개 동사의 단어들을 가지고 50문장 연습하기 - 65. Memoriza las palabras sustantivas, practica 50 frases con las 10 palabras verbales esenciales

5803. 성과 - resultado

5804. 서비스 - servicio

5805. 해결 - resolver

5806. 순간 - Momento

5807. 여기 - aquí

5808. 미래 - futuro

5809. 소식 - Noticias

5810. 모임 - clase

5811. 성공 - éxito

5812. 이별 - despedida

5813. 상실 - pérdida

5814. 사건 - Evento

5815. 손실 - Pérdida

5816. 결과 - resultado

5817. 고향 - ciudad natal

5818. 친구 - amigo

5819. 옛날 - hace mucho tiempo

5820. 행동 - acción

5821. 불의 - ardiente

5822. 거짓 - mentira

5823. 비행 - vuelo

5824. 무례함 - grosería

5825. 거짓말 - mentira

5826. 이야기 - historia

5827. 영화 - película

5828. 연설 - discurso

5829. 만족하다 - satisfecha

5830. 그녀는 성과에 만족했다. - Estaba satisfecha con la actuación.

5831. 우리는 서비스에 만족한다. - Estamos satisfechos con el servicio.

5832. 당신들은 해결에 만족할 것이다. - Quedará satisfecho con la solución.

5833. 만족해? - ¿Está usted satisfecho?

5834. 응, 만족해. - Sí, estoy satisfecho.

5835. 행복하다 - Estar feliz

5836. 나는 순간에 행복했다. - Fui feliz en el momento.

5837. 너는 여기에 행복한다. - Usted es feliz aquí.

5838. 그녀는 미래에 행복할 것이다. - Será feliz en el futuro.

5839. 행복해? - ¿Eres feliz?

5840. 네, 매우. - Sí, mucho.

5841. 즐거워하다 - Estar contento.

5842. 우리는 소식에 즐거워했다. - Estábamos encantados con la noticia.

5843. 당신들은 모임에 즐거워한다. - Están contentos en la reunión.

5844. 그들은 성공에 즐거워할 것이다. - Estarán contentos con su éxito.

5845. 즐거워? - ¿Contento?

5846. 응, 즐거워. - Sí, estoy contento.

5847. 슬퍼하다 - Estar triste

5848. 나는 이별에 슬퍼했다. - Me entristeció la despedida.

5849. 너는 소식에 슬퍼한다. - Le entristece la noticia.

5850. 그녀는 상실에 슬퍼할 것이다. - Estará triste por la pérdida.

5851. 슬퍼? - ¿Triste?

5852. 응, 슬퍼. - Sí, triste.

5853. 애통하다 - Lamentar

5854. 우리는 사건에 애통해했다. - Lamentamos el incidente.

5855. 당신들은 손실에 애통한다. - Ustedes lamentan la pérdida.

5856. 그들은 결과에 애통할 것이다. - Lamentarán el resultado.

5857. 애통해해? - ¿Lamentar?

5858. 네, 깊이. - Sí, profundamente.

5859. 그리워하다 - Extrañar

5860. 나는 고향을 그리워했다. - Echaba de menos mi ciudad natal.

5861. 너는 친구를 그리워한다. - Echará de menos a sus amigos.

5862. 그는 옛날을 그리워할 것이다. - Echará de menos los viejos tiempos.

5863. 그리워해? - ¿Echa de menos?

5864. 응, 많이. - Sí, mucho.

5865. 그립다 - Echo de menos

5866. 나는 고향을 그리웠다. - Echo de menos mi ciudad natal.

5867. 너는 친구를 그립게 생각한다. - Echa de menos a su amigo.

5868. 그는 옛날을 그리울 것이다. - Echará de menos los viejos tiempos.

5869. 친구 생각나? - ¿Te acuerdas de tu amigo?

5870. 네, 생각나. - Sí, me acuerdo de él.

5871. 증오하다 - odiar

5872. 너는 행동을 증오했다. - Odias el comportamiento.

5873. 그는 불의를 증오한다. - Odiará la injusticia.

5874. 그녀는 거짓을 증오할 것이다. - Odiará la falsedad.

5875. 너 불편해? - ¿Estás incómodo?

5876. 네, 불편해. - Sí, estoy incómodo.

5877. 혐오하다 - aborrecer

5878. 그는 비행을 혐오했다. - Aborrece volar.

5879. 그녀는 무례함을 혐오한다. - Ella aborrece la grosería.

5880. 우리는 거짓말을 혐오할 것이다. - Aborreceremos la mentira.

5881. 이상해? - ¿Es raro?

5882. 아니, 괜찮아. - No, está bien.

5883. 감동하다 - Impresionarse

5884. 그녀는 이야기에 감동했다. - Ella se conmovió con la historia.

5885. 우리는 영화에 감동한다. - Nos conmovió la película.

5886. 당신들은 연설에 감동할 것이다. - Os conmoverá el discurso.

5887. 울었어? - ¿Lloraste?

5888. 아니, 안 울었어. - No, no lloré.

5889. 66. 명사 단어들 외우기, 필수 10개 동사의 단어들을 가지고 50문장 연습하기 - 66. memorizar palabras sustantivas, practicar 50 frases con las palabras de los 10 verbos esenciales

5890. 경치 - ver

5891. 기술 - tecnología

5892. 발전 - Desarrollo

5893. 거짓말 - mentira

5894. 위선 - hipocresía

5895. 속임수 - engaño

5896. 실수 - error

5897. 무지함 - ignorancia

5898. 어리석음 - tontería

5899. 노력 - esfuerzo

5900. 실패 - fracaso

5901. 용기 - valor

5902. 제안 - propuesta

5903. 변화 - cambio

5904. 혁신 - innovación

5905. 박물관 - museo

5906. 자연 - naturaleza

5907. 우주 - universo

5908. 계획 - plan

5909. 아이디어 - idea

5910. 정보 - información

5911. 경험 - experiencia

5912. 지식 - conocimiento

5913. 프로젝트 - proyecto

5914. 작업 - trabajo

5915. 친구 - amigo

5916. 이웃 - vecino

5917. 사회 - sociedad

5918. 감탄하다 - admirar

5919. 나는 경치에 감탄했다. - Admiraba el paisaje.

5920. 너는 기술을 감탄한다. - Admira la tecnología.

5921. 그는 발전을 감탄할 것이다. - Admirará el progreso.

5922. 멋있어? - ¿Es genial?

5923. 네, 멋있어. - Sí, mola.

5924. 경멸하다 - Despreciar

5925. 너는 거짓말을 경멸했다. - Usted desprecia la mentira.

5926. 그는 위선을 경멸한다. - Despreciaría la hipocresía.

5927. 그녀는 속임수를 경멸할 것이다. - Despreciaría el engaño.

5928. 화났어? - ¿Estás enfadado?

5929. 네, 화났어. - Sí, estoy enfadado.

5930. 비웃다 - reírse de

5931. 그는 실수를 비웃었다. - Él se ríe de sus errores.

5932. 그녀는 무지함을 비웃는다. - Se ríe de la ignorancia.

5933. 우리는 어리석음을 비웃을 것이다. - Nos reiremos de nuestra estupidez.

5934. 재밌어? - ¿Es gracioso?

5935. 아니, 안 재밌어. - No, no tiene gracia.

5936. 조롱하다 - ridiculizar

5937. 그녀는 노력을 조롱했다. - Ella se burla del esfuerzo.

5938. 우리는 실패를 조롱한다. - Nos burlamos del fracaso.

5939. 당신들은 용기를 조롱할 것이다. - Tú te burlarás del valor.

5940. 즐거워? - ¿Te diviertes?

5941. 아니, 즐겁지 않아. - No, no es agradable.

5942. 배척하다 - rechazar

5943. 나는 제안을 배척했다. - Rechacé la sugerencia.

5944. 너는 변화를 배척하게 생각한다. - Usted piensa rechazar el cambio.

5945. 그는 혁신을 배척할 것이다. - Rechazará la innovación.

5946. 거절해? - ¿Rechazar?

5947. 네, 거절해. - Sí, rechazar.

5948. 탐방하다 - explorar

5949. 너는 박물관을 탐방했다. - Explorará el museo.

5950. 그는 자연을 탐방한다. - Explorará la naturaleza.

5951. 그녀는 우주를 탐방할 것이다. - Explorará el universo.

5952. 재밌어? - ¿Es divertido?

5953. 네, 재밌어. - Sí, es divertido

5954. 찬성하다 - estar a favor de

5955. 그는 계획을 찬성했다. - Él estaba a favor del plan.

5956. 그녀는 아이디어를 찬성한다. - Ella está a favor de la idea.

5957. 우리는 제안을 찬성할 것이다. - Votaremos a favor de la propuesta.

5958. 동의해? - ¿Estás de acuerdo?

5959. 네, 동의해. - Sí, estoy de acuerdo.

5960. 교류하다 - intercambiar

5961. 그녀는 정보를 교류했다. - Ella intercambió información.

5962. 우리는 경험을 교류한다. - Intercambiaremos experiencias.

5963. 당신들은 지식을 교류할 것이다. - Intercambiaréis conocimientos.

5964. 만났어? - ¿Se conocen?

5965. 아니, 안 만났어. - No, no me he reunido.

5966. 협조하다 - cooperar

5967. 나는 프로젝트에 협조했다. - Cooperé con el proyecto.

5968. 너는 계획을 협조하게 생각한다. - Cooperará con el plan.

5969. 그는 작업에 협조할 것이다. - Cooperará con el trabajo.

5970. 도울래? - ¿Ayudará?

5971. 네, 도울게. - Sí, ayudaré.

5972. 도움을 주다 - Dar ayuda.

5973. 너는 친구에게 도움을 주었다. - Ayuda a su amigo.

5974. 그는 이웃을 돕는다. - Ayuda a su vecino.

5975. 그녀는 사회를 돕게 될 것이다. - Ayudará a la sociedad.

5976. 필요해? - ¿Lo necesita?

5977. 네, 필요해. - Sí, lo necesito.

5978. 67. 명사 단어들 외우기, 필수 10개 동사의 단어들을 가지고 50문장 연습

하기 - 67. Memorizar palabras sustantivas, practicar 50 frases con las 10 palabras verbales esenciales

5979. 목표 - objetivo

5980. 성공 - éxito

5981. 꿈 - soñar

5982. 보고서 - informe

5983. 프로젝트 - proyecto

5984. 계획 - plan

5985. 여행 - viaje

5986. 모임 - clase

5987. 학창 시절 - Días lectivos

5988. 과제 - misión

5989. 미션 - misión

5990. 도전 - desafío

5991. 전시 - exposición

5992. 음악 - música

5993. 예술 - arte

5994. 선생님 - profesor

5995. 리더 - líder

5996. 선구자 - precursor

5997. 자유 - libertad

5998. 평화 - paz

5999. 행복 - felicidad

6000. 제안 - propuesta

6001. 초대 - invitar

6002. 조건 - condición

6003. 문제 - problema

6004. 경쟁 - competir

6005. 노력하다 - intentar

6006. 그는 목표를 달성하기 위해 노력했다. - Se esfuerza por conseguir su objetivo.

6007. 그녀는 성공을 위해 노력한다. - Se esfuerza por alcanzar el éxito.

6008. 우리는 꿈을 이루기 위해 노력할 것이다. - Intentaremos hacer realidad nuestros sueños.

6009. 힘들어? - ¿Es difícil?

6010. 네, 힘들어. - Sí, es difícil

6011. 작업하다 - trabajar

6012. 그녀는 보고서를 작업했다. - Ella trabajó en el informe.

6013. 우리는 프로젝트를 작업한다. - Nosotros trabajamos en el proyecto.

6014. 당신들은 계획을 작업할 것이다. - Vosotros trabajaréis en el plan.

6015. 바빠? - ¿Ocupado?

6016. 네, 바빠. - Sí, estoy ocupado.

6017. 추억하다 - Rememorar

6018. 나는 여행을 추억했다. - Rememoré el viaje.

6019. 너는 모임을 추억하게 생각한다. - Rememorará la reunión.

6020. 그는 학창 시절을 추억할 것이다. - Rememorará sus días de escuela.

6021. 잊었어? - ¿Lo has olvidado?

6022. 아니, 안 잊었어. - No, no se me olvidó.

6023. 완수하다 - cumplir

6024. 너는 과제를 완수했다. - Completó la misión.

6025. 그는 미션을 완수한다. - Cumplirá la misión.

6026. 그녀는 도전을 완수할 것이다. - Cumplirá el reto.

6027. 성공했어? - ¿Tuvo éxito?

6028. 네, 성공했어. - Sí, lo he conseguido.

6029. 이루다 - cumplir

6030. 그는 꿈을 이루었다. - Él cumple su sueño.

6031. 그녀는 목표를 이룬다. - Ella cumplirá su objetivo.

6032. 우리는 희망을 이룰 것이다. - Cumpliremos nuestras esperanzas.

6033. 가능해? - ¿Es posible?

6034. 네, 가능해. - Sí, es posible.

6035. 감상하다 - apreciar

6036. 그녀는 전시를 감상했다. - Ella apreció la exposición.

6037. 우리는 음악을 감상한다. - Apreciamos la música.

6038. 당신들은 예술을 감상할 것이다. - Apreciarás el arte.

6039. 좋아해? - ¿Te gusta?

6040. 네, 좋아해. - Sí, me gusta.

6041. 동경하다 - admirar

6042. 나는 선생님을 동경했다. - Admiraba a mi profesor.

6043. 너는 리더를 동경하게 생각한다. - Admirará a un líder.

6044. 그는 선구자를 동경할 것이다. - Admirará al pionero.

6045. 원해? - ¿Lo quieres?

6046. 네, 원해. - Sí, lo quiero

6047. 갈망하다 - anhelar

6048. 너는 자유를 갈망했다. - Tú anhelabas la libertad.

6049. 그는 평화를 갈망한다. - Anhelará la paz.

6050. 그녀는 행복을 갈망할 것이다. - Anhelará la felicidad.

6051. 필요해? - ¿Necesitar?

6052. 네, 필요해. - Sí, la necesito.

6053. 수락하다 - Aceptar.

6054. 그는 제안을 수락했다. - Él acepta la oferta.

6055. 그녀는 초대를 수락한다. - Acepta la invitación.

6056. 우리는 조건을 수락할 것이다. - Aceptamos las condiciones.

6057. 동의해? - ¿Acepta?

6058. 네, 동의해. - Sí, acepto.

6059. 공격하다 - Atacar

6060. 그녀는 문제를 공격적으로 다루었다. - Ella trata el problema con agresividad.

6061. 우리는 경쟁을 공격적으로 대한다. - Tratamos la competencia con agresividad.

6062. 당신들은 도전을 공격할 것이다. - Atacarás el desafío.

6063. 준비됐어? - ¿Estás preparado?

6064. 네, 준비됐어. - Sí, estoy preparado.

6065. 68. 명사 단어들 외우기, 필수 10개 동사의 단어들을 가지고 50문장 연습하기 - 68. Memoriza palabras sustantivas, practica 50 frases con las 10 palabras verbales esenciales

6066. 대회 - Concurso

6067. 동료 - colega

6068. 시장 - mercado

6069. 위험 - peligro

6070. 문제 - problema

6071. 기회 - oportunidad

6072. 환경 - entorno

6073. 변화 - cambio

6074. 미래 - futuro

6075. 규칙 - norma

6076. 기준 - norma

6077. 요구 - solicitar

6078. 권력 - autoridad

6079. 영향력 - Influencia

6080. 지식 - conocimiento

6081. 아이 - niño

6082. 책 - libro

6083. 모형 - modelo

6084. 인형 - muñeca

6085. 간판 - Signo

6086. 조형물 - escultura

6087. 담요 - manta

6088. 식탁 - mesa

6089. 화면 - biombo

6090. 창문 - ventana

6091. 눈 - ojo

6092. 거울 - espejo

6093. 정보 - información

6094. 경쟁하다 - competir

6095. 나는 대회에서 경쟁했다. - Competir en una competición.

6096. 너는 동료와 경쟁하게 생각한다. - Piensa competir con sus colegas.

6097. 그는 시장에서 경쟁할 것이다. - Competirá en el mercado.

6098. 이겼어? - ¿Ganaste?

6099. 아니, 안 이겼어. - No, no gané.

6100. 인지하다 - Reconocer

6101. 너는 위험을 인지했다. - Reconoció el riesgo.

6102. 그는 문제를 인지한다. - Él reconoce el problema.

6103. 그녀는 기회를 인지할 것이다. - Reconocerá la oportunidad.

6104. 알아챘어? - ¿Lo reconoció?

6105. 네, 알아챘어. - Sí, me di cuenta.

6106. 적응하다 - Adaptarse

6107. 그는 새 환경에 적응했다. - Se adaptó al nuevo entorno.

6108. 그녀는 변화에 적응한다. - Se adapta al cambio.

6109. 우리는 미래에 적응할 것이다. - Nos adaptaremos al futuro.

6110. 쉬워? - ¿Es fácil?

6111. 아니, 어려워. - No, es difícil.

6112. 순응하다 - adaptarse

6113. 그녀는 규칙에 순응했다. - Ella se ajusta a las normas.

6114. 우리는 기준에 순응한다. - Nos conformamos con las normas.

6115. 당신들은 요구에 순응할 것이다. - Te conformas con las exigencias.

6116. 따라가? - ¿Sigues?

6117. 네, 따라가. - Sí, seguir.

6118. 휘두르다 - ejercer

6119. 나는 권력을 휘둘렀다. - Yo ejerzo el poder.

6120. 너는 영향력을 휘두르게 생각한다. - Tú crees que esgrimir influencia.

6121. 그는 지식을 휘두를 것이다. - Esgrimirá conocimiento.

6122. 무서워? - ¿Tienes miedo?

6123. 아니, 안 무서워. - No, no tengo miedo.

6124. 눕히다 - acostar

6125. 나는 아이를 눕혔다. - Dejo al niño en el suelo.

6126. 너는 책을 눕힌다. - Tú dejas un libro.

6127. 그는 모형을 눕힐 것이다. - Él acostará la maqueta.

6128. 편안해? - ¿Está cómodo?

6129. 네, 편안해. - Sí, estoy cómodo.

6130. 세우다 - colocar

6131. 너는 인형을 세웠다. - Usted colocará la muñeca.

6132. 그는 간판을 세운다. - Él erigirá el cartel.

6133. 그녀는 조형물을 세울 것이다. - Erigirá una escultura.

6134. 잘 섰어? - ¿Te has levantado bien?

6135. 네, 잘 섰어. - Sí, estoy bien parado.

6136. 덮다 - cubrir

6137. 그는 책을 덮었다. - Él cubrió el libro.

6138. 그녀는 담요를 덮는다. - Ella cubre la manta.

6139. 우리는 식탁을 덮을 것이다. - Cubriremos la mesa del comedor.

6140. 춥니? - ¿Hace frío?

6141. 아니, 안 춥다. - No, no hace frío.

6142. 어둡게 하다 - Oscurecer

6143. 그녀는 방을 어둡게 했다. - Ella oscurece la habitación.

6144. 우리는 화면을 어둡게 한다. - Oscurecemos la pantalla.

6145. 당신들은 창문을 어둡게 할 것이다. - Se oscurecen las ventanas.

6146. 밝아? - ¿Está oscuro?

6147. 아니, 어두워. - No, está oscuro.

6148. 가리다 - tapar

6149. 나는 눈을 가렸다. - Me tapé los ojos.

6150. 너는 거울을 가린다. - Tú cubrirás el espejo.

6151. 그는 정보를 가릴 것이다. - Enmascarará la información.

6152. 보여? - ¿Lo ves?

6153. 아니, 안 보여. - No, no lo veo.

6154. 69. 명사 단어들 외우기, 필수 10개 동사의 단어들을 가지고 50문장 연습하기 - 69. Memoriza palabras sustantivas, practica 50 frases con las 10 palabras verbales esenciales

6155. 고양이 - gato

6156. 표면 - superficie

6157. 식물 - planta

6158. 설정 - ajuste

6159. 기계 - máquina

6160. 시스템 - sistema

6161. 문 - puerta

6162. 탁자 - mesa

6163. 북 - norte

6164. 등 - etc.

6165. 바닥 - suelo

6166. 복권 - billete de lotería

6167. 비밀 - secreto

6168. 데이터 - datos

6169. 계획 - plan

6170. 혐의 - cargo

6171. 주장 - opinión

6172. 관계 - relación

6173. 휴가 - vacaciones

6174. 자유 - libertad

6175. 성과 - resultado

6176. 만지다 - tocar

6177. 너는 고양이를 만졌다. - Has tocado al gato.

6178. 그는 표면을 만진다. - Toca la superficie.

6179. 그녀는 식물을 만질 것이다. - Tocará la planta.

6180. 부드러워? - ¿Es blanda?

6181. 네, 부드러워. - Sí, blanda.

6182. 건드리다 - tocar

6183. 그는 설정을 건드렸다. - Él toca el ajuste.

6184. 그녀는 기계를 건드린다. - Ella toca la máquina.

6185. 우리는 시스템을 건드릴 것이다. - Vamos a tocar el sistema.

6186. 괜찮아? - ¿Se encuentra bien?

6187. 네, 괜찮아. - Sí, estoy bien.

6188. 두드리다 - Tocar

6189. 그녀는 문을 두드렸다. - Ella golpea la puerta.

6190. 우리는 탁자를 두드린다. - Nosotros golpeamos la mesa.

6191. 당신들은 북을 두드릴 것이다. - Se golpea el tambor.

6192. 소리났어? - ¿Lo has oído?

6193. 네, 소리났어. - Sí, ha sonado.

6194. 긁다 - rascarse

6195. 나는 등을 긁었다. - Me rasqué la espalda.

6196. 너는 바닥을 긁는다. - Tú rascarás el suelo.

6197. 그는 복권을 긁을 것이다. - Rascará el billete de lotería.

6198. 가려워? - ¿Picar?

6199. 아니, 안 가려워. - No, no me pica.

6200. 잠들다 - Quedarse dormido

6201. 너는 빨리 잠들었다. - Usted se duerme rápidamente.

6202. 그는 조용히 잠든다. - Se duerme tranquilamente.

6203. 그녀는 편안히 잠들 것이다. - Dormirá cómodamente.

6204. 졸려? - ¿Tienes sueño?

6205. 네, 졸려. - Sí, tengo sueño.

6206. 미소짓다 - Sonreír

6207. 그는 기쁨에 미소지었다. - Él sonríe de alegría.

6208. 그녀는 친절하게 미소짓는다. - Ella sonríe con amabilidad.

6209. 우리는 성공에 미소질 것이다. - Sonreiremos por nuestro éxito.

6210. 행복해? - ¿Eres feliz?

6211. 네, 행복해. - Sí, soy feliz.

6212. 새기다 - inscribir

6213. 그녀는 이름을 새겼다. - Ella inscribió su nombre.

6214. 우리는 메시지를 새긴다. - Grabamos mensajes.

6215. 당신들은 기념을 새길 것이다. - Usted inscribirá un memorial.

6216. 기억나? - ¿Se acuerda?

6217. 네, 기억나. - Sí, me acuerdo.

6218. 노출하다 - exponer

6219. 나는 비밀을 노출했다. - Expongo un secreto.

6220. 너는 데이터를 노출한다. - Expondrá los datos.

6221. 그는 계획을 노출할 것이다. - Expondrá el plan.

6222. 위험해? - ¿Es peligroso?

6223. 아니, 안 위험해. - No, no es peligroso.

6224. 부인하다 - Negar

6225. 너는 혐의를 부인했다. - Usted niega la acusación.

6226. 그는 주장을 부인한다. - Niega las acusaciones.

6227. 그녀는 관계를 부인할 것이다. - Niega la relación.

6228. 거짓말해? - ¿Está mintiendo?

6229. 아니, 안 해. - No, no miento.

6230. 향유하다 - disfrutar

6231. 그는 휴가를 향유했다. - Disfrutó de sus vacaciones.

6232. 그녀는 자유를 향유한다. - Disfrutará de su libertad.

6233. 우리는 성과를 향유할 것이다. - Disfrutaremos de nuestro logro.

6234. 즐거워? - ¿Estás disfrutando?

6235. 네, 즐거워. - Sí, estoy disfrutando.

6236. 70. 명사 단어들 외우기, 필수 10개 동사의 단어들을 가지고 50문장 연습하기 - 70. memorizar palabras sustantivas, practicar 50 frases con las palabras de los 10 verbos esenciales

6237. 파티 - fiesta

6238. 여행 - viajar

6239. 공연 - mostrar

6240. 여유 - ahorrar

6241. 풍경 - ver

6242. 성공 - éxito

6243. 모임 - clase

6244. 프로젝트 - proyecto

6245. 캠페인 - campaña

6246. 기부 - donación

6247. 지식 - conocimiento

6248. 노력 - esfuerzo

6249. 커뮤니티 - comunidad

6250. 단체 - organización

6251. 이벤트 - evento

6252. 조사 - inspección

6253. 실험 - Experimento

6254. 평가 - evaluación

6255. 작품 - Trabajo

6256. 사진 - imagen

6257. 발명품 - invención

6258. 자료 - datos

6259. 환자 - paciente

6260. 물품 - artículo

6261. 권리 - derecho

6262. 이념 - ideología

6263. 평화 - paz

6264. 즐기다 - disfrutar

6265. 그녀는 파티를 즐겼다. - Disfrutó de la fiesta.

6266. 우리는 여행을 즐긴다. - Disfrutamos viajando.

6267. 당신들은 공연을 즐길 것이다. - Disfrutarás del concierto.

6268. 재미있어? - ¿Te diviertes?

6269. 네, 재미있어. - Sí, es divertido.

6270. 누리다 - disfrutar

6271. 나는 여유를 누렸다. - Disfruté del ocio.

6272. 너는 풍경을 누린다. - Disfruta del paisaje.

6273. 그는 성공을 누릴 것이다. - Disfrutará de su éxito.

6274. 만족해? - ¿Estás satisfecho?

6275. 네, 만족해. - Sí, estoy satisfecho.

6276. 동참하다 - Unirse

6277. 너는 모임에 동참했다. - Usted se une a la reunión.

6278. 그는 프로젝트에 동참한다. - Se unirá al proyecto.

6279. 그녀는 캠페인에 동참할 것이다. - Se unirá a la campaña.

6280. 함께할래? - ¿Te unirás a nosotros?

6281. 네, 함께할래. - Sí, me uniré.

6282. 공헌하다 - Contribuir

6283. 그는 기부를 공헌했다. - Él contribuye con un donativo.

6284. 그녀는 지식을 공헌한다. - Ella contribuye con sus conocimientos.

6285. 우리는 노력을 공헌할 것이다. - Nosotros contribuiremos con nuestros esfuerzos.

6286. 도움됐어? - ¿Ha sido de ayuda?

6287. 네, 도움됐어. - Sí, ayudó.

6288. 봉사하다 - Servir

6289. 그녀는 커뮤니티에 봉사했다. - Ella sirvió a la comunidad.

6290. 우리는 단체에 봉사한다. - Nosotros servimos a la organización.

6291. 당신들은 이벤트에 봉사할 것이다. - Tú servirás al evento.

6292. 기쁘니? - ¿Estás contenta?

6293. 네, 기뻐. - Sí, me alegro.

6294. 착수하다 - Emprender

6295. 나는 프로젝트에 착수했다. - Yo emprendí el proyecto.

6296. 너는 작업에 착수한다. - Emprenderá la tarea.

6297. 그는 연구에 착수할 것이다. - Emprenderá su investigación.

6298. 준비됐어? - ¿Está preparado?

6299. 네, 준비됐어. - Sí, estoy preparado.

6300. 실시하다 - Para llevar a cabo

6301. 너는 조사를 실시했다. - Llevará a cabo una investigación.

6302. 그는 실험을 실시한다. - Llevará a cabo un experimento.

6303. 그녀는 평가를 실시할 것이다. - Llevará a cabo una evaluación.

6304. 성공할까? - ¿Funcionará?

6305. 네, 성공할 거야. - Sí, tendrá éxito.

6306. 전시하다 - Exponer

6307. 그는 작품을 전시했다. - Expondrá su trabajo.

6308. 그녀는 사진을 전시한다. - Ella expondrá sus fotografías.

6309. 우리는 발명품을 전시할 것이다. - Expondremos nuestro invento.

6310. 관심있어? - ¿Le interesa?

6311. 네, 관심있어. - Sí, me interesa.

6312. 이송하다 - trasladar

6313. 그녀는 자료를 이송했다. - Ella transportó los materiales.

6314. 우리는 환자를 이송한다. - Transportaremos al paciente.

6315. 당신들은 물품을 이송할 것이다. - Usted transportará la mercancía.

6316. 빨라? - ¿Es rápido?

6317. 네, 빨라. - Sí, es rápido.

6318. 옹호하다 - defender

6319. 나는 권리를 옹호했다. - Yo defendí un derecho.

6320. 너는 이념을 옹호한다. - Usted aboga por una ideología.

6321. 그는 평화를 옹호할 것이다. - Abogará por la paz.

6322. 중요해? - ¿Es importante?

6323. 네, 중요해. - Sí, es importante.

6324. 71. 명사 단어들 외우기, 필수 10개 동사의 단어들을 가지고 50문장 연습하기 - 71. Memoriza palabras sustantivas, practica 50 frases con las 10 palabras verbales esenciales

6325. 계획 - planear

6326. 문제 - problema

6327. 전략 - estrategia

6328. 조건 - condition

6329. 계약 - contrato

6330. 합의 - acuerdo

6331. 약속 - promesa

6332. 규칙 - regla

6333. 비밀 - secreto

6334. 사고 - accidente

6335. 오류 - error

6336. 손실 - Pérdida

6337. 결정 - decisión

6338. 제안 - propuesta

6339. 가능성 - Posibilidad

6340. 의견 - opinión

6341. 방안 - medidas

6342. 초콜릿 - chocolate

6343. 여름 - verano

6344. 온라인 수업 - clases en línea

6345. 위험 - peligro

6346. 논쟁 - discusión

6347. 갈등 - conflicto

6348. 상의하다 - discutir

6349. 너는 계획을 상의했다. - Discutirá el plan.

6350. 그는 문제를 상의한다. - Discutirá el problema.

6351. 그녀는 전략을 상의할 것이다. - Discutirá la estrategia.

6352. 동의해? - ¿Estás de acuerdo?

6353. 네, 동의해. - Sí, estoy de acuerdo.

6354. 협의하다 - Discutir

6355. 그는 조건을 협의했다. - Él negoció las condiciones.

6356. 그녀는 계약을 협의한다. - Ella negociará el contrato.

6357. 우리는 합의를 협의할 것이다. - Negociaremos un acuerdo.

6358. 결정났어? - ¿Está decidido?

6359. 네, 결정났어. - Sí, está decidido.

6360. 지키다 - Cumplir

6361. 그녀는 약속을 지켰다. - Ella mantiene su promesa.

6362. 우리는 규칙을 지킨다. - Mantenemos las reglas.

6363. 당신들은 비밀을 지킬 것이다. - Guardará el secreto.

6364. 안전해? - ¿Es seguro?

6365. 네, 안전해. - Sí, es seguro.

6366. 방지하다 - prevenir

6367. 나는 사고를 방지했다. - Evité un accidente.

6368. 너는 오류를 방지한다. - Evitará errores.

6369. 그는 손실을 방지할 것이다. - Evitará pérdidas.

6370. 필요해? - ¿Lo necesitas?

6371. 네, 필요해. - Sí, lo necesito.

6372. 재검토하다 - Reconsiderar

6373. 너는 결정을 재검토했다. - Reconsiderará su decisión.

6374. 그는 계획을 재검토한다. - Reconsiderará el plan.

6375. 그녀는 정책을 재검토할 것이다. - Reconsiderará la política.

6376. 변했어? - ¿Ha cambiado?

6377. 네, 변했어. - Sí, ha cambiado.

6378. 고려하다 - considerar

6379. 나는 그 제안을 고려했다. - Consideré la propuesta.

6380. 너는 가능성을 고려한다. - Considera la posibilidad.

6381. 그는 의견을 고려할 것이다. - Considerará la opinión.

6382. 생각해봤어? - ¿Lo has considerado?

6383. 네, 봤어. - Sí, lo he considerado.

6384. 숙고하다 - Considerar

6385. 너는 결정을 숙고했다. - Usted meditó la decisión.

6386. 그는 방안을 숙고한다. - Él meditará el plan.

6387. 그녀는 제안을 숙고할 것이다. - Ella meditará la propuesta.

6388. 충분히 생각했어? - ¿Lo has meditado lo suficiente?

6389. 네, 했어. - Sí, lo he hecho.

6390. 의논하다 - Discutir

6391. 그는 계획을 의논했다. - Él discutió el plan.

6392. 그녀는 문제를 의논한다. - Ella discutirá el problema.

6393. 우리는 전략을 의논할 것이다. - Discutiremos la estrategia.

6394. 의견 있어? - ¿Tienes alguna opinión?

6395. 네, 있어. - Sí, la tengo.

6396. 선호하다 - Preferir

6397. 그녀는 초콜릿을 선호했다. - Ella prefiere el chocolate.

6398. 우리는 여름을 선호한다. - Preferimos el verano.

6399. 당신들은 온라인 수업을 선호할 것이다. - Tú prefieres las clases en línea.

6400. 좋아해? - ¿Te gusta?

6401. 네, 좋아해. - Sí, me gusta.

6402. 기피하다 - Evitar

6403. 나는 위험을 기피했다. - Yo evito el riesgo.

6404. 너는 논쟁을 기피한다. - Evita la controversia.

6405. 그는 갈등을 기피할 것이다. - Evitará el conflicto.

6406. 싫어해? - ¿Le disgusta?

6407. 네, 싫어해. - Sí, me disgusta.

6408. 72. 명사 단어들 외우기, 필수 10개 동사의 단어들을 가지고 50문장 연습하기 - 72. Memorizar palabras sustantivas, practicar 50 frases con las 10 palabras verbales requeridas

6409. 목표 - objetivo

6410. 의도 - intención

6411. 계획 - planear

6412. 비밀 - secreto

6413. 진실 - verdad

6414. 결과 - resultado

6415. 세부사항 - Detalle

6416. 문서 - documento

6417. 보고서 - informe

6418. 상품 - Mercancías

6419. 편지 - carta

6420. 선물 - regalo

6421. 하나님 - padre

6422. 예수님 - Jesús

6423. 기여 - contribuir

6424. 능력 - habilidad

6425. 아이디어 - idea

6426. 의견 - opinión

6427. 친구 - amigo

6428. 이웃 - vecino

6429. 동료 - colega

6430. 손실 - Pérdida

6431. 상실 - pérdida

6432. 고인 - fallecido

6433. 기술 - tecnología

6434. 지원 - ayuda

6435. 도움 - ayuda

6436. 성공 - éxito

6437. 소식 - Noticias

6438. 선언하다 - declarar

6439. 너는 목표를 선언했다. - Declara un objetivo.

6440. 그는 의도를 선언한다. - Declara sus intenciones.

6441. 그녀는 계획을 선언할 것이다. - Declara un plan.

6442. 말했어? - ¿Lo has dicho?

6443. 네, 말했어. - Sí, lo he dicho.

6444. 드러나다 - Revelar

6445. 그는 비밀을 드러냈다. - Él revela el secreto.

6446. 그녀는 진실을 드러낸다. - Revela la verdad.

6447. 우리는 결과를 드러낼 것이다. - Revelaremos los resultados.

6448. 알게 됐어? - ¿Entendido?

6449. 네, 됐어. - Sí, lo tengo.

6450. 살피다 - Mirar por encima

6451. 그녀는 세부사항을 살폈다. - Ella miró los detalles.

6452. 우리는 문서를 살핀다. - Miramos los documentos.

6453. 당신들은 보고서를 살필 것이다. - Examinarás el informe.

6454. 확인했어? - ¿Lo revisaste?

6455. 네, 했어. - Sí, lo revisé.

6456. 배송하다 - Para entregar

6457. 나는 상품을 배송했다. - Entregué la mercancía.

6458. 너는 편지를 배송한다. - Usted entregará la carta.

6459. 그는 선물을 배송할 것이다. - Enviará el regalo.

6460. 도착했어? - ¿Llegó?

6461. 네, 도착했어. - Sí, llegó.

6462. 찬양하다 - Alabar

6463. 나는 하나님을 찬양했다. - Alabé a Dios.

6464. 그는 예수님을 찬양한다. - Alaba a Jesús.

6465. 그녀는 기여를 찬양할 것이다. - Alabará la contribución.

6466. 기뻐해? - ¿Regocijarse?

6467. 네, 기뻐해. - Sí, me regocijo.

6468. 비하하다 - Degradar

6469. 그는 능력을 비하했다. - Él degrada la habilidad.

6470. 그녀는 아이디어를 비하한다. - Ella degrada la idea.

6471. 우리는 의견을 비하할 것이다. - Nosotros degradaremos la opinión.

6472. 나빠? - ¿Mala?

6473. 네, 나빠. - Sí, mala.

6474. 돕다 - Ayudar.

6475. 그녀는 친구를 도왔다. - Ella ayudó a su amiga.

6476. 우리는 이웃을 돕는다. - Ayudamos a nuestros vecinos.

6477. 당신들은 동료를 도울 것이다. - Ayudarás a tus compañeros de trabajo.

6478. 도와줄래? - ¿Me ayudarás?

6479. 네, 도와줄게. - Sí, ayudaré.

6480. 애도하다 - llorar

6481. 나는 손실을 애도했다. - Lloré la pérdida.

6482. 너는 상실을 애도한다. - Llorará la pérdida.

6483. 그는 고인을 애도할 것이다. - Llorará al difunto.

6484. 슬퍼? - ¿Lamentar?

6485. 네, 슬퍼. - Sí, triste.

6486. 의존하다 - Depender de

6487. 너는 기술에 의존했다. - Usted dependía de la tecnología.

6488. 그는 지원에 의존한다. - Él depende de la ayuda.

6489. 그녀는 도움에 의존할 것이다. - Depende de la ayuda.

6490. 필요해? - ¿La necesita?

6491. 네, 필요해. - Sí, la necesito.

6492. 기뻐하다 - regocijarse

6493. 그는 성공을 기뻐했다. - Se alegra de su éxito.

6494. 그녀는 소식을 기뻐한다. - Ella se alegra de la noticia.

6495. 우리는 결과를 기뻐할 것이다. - Nos alegraremos del resultado.

6496. 행복해? - ¿Te alegras?

6497. 네, 행복해. - Sí, estoy contento.

6498. 73. 명사 단어들 외우기, 필수 10개 동사의 단어들을 가지고 50문장 연습하기 - 73. Memoriza palabras sustantivas, practica 50 frases con las 10 palabras verbales necesarias

6499. 문제 - problema

6500. 상황 - situación

6501. 처리 - proceso

6502. 서비스 - servicio

6503. 결정 - decisión

6504. 정책 - Política

6505. 도움 - ayuda

6506. 지원 - apoyo

6507. 기회 - oportunidad

6508. 실수 - error

6509. 오해 - malentendido

6510. 불편 - inconveniente

6511. 제안 - propuesta

6512. 변화 - cambio

6513. 조언 - consejo

6514. 순간 - Momento

6515. 가능성 - Posibilidad

6516. 기준 - estándar

6517. 목소리 - voz

6518. 가격 - precio

6519. 모자 - gorro

6520. 장갑 - guantes

6521. 유니폼 - uniforme

6522. 과일 - fruta

6523. 야채 - verdura

6524. 고기 - carne

6525. 샐러드 - ensalada

6526. 재료 - ingrediente

6527. 반죽 - masa

6528. 불평하다 - quejarse

6529. 그녀는 문제를 불평했다. - Ella se quejó de un problema.

6530. 우리는 상황을 불평한다. - Nos quejamos de la situación.

6531. 당신들은 처리를 불평할 것이다. - Se quejará del trato recibido.

6532. 불만 있어? - ¿Tienes alguna queja?

6533. 네, 있어. - Sí, la tengo.

6534. 불만을 표하다 - quejarse de

6535. 나는 서비스에 불만을 표했다. - Me quejo del servicio.

6536. 너는 결정에 불만을 표한다. - Está insatisfecho con la decisión.

6537. 그는 정책에 불만을 표할 것이다. - Expresará su descontento con la política.

6538. 안 좋아해? - ¿No le gusta?

6539. 네, 안 좋아해. - Sí, no me gusta.

6540. 고맙다고 하다 - Dar las gracias

6541. 너는 도움에 고맙다고 했다. - Dará las gracias por la ayuda.

6542. 그는 지원에 고맙다고 한다. - Dirá gracias por la ayuda.

6543. 그녀는 기회에 고맙다고 할 것이다. - Dará las gracias por la oportunidad.

6544. 감사해? - ¿Está agradecida?

6545. 네, 감사해. - Sí, estoy agradecido.

6546. 용서를 구하다 - Pedir perdón

6547. 그는 실수에 용서를 구했다. - Él pide perdón por un error.

6548. 그녀는 오해에 용서를 구한다. - Pide perdón por el malentendido.

6549. 우리는 불편에 용서를 구할 것이다. - Pediremos perdón por las molestias.

6550. 용서해줄래? - ¿Nos perdonas?

6551. 네, 용서해줄게. - Sí, os perdono.

6552. 받아들이다 - Aceptar

6553. 그녀는 제안을 받아들였다. - Ella aceptó la oferta.

6554. 우리는 변화를 받아들인다. - Aceptamos el cambio.

6555. 당신들은 조언을 받아들일 것이다. - Aceptarás el consejo.

6556. 좋아해? - ¿Te gusta?

6557. 네, 좋아해. - Sí, me gusta.

6558. 붙잡다 - aprovechar

6559. 나는 기회를 붙잡았다. - Aproveché la oportunidad.

6560. 너는 순간을 붙잡는다. - Aprovecha el momento.

6561. 그는 가능성을 붙잡을 것이다. - Aprovechará la posibilidad.

6562. 준비됐어? - ¿Estás listo?

6563. 네, 됐어. - Sí, estoy listo.

6564. 올리다 - Subir

6565. 너는 기준을 올렸다. - Usted sube el listón.

6566. 그는 목소리를 올린다. - Él eleva la voz.

6567. 그녀는 가격을 올릴 것이다. - Sube el precio.

6568. 높아졌어? - ¿Lo ha subido?

6569. 네, 높아졌어. - Sí, lo ha subido.

6570. 착용하다 - ponerse

6571. 그는 모자를 착용했다. - Se pone el sombrero.

6572. 그녀는 장갑을 착용한다. - Se pone guantes.

6573. 우리는 유니폼을 착용할 것이다. - Llevaremos uniforme.

6574. 맞아? - ¿Es correcto?

6575. 네, 맞아. - Sí, así es.

6576. 썰다 - rebanar

6577. 그녀는 과일을 썰었다. - Ella cortó la fruta.

6578. 우리는 야채를 썬다. - Nosotros rebanaremos las verduras.

6579. 당신들은 고기를 썰 것이다. - Ustedes rebanarán la carne.

6580. 잘랐어? - ¿La cortaste?

6581. 네, 잘랐어. - Sí, la corté.

6582. 버무리다 - to Toss

6583. 나는 샐러드를 버무렸다. - Yo he mezclado la ensalada.

6584. 너는 재료를 버무린다. - Tú mezclarás los ingredientes.

6585. 그는 반죽을 버무릴 것이다. - Amasará la masa.

6586. 완성됐어? - ¿Está hecha?

6587. 네, 됐어. - Sí, está lista.

6588. 74. 명사 단어들 외우기, 필수 10개 동사의 단어들을 가지고 50문장 연습하기 - 74. memorizar palabras sustantivas, practicar 50 frases con las palabras de los 10 verbos esenciales

6589. 꽃의 향기 - el aroma de las flores

6590. 커피의 향기 - aroma de café

6591. 향수의 향기 - aroma de perfume

6592. 손가락 - dedo

6593. 발 - pie

6594. 종이 - papel

6595. 공 - bola

6596. 문 - puerta

6597. 볼 - mejilla

6598. 기회 - oportunidad

6599. 성공 - éxito

6600. 명성 - Fama

6601. 친구 - amigo

6602. 팀 - equipo

6603. 가족 - familia

6604. 자전거 - bicicleta

6605. 휴가 - vacaciones

6606. 대학 입학 - admisiones universitarias

6607. 건강한 생활 - vida sana

6608. 사업 확장 - expansión empresarial

6609. 가구 - muebles

6610. 쓰레기 - basura

6611. 문서 - documento

6612. 파일 - archivo

6613. 이메일 - correo electrónico

6614. 데이터 - datos

6615. 메시지 - mensaje

6616. 정보 - información

6617. 향기를 맡다 - Huele el aroma

6618. 너는 꽃의 향기를 맡았다. - Huele el aroma de las flores.

6619. 그는 커피의 향기를 맡는다. - Él huele el aroma del café.

6620. 그녀는 향수의 향기를 맡을 것이다. - Ella huele el aroma del perfume.

6621. 좋아해? - ¿Le gusta?

6622. 네, 좋아해. - Sí, me gusta.

6623. 찌르다 - Pincharse

6624. 그는 손가락을 찔렀다. - Él se pinchó el dedo.

6625. 그녀는 발을 찌른다. - Ella se pinchó el pie.

6626. 우리는 종이로 손을 찔을 것이다. - Nos pincharemos las manos con papel.

6627. 아파? - ¿Te duele?

6628. 네, 아파. - Sí, duele.

6629. 차다 - Patear

6630. 그녀는 공을 찼다. - Ella pateó el balón.

6631. 우리는 문을 찬다. - Nosotros pateamos la puerta.

6632. 당신들은 볼을 찰 것이다. - Tú patearás el balón.

6633. 세게 찼어? - ¿Pateaste fuerte?

6634. 네, 세게 찼어. - Sí, pateé fuerte.

6635. 탐발하다 - Aprovechar la oportunidad.

6636. 나는 기회를 탐발했다. - Aproveché la oportunidad.

6637. 너는 성공을 탐발한다. - Tendrá éxito.

6638. 그는 명성을 탐발할 것이다. - Codiciará la fama.

6639. 원해? - ¿La desea?

6640. 네, 원해. - Sí, la quiero

6641. 의지하다 - Apoyarse en

6642. 너는 친구에게 의지했다. - Se apoyará en sus amigos.

6643. 그는 팀에 의지한다. - Se apoyará en su equipo.

6644. 그녀는 가족에 의지할 것이다. - Se apoyará en su familia.

6645. 의존해? - ¿Depender de?

6646. 네, 의존해. - Sí, rely on.

6647. 욕망하다 - Desear

6648. 나는 새로운 자전거를 욕망했다. - Deseaba una bicicleta nueva.

6649. 너는 성공을 욕망한다. - Tú deseas el éxito.

6650. 그는 휴가를 욕망할 것이다. - Deseará unas vacaciones.

6651. 더 필요한 거 있어? - ¿Algo más?

6652. 모두 좋아, 감사해. - Todo bien, gracias.

6653. 목표하다 - Aspirar a

6654. 그녀는 대학 입학을 목표했다. - Ella se propuso entrar en la universidad.

6655. 우리는 건강한 생활을 목표한다. - Nos proponemos llevar una vida sana.

6656. 당신들은 사업 확장을 목표할 것이다. - Vosotros aspiráis a expandir vuestro negocio.

6657. 목표가 뭐야? - ¿Cuál es tu objetivo?

6658. 행복해지기야. - Ser feliz.

6659. 폐기하다 - Desechar

6660. 우리는 오래된 가구를 폐기했다. - Nosotros nos deshacemos de muebles viejos.

6661. 당신들은 쓰레기를 폐기한다. - Ustedes se desharán de la basura.

6662. 그들은 불필요한 문서를 폐기할 것이다. - Ellos se deshacen de documentos innecesarios.

6663. 이거 버려도 돼? - ¿Puedo tirar esto?

6664. 네, 필요 없어. - Sí, no lo necesito.

6665. 암호화하다 - Cifrar

6666. 그는 중요한 파일을 암호화했다. - Cifra sus archivos importantes.

6667. 그녀는 이메일을 암호화한다. - Cifra sus correos electrónicos.

6668. 나는 내 데이터를 암호화할 것이다. - Cifraré mis datos.

6669. 비밀번호 설정했어? - ¿Has puesto una contraseña?

6670. 이미 했어, 안심해. - Ya lo he hecho, no te preocupes.

6671. 복호화하다 - desencriptar

6672. 그녀는 메시지를 복호화했다. - Ella desencriptó el mensaje.

6673. 우리는 정보를 복호화한다. - Desciframos la información.

6674. 당신들은 문서를 복호화할 것이다. - Descifrarás el documento.

6675. 열쇠 찾았어? - ¿Encontraste la clave?

6676. 아직 못 찾았어. - No, aún no la he encontrado.

6677. 75. 명사 단어들 외우기, 필수 10개 동사의 단어들을 가지고 50문장 연습하기 - 75. memorizar palabras sustantivas, practicar 50 frases con palabras de 10 verbos esenciales

6678. 파일들 - archivos

6679. 사진 - imagen

6680. 자료 - datos

6681. 문서 - documento

6682. 바코드 - código de barras

6683. 신분증 - IDENTIFICACIÓN

6684. 중요한 부분 - pieza

6685. 텍스트 - texto

6686. 포인트 - punto

6687. 데이터 - datos

6688. 주소 - dirección

6689. 내 정보 - Mi información

6690. 보고서 - informe

6691. 이메일 - correo electrónico

6692. 계획 - plan

6693. 클럽 - club

6694. 프로그램 - programa

6695. 도서관 - biblioteca

6696. 목표 - objetivo

6697. 성공 - éxito

6698. 해결책 - solución

6699. 위험 - peligro

6700. 집 - casa

6701. 삶 - vida

6702. 경력 - carrera

6703. 공기 - aire

6704. 물 - agua

6705. 환경 - medio ambiente

6706. 압축하다 - comprimir

6707. 나는 파일들을 압축했다. - comprimí archivos.

6708. 너는 사진을 압축한다. - Comprime fotos.

6709. 그는 자료를 압축할 것이다. - Comprimirá los materiales.

6710. 공간 충분해? - ¿Hay espacio suficiente?

6711. 네, 충분해. - Sí, hay suficiente.

6712. 스캔하다 - Para escanear

6713. 그녀는 문서를 스캔했다. - Ella escaneó el documento.

6714. 우리는 바코드를 스캔한다. - Escaneamos el código de barras.

6715. 당신들은 신분증을 스캔할 것이다. - Ustedes escanearán sus identificaciones.

6716. 다 됐어? - ¿Habéis terminado?

6717. 네, 다 됐어. - Sí, hemos terminado.

6718. 하이라이트하다 - Resaltar

6719. 우리는 중요한 부분을 하이라이트했다. - Resaltamos las partes importantes.

6720. 당신들은 텍스트를 하이라이트한다. - Van a resaltar texto.

6721. 그들은 포인트를 하이라이트할 것이다. - Van a resaltar los puntos.

6722. 이 부분 강조할까? - ¿Quieres que resalte esto?

6723. 좋아, 해줘. - Vale, hazlo.

6724. 입력하다 - Introducir

6725. 그는 데이터를 입력했다. - Introduce los datos.

6726. 그녀는 주소를 입력한다. - Introduce la dirección.

6727. 나는 내 정보를 입력할 것이다. - Voy a introducir mis datos.

6728. 정보 다 넣었어? - ¿Ha terminado?

6729. 네, 다 했어. - Sí, he terminado.

6730. 타이핑하다 - Mecanografiar

6731. 나는 보고서를 타이핑했다. - Escribí el informe.

6732. 너는 이메일을 타이핑한다. - Usted tecleará el correo electrónico.

6733. 그는 계획을 타이핑할 것이다. - Él tecleará el plan.

6734. 글 쓰고 있어? - ¿Estás escribiendo?

6735. 아니, 쉬고 있어. - No, estoy descansando.

6736. 가입하다 - unirse

6737. 나는 클럽에 가입했다. - Me uní al club.

6738. 너는 프로그램에 가입한다. - Se unirá al programa.

6739. 그는 도서관에 가입할 것이다. - Se unirá a la biblioteca.

6740. 회원 되고 싶어? - ¿Quieres ser socio?

6741. 네, 가입할래요. - Sí, quiero unirme.

6742. 근접하다 - acercarse

6743. 그녀는 목표에 근접했다. - Está cerca de su objetivo.

6744. 우리는 성공에 근접한다. - Estamos cerca del éxito.

6745. 당신들은 해결책에 근접할 것이다. - Estarás cerca de la solución.

6746. 거의 다 왔어? - ¿Ya casi está?

6747. 네, 거의 다 왔어요. - Sí, ya casi hemos llegado.

6748. 멀어지다 - Alejarse de

6749. 우리는 위험으로부터 멀어졌다. - Nos alejamos del peligro.

6750. 당신들은 목표로부터 멀어진다. - Se alejan de la meta.

6751. 그들은 서로로부터 멀어질 것이다. - Se alejarán el uno del otro.

6752. 떠나고 싶어? - ¿Quieres irte?

6753. 아니요, 여기 있을래요. - No, me quedaré aquí.

6754. 재건하다 - reconstruir

6755. 그는 그의 집을 재건했다. - Reconstruyó su casa.

6756. 그녀는 그녀의 삶을 재건한다. - Reconstruye su vida.

6757. 나는 내 경력을 재건할 것이다. - Reconstruiré mi carrera.

6758. 다시 시작할 준비 됐어? - ¿Estás listo para empezar de nuevo?

6759. 네, 준비 됐어요. - Sí, estoy preparado.

6760. 정화하다 - purificar

6761. 그녀는 공기를 정화했다. - Ella purificó el aire.

6762. 우리는 물을 정화한다. - Nosotros purificamos el agua.

6763. 당신들은 환경을 정화할 것이다. - Tú purificarás el medio ambiente.

6764. 더 깨끗해졌어? - ¿Está más limpio?

6765. 네, 훨씬 나아졌어요. - Sí, es mucho mejor.

6766. 76. 명사 단어들 외우기, 필수 10개 동사의 단어들을 가지고 50문장 연습하기 - 76. memorizar palabras sustantivas, practicar 50 frases con las palabras de los 10 verbos esenciales

6767. 상처 - herida

6768. 방 - habitación

6769. 장비 - equipo

6770. 여행 - viajar

6771. 회의 - reunión

6772. 발표 - presentación

6773. 프로젝트 - proyecto

6774. 이벤트 - evento

6775. 캠페인 - campaña

6776. 아이디어 - idea

6777. 생각 - pensamiento

6778. 방법 - método

6779. 해 - sol

6780. 미래 - futuro

6781. 기회 - oportunidad

6782. 능력 - capacidad

6783. 가치 - valor

6784. 이론 - teoría

6785. 주장 - opinión

6786. 사실 - en realidad

6787. 무죄 - inocencia

6788. 삶의 의미 - sentido de la vida

6789. 자연의 아름다움 - belleza natural

6790. 과거의 실수 - errores del pasado

6791. 행동 - acción

6792. 결정 - decisión

6793. 추억 - memoria

6794. 약속 - promesa

6795. 역사 - historia

6796. 소독하다 - esterilizar(desinfectar)

6797. 나는 상처를 소독했다. - Yo esterilicé la herida.

6798. 너는 방을 소독한다. - Usted higieniza la habitación.

6799. 그는 장비를 소독할 것이다. - Él desinfectará el equipo.

6800. 이게 안전해? - ¿Es seguro?

6801. 네, 안전해요. - Sí, es seguro.

6802. 예정하다 - Programar

6803. 그녀는 여행을 예정했다. - Ella programó el viaje.

6804. 우리는 회의를 예정한다. - Programaremos una reunión.

6805. 당신들은 발표를 예정할 것이다. - Va a programar una presentación.

6806. 일정 정했어? - ¿Lo has programado?

6807. 네, 다 정했어요. - Sí, lo tengo todo previsto.

6808. 기획하다 - planificar

6809. 우리는 프로젝트를 기획했다. - Planificamos un proyecto.

6810. 당신들은 이벤트를 기획한다. - Organizarán un evento.

6811. 그들은 캠페인을 기획할 것이다. - Van a planificar una campaña.

6812. 뭐 계획 중이야? - ¿Qué están planeando?

6813. 새로운 시작이에요. - Un nuevo comienzo.

6814. 발상하다 - Concebir.

6815. 그는 훌륭한 아이디어를 발상했다. - Se le ocurrió una gran idea.

6816. 그녀는 창의적인 생각을 발상한다. - Se le ocurren ideas creativas.

6817. 나는 새로운 방법을 발상할 것이다. - Inventaré una nueva forma.

6818. 아이디어 있어? - ¿Tienes alguna idea?

6819. 네, 몇 개 있어요. - Sí, tengo unas cuantas.

6820. 바라보다 - Para mirar

6821. 나는 해가 지는 것을 바라봤다. - Miré cómo se ponía el sol.

6822. 너는 미래를 바라본다. - Mirará al futuro.

6823. 그는 기회를 바라볼 것이다. - Mirará las oportunidades.

6824. 희망 가지고 있어? - ¿Tienes esperanza?

6825. 네, 항상 그래요. - Sí, siempre la tengo.

6826. 증명하다 - Demostrar

6827. 그녀는 자신의 능력을 증명했다. - Ella demostró su capacidad.

6828. 우리는 우리의 가치를 증명한다. - Demostramos nuestra valía.

6829. 당신들은 이론을 증명할 것이다. - Demostrarás la teoría.

6830. 진짜야? - ¿Es real?

6831. 네, 진짜에요. - Sí, es real.

6832. 입증하다 - Demostrar

6833. 우리는 우리의 주장을 입증했다. - Nosotros probamos nuestro punto de vista.

6834. 당신들은 사실을 입증한다. - Ustedes probarán los hechos.

6835. 그들은 무죄를 입증할 것이다. - Probarán su inocencia.

6836. 증거 있어? - ¿Tienen pruebas?

6837. 네, 여기 있어요. - Sí, aquí están.

6838. 묵상하다 - Contemplar

6839. 나는 삶의 의미를 묵상했다. - Medité sobre el sentido de la vida.

6840. 너는 미래에 대해 묵상한다. - Medite sobre el futuro.

6841. 그는 자연의 아름다움을 묵상할 것이다. - Meditará sobre la belleza de la naturaleza.

6842. 조용한 곳 찾고 있어? - ¿Busca un lugar tranquilo?

6843. 네, 필요해. - Sí, necesito uno

6844. 반성하다 - reflexionar

6845. 그녀는 과거의 실수를 반성했다. - Reflexionó sobre sus errores pasados.

6846. 우리는 행동을 반성한다. - Reflexionamos sobre nuestros actos.

6847. 당신들은 결정을 반성할 것이다. - Reflexionará sobre su decisión.

6848. 후회하는 거 있어? - ¿Te arrepientes de algo?

6849. 응, 몇 가지 있어. - Sí, tengo algunos.

6850. 상기하다 - Recordar

6851. 우리는 좋은 추억을 상기했다. - Recordamos buenos recuerdos.

6852. 당신들은 약속을 상기한다. - Recordarán promesas.

6853. 그들은 역사를 상기할 것이다. - Ellos recordarán la historia.

6854. 기억 나? - ¿Recuerdas?

6855. 네, 잘 기억나. - Sí, lo recuerdo bien.

6856. 77. 명사 단어들 외우기, 필수 10개 동사의 단어들을 가지고 50문장 연습하기 - 77. Memorizar palabras sustantivas, practicar 50 frases con las 10 palabras verbales esenciales

6857. 상황 - situación

6858. 그녀 - ella

6859. 불행한 이들 - los desafortunados

6860. 아이 - niño

6861. 친구 - amigo

6862. 군중 - multitud

6863. 물건 - cosa

6864. 진행 상황 - Progreso

6865. 동물의 이동 경로 - movimiento animal camino

6866. 생각 - pensamiento

6867. 계획 - plan

6868. 직업 - trabajo

6869. 문제 - problema

6870. 프로젝트 - proyecto

6871. 도전 - desafío

6872. 어려움 - dificultad

6873. 두려움 - miedo

6874. 장애 - obstáculo

6875. 위기 - Peligro

6876. 혼란 - confusión

6877. 취미 - afición

6878. 과학 - ciencia

6879. 예술 - arte

6880. 하늘 - cielo

6881. 바다 - océano

6882. 고대 유물 - Antigüedades

6883. 지식 - conocimiento

6884. 재능 - Talento

6885. 동정하다 - simpatizar

6886. 나는 그의 상황에 동정했다. - Me compadecí de su situación.

6887. 너는 그녀를 동정한다. - Se compadecerá de ella.

6888. 그는 불행한 이들을 동정할 것이다. - Se compadecerá de los desafortunados.

6889. 도와줄 수 있어? - ¿Puede ayudarle?

6890. 물론, 도와줄게. - Claro, le ayudaré.

6891. 타이르다 - Atar

6892. 그녀는 울고 있는 아이를 타이렀다. - Ella ató al niño que lloraba.

6893. 우리는 화난 친구를 타이른다. - Atamos a un amigo enfadado.

6894. 당신들은 분노한 군중을 타이를 것이다. - Atarás a la multitud enfadada.

6895. 진정됐어? - ¿Te has calmado?

6896. 네, 좀 나아졌어. - Sí, me siento mejor.

6897. 추적하다 - rastrear

6898. 우리는 분실된 물건을 추적했다. - Rastreamos un objeto perdido.

6899. 당신들은 진행 상황을 추적한다. - Rastrearán el progreso.

6900. 그들은 동물의 이동 경로를 추적할 것이다. - Rastrearán la migración del animal.

6901. 뭐 찾고 있어? - ¿Buscas algo?

6902. 네, 찾고 있어. - Sí, busco algo.

6903. 바꾸다 - Cambiar

6904. 나는 생각을 바꾸었다. - He cambiado de idea.

6905. 너는 계획을 바꾼다. - Cambia de planes.

6906. 그는 직업을 바꿀 것이다. - Cambiará de trabajo.

6907. 마음 바뀌었어? - ¿Cambiaste de opinión?

6908. 아니, 그대로야. - No, es lo mismo.

6909. 해내다 - lograr

6910. 그녀는 어려운 문제를 해냈다. - Resolvió el difícil problema.

6911. 우리는 프로젝트를 해낸다. - Conseguimos terminar el proyecto.

6912. 당신들은 도전을 해낼 것이다. - Lograrás el reto.

6913. 할 수 있겠어? - ¿Puedes hacerlo?

6914. 응, 할 수 있어. - Sí, puedo hacerlo.

6915. 극복하다 - superar

6916. 우리는 어려움을 극복했다. - Superamos las dificultades.

6917. 당신들은 두려움을 극복한다. - Superarán sus miedos.

6918. 그들은 장애를 극복할 것이다. - Superarán los obstáculos.

6919. 문제 해결됐어? - ¿Problemas resueltos?

6920. 네, 다 해결됐어. - Sí, todo está resuelto.

6921. 헤쳐나가다 - Superar

6922. 나는 위기를 헤쳐나갔다. - Superé la crisis.

6923. 너는 어려움을 헤쳐나간다. - Se superan las dificultades.

6924. 그는 혼란을 헤쳐나갈 것이다. - Superará las dificultades.

6925. 길 찾았어? - ¿Encontraste el camino?

6926. 네, 찾았어. - Sí, lo encontré.

6927. 관심을 가지다 - interesarse por

6928. 나는 새 취미에 관심을 가졌다. - Me interesé por una nueva afición.

6929. 그는 과학에 관심을 가진다. - Se interesa por la ciencia.

6930. 그녀는 예술에 관심을 가질 것이다. - Le interesa el arte.

6931. 관심 있어? - ¿Le interesa?

6932. 네, 많이. - Sí, mucho.

6933. 응시하다 - mirar fijamente

6934. 그녀는 멀리 응시했다. - Ella mira fijamente a lo lejos.

6935. 우리는 하늘을 응시한다. - Nosotros miramos al cielo.

6936. 그들은 바다를 응시할 것이다. - Ellos mirarán el mar.

6937. 뭐 응시해? - ¿Mirar qué?

6938. 별을 봐. - Mirar las estrellas.

6939. 발굴하다 - excavar

6940. 나는 고대 유물을 발굴했다. - Desenterré un artefacto antiguo.

6941. 그는 지식을 발굴한다. - Excava en busca de conocimiento.

6942. 그녀는 재능을 발굴할 것이다. - Excavará en busca de talento.

6943. 더 발굴할까? - ¿Excavamos un poco más?

6944. 그래, 계속해. - Sí, adelante.

6945. 78. 명사 단어들 외우기, 필수 10개 동사의 단어들을 가지고 50문장 연습하기 - 78. Memoriza las palabras sustantivas, practica 50 frases con las 10 palabras verbales esenciales

6946. 도구 - equipo

6947. 컴퓨터 - ordenador

6948. 신기술 - nueva tecnología

6949. 시간 - hora

6950. 에너지 - energía

6951. 자원 - recurso

6952. 돈 - dinero

6953. 물 - agua

6954. 기회 - oportunidad

6955. 추억 - memoria

6956. 사진 - imagen

6957. 비밀 - secreto

6958. 문서 - documento

6959. 환경 - entorno

6960. 장벽 - barrera

6961. 자동차 - automóvil

6962. 기계 - máquina

6963. 모델 - Modelo

6964. 부품 - pieza

6965. 시스템 - sistema

6966. 시계 - reloj

6967. 퍼즐 - rompecabezas

6968. 계획 - plan

6969. 기업 - Empresa

6970. 아이디어 - Ideas

6971. 팀 - Equipos

6972. 사용하다 - utilizar

6973. 우리는 도구를 사용했다. - Utilizamos la herramienta.

6974. 그는 컴퓨터를 사용한다. - Utiliza un ordenador.

6975. 그들은 신기술을 사용할 것이다. - Utilizarán nuevas tecnologías.

6976. 사용해볼까? - ¿Lo probamos?

6977. 좋아, 해봐. - Vale, pruébalo.

6978. 소비하다 - Consumir

6979. 나는 시간을 소비했다. - Gasté tiempo.

6980. 그녀는 에너지를 소비한다. - Consume energía.

6981. 너는 자원을 소비할 것이다. - Consumirá recursos.

6982. 많이 소비했어? - ¿Consumiste mucho?

6983. 아니, 조금만. - No, sólo un poco.

6984. 절약하다 - Ahorrar

6985. 그는 돈을 절약했다. - Ahorró dinero.

6986. 우리는 물을 절약한다. - Conservamos agua.

6987. 당신들은 에너지를 절약할 것이다. - Conservarás energía.

6988. 절약하고 있어? - ¿Estás ahorrando?

6989. 응, 노력중이야. - Sí, lo intento.

6990. 낭비하다 - Desperdiciar

6991. 그녀는 기회를 낭비했다. - Ella desperdició la oportunidad.

6992. 너는 시간을 낭비한다. - Desperdiciarán tiempo.

6993. 그들은 자원을 낭비할 것이다. - Desperdiciarán recursos.

6994. 낭비하지 않았어? - ¿No lo desperdiciaste?

6995. 아냐, 조심했어. - No, tuve cuidado

6996. 간직하다 - de guardar

6997. 우리는 추억을 간직했다. - Guardamos los recuerdos.

6998. 그는 사진을 간직한다. - Guarda las fotos.

6999. 그녀는 비밀을 간직할 것이다. - Guardará el secreto.

7000. 계속 간직할 거야? - ¿Lo guardará?

7001. 네, 영원히. - Sí, para siempre.

7002. 파괴하다 - Destruir

7003. 나는 문서를 파괴했다. - Destruí los documentos.

7004. 그들은 환경을 파괴한다. - Destruyen el medio ambiente.

7005. 그녀는 장벽을 파괴할 것이다. - Destruirá el muro.

7006. 파괴해야 돼? - ¿Deberíamos destruirlo?

7007. 아니, 다른 방법 찾자. - No, busquemos otra forma.

7008. 손상하다 - Dañar

7009. 그는 자동차를 손상했다. - Él daña el coche.

7010. 그녀는 기계를 손상한다. - Ella daña la máquina.

7011. 우리는 환경을 손상할 것이다. - Dañaremos el medio ambiente.

7012. 손상됐어? - ¿Dañar?

7013. 응, 고쳐야 해. - Sí, hay que arreglarlo.

7014. 대치하다 - sustituir

7015. 나는 오래된 모델을 대치했다. - He sustituido el modelo antiguo.

7016. 그들은 부품을 대치한다. - Sustituirán las piezas.

7017. 그녀는 시스템을 대치할 것이다. - Sustituirá el sistema.

7018. 대치할 필요 있어? - ¿Es necesario sustituir?

7019. 네, 필수야. - Sí, es necesario.

7020. 맞추다 - Para hacer tiempo

7021. 우리는 시계를 맞췄다. - Pusimos el reloj en hora.

7022. 그는 퍼즐을 맞춘다. - Él armó el rompecabezas.

7023. 그녀는 계획을 맞출 것이다. - Encajará el plan.

7024. 잘 맞춰졌어? - ¿Coincidimos?

7025. 완벽해! - Es perfecto.

7026. 합치다 - Juntar

7027. 그들은 두 기업을 합쳤다. - Fusionaron dos negocios.

7028. 너는 아이디어를 합친다. - Fusionan ideas.

7029. 우리는 팀을 합칠 것이다. - Fusionaremos nuestros equipos.

7030. 합치기로 했어? - ¿Decidieron fusionarse?

7031. 응, 그렇게 결정했어. - Sí, eso es lo que hemos decidido.

7032. 79. 명사 단어들 외우기, 필수 10개 동사의 단어들을 가지고 50문장 연습하기 - 79. Memoriza las palabras sustantivas, practica 50 frases con las 10 palabras verbales esenciales

7033. 자원 - recurso

7034. 시간 - hora

7035. 업무 - trabajo

7036. 친구 - amigo

7037. 음식 - comida

7038. 이익 - beneficio

7039. 경험 - experiencia

7040. 요구사항 - Requisitos

7041. 기대 - expectativa

7042. 조건 - condición

7043. 아이 - niño

7044. 상황 - situación

7045. 분위기 - ambiente

7046. 부모님 - padres

7047. 동료 - colega

7048. 대표 - representante

7049. 프로젝트 - proyecto

7050. 최우수 작품 - mejor trabajo

7051. 건강 - salud

7052. 안전 - seguridad

7053. 효율성 - eficacia

7054. 이론 - teoría

7055. 정책 - Política

7056. 연구 - investigación

7057. 작업 - trabajo

7058. 결정 - decisión

7059. 팀 - equipo

7060. 의견 - opinión

7061. 계획 - planificar

7062. 배분하다 - asignar

7063. 그녀는 자원을 배분했다. - Asignó recursos.

7064. 우리는 시간을 배분한다. - Nosotros asignamos tiempo.

7065. 너는 업무를 배분할 것이다. - Tú asignarás tu trabajo.

7066. 잘 배분됐어? - ¿Ha ido bien?

7067. 네, 잘 됐어. - Sí, ha ido bien.

7068. 나누다 - compartir

7069. 나는 친구와 음식을 나눴다. - Compartí la comida con mi amigo.

7070. 그들은 이익을 나눈다. - Compartirán los beneficios.

7071. 당신들은 경험을 나눌 것이다. - Compartirán la experiencia.

7072. 같이 나눌래? - ¿Quieres compartir?

7073. 좋아, 나눠보자. - Bien, compartamos.

7074. 충족하다 - cumplir

7075. 우리는 요구사항을 충족했다. - Cumplimos los requisitos.

7076. 그는 기대를 충족한다. - Cumple las expectativas.

7077. 그녀는 조건을 충족할 것이다. - Cumplirá las condiciones.

7078. 충족시킬 수 있어? - ¿Puedes cumplir?

7079. 응, 할 수 있어. - Sí, puedo

7080. 진정시키다 - Calmar

7081. 그녀는 아이를 진정시켰다. - Ella calmó al niño.

7082. 너는 상황을 진정시킨다. - Calmarán la situación.

7083. 그들은 분위기를 진정시킬 것이다. - Calmarán el ambiente.

7084. 진정됐어? - ¿Te has calmado?

7085. 네, 괜찮아졌어. - Sí, estoy bien.

7086. 안심시키다 - Tranquilizar

7087. 나는 부모님을 안심시켰다. - Tranquilicé a mis padres.

7088. 그는 친구를 안심시킨다. - Tranquiliza a su amigo.

7089. 그녀는 동료를 안심시킬 것이다. - Tranquiliza a su compañera de trabajo.

7090. 안심할까? - ¿Tranquilizar?

7091. 응, 안심해. - Sí, tranquilizo.

7092. 선정하다 - Seleccionar

7093. 우리는 대표를 선정했다. - Seleccionamos a los delegados.

7094. 그들은 프로젝트를 선정한다. - Ellos seleccionarán los proyectos.

7095. 당신들은 최우수 작품을 선정할 것이다. - Seleccionarán el mejor trabajo.

7096. 어떤 걸 선정할까? - ¿Cuál elegiremos?

7097. 가장 좋은 걸로. - El mejor.

7098. 우선하다 - priorizar

7099. 그는 건강을 우선했다. - Prioriza su salud.

7100. 그녀는 안전을 우선한다. - Prioriza la seguridad.

7101. 우리는 효율성을 우선할 것이다. - Priorizaremos la eficiencia.

7102. 무엇을 우선해야 해? - ¿Qué debemos priorizar?

7103. 안전을 우선해. - Hay que priorizar la seguridad.

7104. 논쟁하다 - Discutir

7105. 나는 친구와 논쟁했다. - Discutí con mi amigo.

7106. 당신들은 이론을 논쟁한다. - Discutirán teorías.

7107. 그들은 정책을 논쟁할 것이다. - Ellos argumentarán políticas.

7108. 계속 논쟁할 거야? - ¿Vas a seguir discutiendo?

7109. 아니, 여기서 멈출게. - No, me detendré aquí.

7110. 보조하다 - asistir

7111. 그녀는 연구를 보조했다. - Ella ayudó en la investigación.

7112. 우리는 작업을 보조한다. - Nosotros ayudamos en el trabajo.

7113. 너는 결정을 보조할 것이다. - Ayudarás en la decisión.

7114. 도움 될까? - ¿Ayuda?

7115. 네, 많이 돼. - Sí, mucho.

7116. 형성하다 - formar

7117. 그들은 팀을 형성했다. - Formaron un equipo.

7118. 그는 의견을 형성한다. - Él forma una opinión.

7119. 그녀는 계획을 형성할 것이다. - Formulará un plan.

7120. 형성 잘 되고 있어? - ¿Cómo va la formación?

7121. 응, 잘 되고 있어. - Sí, va bien.

7122. 80. 명사 단어들 외우기, 필수 10개 동사의 단어들을 가지고 50문장 연습하기 - 80. Memorizar palabras sustantivas, practicar 50 frases con las 10 palabras verbales esenciales.

7123. 방법 - método

7124. 제품 - producto

7125. 시스템 - sistema

7126. 프로젝트 - proyecto

7127. 연구 - investigación

7128. 과제 - encargo

7129. 색상 - color

7130. 팀원 - miembros del equipo

7131. 환경 - entorno

7132. 일 - Día

7133. 삶 - vida

7134. 수요 - demanda

7135. 공급 - oferta

7136. 이해관계 - intereses

7137. 결론 - conclusión

7138. 정보 - información

7139. 결과 - resultado

7140. 사건 - Evento

7141. 변화 - cambio

7142. 역사적 순간 - momento histórico

7143. 어려움 - dificultad

7144. 성장통 - dolores de crecimiento

7145. 꽃 향기 - olor a flores

7146. 바다 냄새 - olor a mar

7147. 신선한 공기 - ozono

7148. 서비스 - servicio

7149. 품질 - calidad

7150. 고통 - dolor

7151. 압력 - entrar

7152. 시련 - prueba

7153. 창안하다 - inventar

7154. 나는 새로운 방법을 창안했다. - Yo invento un nuevo método.

7155. 그들은 제품을 창안한다. - Inventan un producto.

7156. 당신들은 시스템을 창안할 것이다. - Inventarán un sistema.

7157. 창안할 아이디어 있어? - ¿Tienes alguna idea para inventar?

7158. 네, 몇 가지 있어. - Sí, tengo unas cuantas.

7159. 협업하다 - Colaborar

7160. 우리는 프로젝트에서 협업했다. - Colaboramos en un proyecto.

7161. 그들은 연구에서 협업한다. - Colaboran en una investigación.

7162. 당신들은 과제에서 협업할 것이다. - Colaboran en tareas.

7163. 협업 효과적이었어? - ¿Fue eficaz la colaboración?

7164. 네, 매우 효과적이었어. - Sí, fue muy eficaz.

7165. 조화하다 - Armonizar

7166. 그녀는 색상을 조화롭게 사용했다. - Utilizó los colores de forma armoniosa.

7167. 그는 팀원들과 조화를 이룬다. - Armoniza con sus compañeros de equipo.

7168. 우리는 환경과 조화를 이룰 것이다. - Armonizaremos con el entorno.

7169. 조화롭게 될까? - ¿Será armonioso?

7170. 응, 될 거야. - Sí, lo será.

7171. 균형을 맞추다 - Equilibrar

7172. 나는 일과 삶의 균형을 맞췄다. - Equilibré mi trabajo y mi vida.

7173. 그들은 수요와 공급의 균형을 맞춘다. - Equilibran la oferta y la demanda.

7174. 당신들은 이해관계를 균형있게 맞출 것이다. - Tú equilibrarás tus intereses.

7175. 균형 잘 맞춰지고 있어? - ¿Estás equilibrando bien?

7176. 네, 잘 맞춰지고 있어. - Sí, va bien.

7177. 추론하다 - Deducir

7178. 그녀는 결론을 추론했다. - Ella dedujo la conclusión.

7179. 우리는 정보를 추론한다. - Deducimos información.

7180. 너는 결과를 추론할 것이다. - Deduce el resultado.

7181. 추론이 맞을까? - ¿Es correcta la inferencia?

7182. 가능성이 높아. - Es probable.

7183. 목격하다 - Ser testigo

7184. 나는 사건을 목격했다. - Presencié el acontecimiento.

7185. 그는 변화를 목격한다. - Es testigo de un cambio.

7186. 그녀는 역사적 순간을 목격할 것이다. - Presenciará un momento histórico.

7187. 정말 그걸 목격했어? - ¿Realmente lo presenció?

7188. 네, 내 눈으로 봤어. - Sí, lo vi con mis propios ojos.

7189. 겪다 - sufrir

7190. 우리는 어려움을 겪었다. - Pasamos por dificultades.

7191. 그들은 성장통을 겪는다. - Pasan por dolores de crecimiento.

7192. 당신들은 변화를 겪을 것이다. - Pasarán por cambios.

7193. 많이 겪었어? - ¿Pasaste por mucho?

7194. 응, 꽤 많이. - Sí, bastante.

7195. 냄새맡다 - Para oler

7196. 나는 꽃 향기를 맡았다. - Olí el aroma de las flores.

7197. 그는 바다 냄새를 맡는다. - Huele el mar.

7198. 그녀는 신선한 공기를 맡을 것이다. - Huele el aire fresco.

7199. 무슨 냄새가 나? - ¿Qué hueles tú?

7200. 꽃 향기가 나. - Huelo el aroma de las flores.

7201. 불만족하다 - Estar insatisfecho

7202. 그녀는 결과에 불만족했다. - Estaba insatisfecha con el resultado.

7203. 우리는 서비스에 불만족한다. - Estamos insatisfechos con el servicio.

7204. 당신들은 품질에 불만족할 것이다. - Estará insatisfecho con la calidad.

7205. 불만족해? - ¿Insatisfecho?

7206. 네, 기대에 못 미쳐. - Sí, no cumplió mis expectativas.

7207. 견디다 - soportar

7208. 나는 고통을 견뎠다. - Soporté el dolor.

7209. 그는 압력을 견딘다. - Soporta la presión.

7210. 그녀는 시련을 견딜 것이다. - Soportará la prueba.

7211. 견딜 수 있을까? - ¿Puedes soportarlo?

7212. 응, 견딜 수 있어. - Sí, puedo soportarlo.

7213. 81. 명사 단어들 외우기, 필수 10개 동사의 단어들을 가지고 50문장 연습하기 - 81. Memoriza palabras sustantivas, practica 50 frases con las 10 palabras verbales esenciales

7214. 어려움 - dificultad

7215. 지연 - retraso

7216. 도전 - desafío

7217. 불편함 - incomodidad

7218. 소음 - ruido

7219. 기다림 - esperar

7220. 친구 - amigo

7221. 동물 - animal

7222. 사람들 - gente

7223. 피해자 - víctima

7224. 건물 - edificio

7225. 위험 - peligro

7226. 범인 - criminal

7227. 용의자 - sospechoso

7228. 도망자 - fugitivo

7229. 사람 - persona

7230. 포로 - cautivo

7231. 증거 - pruebas

7232. 생각 - pensamiento

7233. 제약 - Restricciones

7234. 방법 - método

7235. 생활 방식 - estilo de vida

7236. 아이디어 - idea

7237. 공지 - notificación

7238. 사진 - imagen

7239. 연구 결과 - Resultados

7240. 인내하다 - perseverar

7241. 우리는 어려움을 인내했다. - Perseveramos ante las dificultades.

7242. 그들은 지연을 인내한다. - Perseveran los retrasos.

7243. 당신들은 도전을 인내할 것이다. - Perseverarás a través de los retos.

7244. 인내가 필요해? - ¿Necesito paciencia?

7245. 네, 많이 필요해. - Sí, necesito mucha.

7246. 참다 - Aguantar

7247. 그녀는 불편함을 참았다. - Ella aguantó las molestias.

7248. 우리는 소음을 참는다. - Nosotros aguantamos el ruido.

7249. 너는 기다림을 참을 것이다. - Tú aguantarás la espera.

7250. 얼마나 더 참아야 해? - ¿Cuánto más tienes que aguantar?

7251. 조금만 더 참자. - Vamos a aguantar un poco más.

7252. 구출하다 - rescatar

7253. 나는 친구를 구출했다. - Yo rescaté a mi amigo.

7254. 그는 동물을 구출한다. - Rescata animales.

7255. 그녀는 사람들을 구출할 것이다. - Rescatará personas.

7256. 구출할 수 있을까? - ¿Puede rescatar?

7257. 네, 할 수 있어. - Sí, se puede

7258. 구조하다 - rescatar

7259. 우리는 피해자를 구조했다. - Rescatamos a la víctima.

7260. 그들은 건물에서 구조한다. - Rescatan del edificio.

7261. 당신들은 위험에서 구조할 것이다. - Los rescatarán del peligro.

7262. 구조 작업 잘 되고 있어? - ¿Cómo va el rescate?

7263. 네, 잘 되고 있어. - Sí, va bien.

7264. 체포하다 - Arrestar

7265. 그녀는 범인을 체포했다. - Arrestó al criminal.

7266. 경찰은 용의자를 체포한다. - La policía arrestó al sospechoso.

7267. 보안관은 도망자를 체포할 것이다. - El sheriff arrestará al fugitivo.

7268. 체포됐어? - ¿Le arrestaron?

7269. 네, 체포됐어. - Sí, le arrestaron.

7270. 구금하다 - Detener

7271. 나는 잠시 구금됐다. - Estuve detenido durante un tiempo.

7272. 그는 현재 구금 중이다. - Actualmente está detenido.

7273. 그녀는 나중에 구금될 것이다. - Será detenida más tarde.

7274. 여전히 구금 중이야? - ¿Todavía está detenida?

7275. 네, 아직이야. - Sí, todavía.

7276. 석방하다 - liberar

7277. 우리는 억울한 사람을 석방했다. - Liberamos a la persona acusada

injustamente.

7278. 그들은 포로를 석방한다. - Liberan a los presos.

7279. 당신들은 증거 부족으로 석방될 것이다. - Serán liberados por falta de pruebas.

7280. 석방될 수 있을까? - ¿Serás liberado?

7281. 가능성이 있어. - Existe la posibilidad.

7282. 해방하다 - liberar

7283. 그녀는 스스로를 해방했다. - Ella se liberó a sí misma.

7284. 우리는 생각에서 해방한다. - Nos liberamos de pensamientos.

7285. 너는 제약에서 해방될 것이다. - Te liberarás de las limitaciones.

7286. 정말 해방감을 느껴? - ¿Realmente te sientes liberado?

7287. 네, 완전히. - Sí, completamente.

7288. 채택하다 - Adoptar

7289. 나는 새로운 방법을 채택했다. - Adopté un nuevo método.

7290. 그는 건강한 생활 방식을 채택한다. - Adopta un estilo de vida saludable.

7291. 그녀는 혁신적인 아이디어를 채택할 것이다. - Adopta una idea innovadora.

7292. 채택하기로 결정했어? - ¿Ha decidido adoptar?

7293. 네, 결정했어. - Sí, lo he decidido.

7294. 게시하다 - Publicar

7295. 우리는 공지를 게시했다. - Publicamos el anuncio.

7296. 그들은 사진을 소셜 미디어에 게시한다. - Publican fotos en las redes sociales.

7297. 당신들은 연구 결과를 게시할 것이다. - Van a publicar sus hallazgos.

7298. 이미 게시됐어? - ¿Ya está publicado?

7299. 네, 게시됐어. - Sí, ya está publicado.

7300. 82. 명사 단어들 외우기, 필수 10개 동사의 단어들을 가지고 50문장 연습하기 - 82. memorizar palabras sustantivas, practicar 50 frases con las 10 palabras verbales esenciales

7301. 정보 - información

7302. 기록 - registrar

7303. 데이터베이스 - base de datos

7304. 이메일 - correo electrónico

7305. 뉴스 - noticias

7306. 콘텐츠 - contenidos

7307. 화면 - pantalla

7308. 순간 - Momento

7309. 교통 위반 - infracción de tráfico

7310. 규칙 - norma

7311. 불법 - ilegal

7312. 자재 - material

7313. 필요한 물품 - material necesario

7314. 자금 - fondos

7315. 상품 - Mercancías

7316. 화물 - flete

7317. 물건 - cosa

7318. 자금 (운용) - Fondos (operación)

7319. 계획 (운용) - Planificación (operación)

7320. 사업 - negocio

7321. 집 - casa

7322. 차 - coche

7323. 회사 - empresa

7324. 주식 - stock

7325. 지식 - conocimiento

7326. 기술 - tecnología

7327. 경험 - experiencia

7328. 정보 (얻다) - información (obtener)

7329. 지식 (얻다) - conocimiento (obtener)

7330. 조회하다 - buscar

7331. 그녀는 정보를 조회했다. - Ella buscó la información.

7332. 우리는 기록을 조회한다. - Buscamos los registros.

7333. 너는 데이터베이스를 조회할 것이다. - Consultará la base de datos.

7334. 조회 결과는 어때? - ¿Cómo resultó la búsqueda?

7335. 찾고 있던 정보가 나왔어. - Conseguí la información que buscaba.

7336. 필터링하다 - Filtrar

7337. 나는 이메일을 필터링했다. - Filtré los correos electrónicos.

7338. 그는 뉴스를 필터링한다. - Filtrará las noticias.

7339. 그녀는 콘텐츠를 필터링할 것이다. - Filtrará el contenido.

7340. 필터링 효과적이야? - ¿Es eficaz el filtrado?

7341. 네, 매우 효과적이야. - Sí, es muy eficaz.

7342. 캡처하다 - Capturar

7343. 나는 화면을 캡처했다. - Capturé la pantalla.

7344. 너는 순간을 캡처한다. - Capturará un momento.

7345. 그는 정보를 캡처할 것이다. - Capturará información.

7346. 사진 잘 나왔어? - ¿Capturaste una buena foto?

7347. 네, 완벽해요. - Sí, es perfecta.

7348. 단속하다 - tomar medidas enérgicas

7349. 그녀는 교통 위반을 단속했다. - Ella tomó medidas enérgicas contra las infracciones de tráfico.

7350. 우리는 규칙을 단속한다. - Hacemos cumplir las normas.

7351. 당신들은 불법을 단속할 것이다. - Se toman medidas enérgicas contra lo ilegal.

7352. 규칙 지켰어? - ¿Seguiste las normas?

7353. 네, 항상 지켜요. - Sí, siempre las sigo.

7354. 조달하다 - procurar

7355. 그들은 자재를 조달했다. - Se procuraron los materiales.

7356. 나는 필요한 물품을 조달한다. - Conseguiré los suministros necesarios.

7357. 너는 자금을 조달할 것이다. - Tú conseguirás los fondos.

7358. 자재 다 구했어? - ¿Conseguiste todos los materiales?

7359. 아직 몇 개 더 필요해. - Aún necesito algunos más.

7360. 운송하다 - transportar

7361. 그녀는 상품을 운송했다. - Ella transportó la mercancía.

7362. 우리는 화물을 운송한다. - Nosotros transportamos la mercancía.

7363. 당신들은 물건을 운송할 것이다. - Tú transportarás la mercancía.

7364. 화물 도착했어? - ¿Llegó la carga?

7365. 네, 방금 도착했어요. - Sí, acaba de llegar.

7366. 운용하다 - gestionar

7367. 나는 자금을 운용했다. - Yo gestioné los fondos.

7368. 너는 계획을 운용한다. - Operará el plan.

7369. 그는 사업을 운용할 것이다. - Operará el negocio.

7370. 계획 잘 되가? - ¿Cómo va el plan?

7371. 네, 순조로워요. - Sí, va bien.

7372. 소유하다 - Poseer

7373. 그들은 집을 소유했다. - Eran dueños de la casa.

7374. 나는 차를 소유한다. - Yo poseo un coche.

7375. 너는 회사를 소유할 것이다. - Serás dueño de una empresa.

7376. 새 차 샀어? - ¿Te has comprado un coche nuevo?

7377. 아니요, 아직이에요. - No, todavía no.

7378. 보유하다 - Mantener

7379. 그녀는 주식을 보유했다. - Ella retuvo las acciones.

7380. 우리는 지식을 보유한다. - Retenemos conocimientos.

7381. 당신들은 기술을 보유할 것이다. - Tendrás habilidades.

7382. 주식 많이 가졌어? - ¿Tienes muchas existencias?

7383. 조금씩 모으고 있어요. - Las voy acumulando poco a poco.

7384. 얻다 - ganar

7385. 나는 경험을 얻었다. - Gané experiencia.

7386. 너는 정보를 얻는다. - Obtendrá información.

7387. 그는 지식을 얻을 것이다. - Adquirirá conocimientos.

7388. 정보 찾았어? - ¿Encontraste la información?

7389. 네, 찾았어요. - Sí, la encontré.

7390. 83. 명사 단어들 외우기, 필수 10개 동사의 단어들을 가지고 50문장 연습하기 - 83. memorizar palabras sustantivas, practicar 50 frases con las 10 palabras verbales esenciales

7391. 자격증 - certificado

7392. 승인 - aprobación

7393. 인증 - certificación

7394. 신뢰 - confianza

7395. 기회 - oportunidad

7396. 접근 - Acceso

7397. 능력 - capacidad

7398. 재능 - talento

7399. 창의력 - creatividad

7400. 품질 - calidad

7401. 관심 - interés

7402. 성능 - Rendimiento

7403. 서울 - seúl

7404. 지역 - región

7405. 국가 - nación

7406. 버스 - autobús

7407. 인터넷 - Internet

7408. 서비스 - servicio

7409. 채무 - obligación financiera

7410. 문제 - problema

7411. 우려 - preocupación

7412. 아이디어 - idea

7413. 계획 - plan

7414. 가치 - valor

7415. 사고 - accidente

7416. 변화 - cambio

7417. 현상 - fenómeno

7418. 회의 - reunión

7419. 이벤트 - acontecimiento

7420. 획득하다 - ganar

7421. 그들은 자격증을 획득했다. - Ganaron una certificación.

7422. 나는 승인을 획득한다. - Obtendrán una autorización.

7423. 너는 인증을 획득할 것이다. - Obtendrán la certificación.

7424. 자격증 시험 봤어? - ¿Hizo el examen de certificación?

7425. 네, 합격했어요. - Sí, aprobé.

7426. 상실하다 - perder

7427. 그녀는 신뢰를 상실했다. - Perdió la confianza.

7428. 우리는 기회를 상실한다. - Perder la oportunidad.

7429. 당신들은 접근을 상실할 것이다. - Perderá el acceso.

7430. 기회 놓쳤어? - ¿Perdiste la oportunidad?

7431. 아니요, 아직 있어요. - No, aún la tienes.

7432. 발휘하다 - ejercer

7433. 나는 능력을 발휘했다. - Ejercí mi habilidad.

7434. 너는 재능을 발휘한다. - Usted demuestra talento.

7435. 그는 창의력을 발휘할 것이다. - Ejercerá su creatividad.

7436. 잘 할 수 있겠어? - ¿Estás seguro de que puedes hacerlo?

7437. 네, 자신 있어요. - Sí, estoy seguro.

7438. 저하하다 - Degradar

7439. 그들은 품질을 저하시켰다. - Degradaron la calidad.

7440. 나는 관심을 저하시킨다. - Degrado el interés.

7441. 너는 성능을 저하시킬 것이다. - Degradarás el rendimiento.

7442. 성능 나빠졌어? - ¿Degradaste el rendimiento?

7443. 아니요, 괜찮아요. - No, estoy bien.

7444. 교통하다 - al tráfico

7445. 그녀는 자주 서울을 교통했다. - Viajaba a menudo a Seúl.

7446. 우리는 지역 간을 교통한다. - Viajamos entre regiones.

7447. 당신들은 국가를 교통할 것이다. - Viajará entre países.

7448. 출퇴근 괜찮아? - ¿Viaja bien?

7449. 네, 문제 없어요. - Sí, sin problemas.

7450. 이용하다 - usar

7451. 나는 버스를 이용했다. - Utilicé el autobús.

7452. 너는 인터넷을 이용한다. - Utilizará Internet.

7453. 그는 서비스를 이용할 것이다. - Utilizará el servicio.

7454. 인터넷 빨라? - ¿Es rápido Internet?

7455. 네, 아주 빨라요. - Sí, es muy rápido.

7456. 소멸하다 - extinguir

7457. 그들은 채무를 소멸시켰다. - Extinguieron la deuda.

7458. 나는 문제를 소멸시킨다. - Disiparé el problema.

7459. 너는 우려를 소멸시킬 것이다. - Extinguirás la preocupación.

7460. 문제 해결됐어? - ¿Problema resuelto?

7461. 네, 다 해결됐어요. - Sí, todo está resuelto.

7462. 생성하다 - generar

7463. 그녀는 아이디어를 생성했다. - Ella generó una idea.

7464. 우리는 계획을 생성한다. - Nosotros generamos planes.

7465. 당신들은 가치를 생성할 것이다. - Ustedes generarán valor.

7466. 계획 세웠어? - ¿Tienes un plan?

7467. 네, 다 준비됐어요. - Sí, está todo listo.

7468. 발생하다 - Provocar

7469. 나는 사고를 발생시켰다. - Yo generé un incidente.

7470. 너는 변화를 발생시킨다. - Usted generará un cambio.

7471. 그는 현상을 발생시킬 것이다. - Causará un fenómeno.

7472. 문제 있었어? - ¿Tuviste algún problema?

7473. 아니요, 괜찮아요. - No, estoy bien.

7474. 나타나다 - Aparecer

7475. 그들은 갑자기 나타났다. - Aparecieron de la nada.

7476. 나는 회의에 나타난다. - Aparezco en la reunión.

7477. 너는 이벤트에 나타날 것이다. - Aparecerás en la reunión.

7478. 회의에 갈 거야? - ¿Vas a ir a la reunión?

7479. 네, 갈게요. - Sí, iré.

7480. 84. 명사 단어들 외우기, 필수 10개 동사의 단어들을 가지고 50문장 연습하기 - 84. memorizar palabras sustantivas, practicar 50 frases con las 10 palabras verbales esenciales

7481. 무대 - escenario

7482. 공원 - parque

7483. 화면 - pantalla

7484. 생각 - pensamiento

7485. 계획 - plan

7486. 방향 - dirección

7487. 의사소통 - Comunicación

7488. 동전 - moneda

7489. 쓰레기 - basura

7490. 아이디어 - idea

7491. 책 - libro

7492. 우산 - paraguas

7493. 지도 - mapa

7494. 감정 - emoción

7495. 열정 - Pasión

7496. 옷 - ropa

7497. 벽 - pared

7498. 캔버스 - lienzo

7499. 종이 - papel

7500. 나무 - árbol

7501. 친구 - amigo

7502. 제안 - propuesta

7503. 정책 - Política

7504. 스프 - sopa

7505. 음료 - bebida

7506. 소스 - salsa

7507. 사라지다 - desaparecer

7508. 그녀는 무대에서 사라졌다. - Desapareció del escenario.

7509. 우리는 공원에서 사라진다. - Desaparecemos en el parque.

7510. 당신들은 화면에서 사라질 것이다. - Desaparecerás de la pantalla.

7511. 걱정 끝났어? - ¿Has terminado de preocuparte?

7512. 네, 사라졌어요. - Sí, ha desaparecido.

7513. 변하다 - cambiar

7514. 나는 생각이 변했다. - He cambiado de idea.

7515. 너는 계획을 변화시킨다. - Cambia de planes.

7516. 그는 방향을 변할 것이다. - Cambiará de dirección.

7517. 의견 달라졌어? - ¿Ha cambiado de opinión?

7518. 네, 바뀌었어요. - Sí, ha cambiado.

7519. 의사소통하다 - Comunicar

7520. 그들은 효과적으로 의사소통했다. - Se comunicaron eficazmente.

7521. 나는 명확하게 의사소통한다. - Yo comunico con claridad.

7522. 너는 직접 의사소통할 것이다. - Se comunicarán directamente.

7523. 말 잘 통해? - ¿A través de palabras?

7524. 네, 잘 통해요. - Sí, a través de palabras.

7525. 줍다 - recoger

7526. 그녀는 동전을 줍었다. - Ella recogió las monedas.

7527. 우리는 쓰레기를 줍는다. - Nosotros recogemos la basura.

7528. 당신들은 아이디어를 줍을 것이다. - Tú recogerás ideas.

7529. 도와줄까? - ¿Quieres que te ayude?

7530. 네, 고마워요. - Sí, gracias.

7531. 펴다 - abrir

7532. 나는 책을 펴었다. - Abrí el libro.

7533. 너는 우산을 편다. - Tú abre el paraguas.

7534. 그는 지도를 펼 것이다. - Él desplegará el mapa.

7535. 책 재밌어? - ¿Es interesante el libro?

7536. 네, 흥미로워요. - Sí, es interesante.

7537. 넘치다 - a rebosar

7538. 그들은 감정이 넘쳤다. - Estaban rebosantes de emoción.

7539. 나는 열정이 넘친다. - Estoy lleno de entusiasmo.

7540. 너는 아이디어로 넘칠 것이다. - Estarás rebosante de ideas.

7541. 행복해? - ¿Estás contenta?

7542. 네, 넘쳐나요. - Sí, estoy rebosante.

7543. 물들다 - colorear

7544. 그녀는 옷을 물들였다. - Ella coloreó su ropa.

7545. 우리는 벽을 물들인다. - Nosotros coloreamos las paredes.

7546. 당신들은 캔버스를 물들일 것이다. - Tú colorearás el lienzo.

7547. 색상 결정했어? - ¿Has decidido un color?

7548. 네, 정했어요. - Sí, lo he decidido.

7549. 태우다 - quemar

7550. 나는 종이를 태웠다. - He quemado el papel.

7551. 너는 나무를 태운다. - Quemará la madera.

7552. 그는 쓰레기를 태울 것이다. - Quemará la basura.

7553. 추워? - ¿Está fría?

7554. 아니, 따뜻해요. - No, está caliente.

7555. 지지하다 - Apoyar

7556. 나는 친구를 지지했다. - Yo apoyé a mi amigo.

7557. 너는 제안을 지지한다. - Apoya la propuesta.

7558. 그는 정책을 지지할 것이다. - Apoyará la política.

7559. 지지 받아? - ¿Apoya?

7560. 네, 받아. - Sí, la apoyo.

7561. 젓다 - Remover

7562. 그녀는 스프를 저었다. - Ella revuelve la sopa.

7563. 우리는 음료를 젓는다. - Nosotros removemos la bebida.

7564. 당신들은 소스를 저을 것이다. - Ustedes van a revolver la salsa.

7565. 잘 섞였어? - ¿Está bien mezclada?

7566. 네, 섞였어. - Sí, está mezclada.

7567. 85. 명사 단어들 외우기, 필수 10개 동사의 단어들을 가지고 50문장 연습하기 - 85. memorizar palabras sustantivas, practicar 50 frases con las 10 palabras verbales esenciales

7568. 물 - agua

7569. 팬 - Sartén

7570. 수프 - Sopa

7571. 상자 - Caja

7572. 창문 - ventana

7573. 미래 - futuro

7574. 아이디어 - idea

7575. 계획 - plan

7576. 해결책 - solución

7577. 스케줄 - planificar

7578. 로드맵 - hoja de ruta

7579. 자금 - fondos

7580. 자리 - sede

7581. 기회 - oportunidad

7582. 용기 - valor

7583. 장비 - equipo

7584. 자격 - calificación

7585. 실험실 - laboratorio

7586. 컴퓨터 - ordenador

7587. 연구소 - laboratorio

7588. 선물 - regalo

7589. 정보 - información

7590. 소식 - noticias

7591. 메시지 - mensaje

7592. 경고 - advertencia

7593. 차 - coche

7594. 배 - barco

7595. 화물 - carga

7596. 트럭 - camión

7597. 상품 - Mercancías

7598. 가열하다 - calentar

7599. 그는 물을 가열했다. - Calentó el agua

7600. 나는 팬을 가열한다. - Caliento la sartén.

7601. 너는 수프를 가열할 것이다. - Tú calentarás la sopa.

7602. 뜨거워? - ¿Está caliente?

7603. 네, 뜨거워. - Sí, está caliente.

7604. 들여다보다 - Mirar dentro

7605. 그들은 상자 안을 들여다보았다. - Miraron dentro de la caja.

7606. 나는 창문으로 들여다본다. - Yo miro por la ventana.

7607. 너는 미래를 들여다볼 것이다. - Mirarás en el futuro.

7608. 뭐 보여? - ¿Qué ves?

7609. 네, 보여. - Sí, veo.

7610. 떠올리다 - Idear

7611. 그녀는 아이디어를 떠올렸다. - Se le ocurrió una idea.

7612. 우리는 계획을 떠올린다. - Se nos ocurre un plan.

7613. 당신들은 해결책을 떠올릴 것이다. - A ustedes se les ocurrirá una solución.

7614. 기억나? - ¿Te acuerdas?

7615. 네, 나와. - Sí, yo.

7616. 짜다 - organizar

7617. 나는 스케줄을 짰다. - Yo organicé el plan.

7618. 너는 계획을 짠다. - Organizará un plan.

7619. 그는 로드맵을 짤 것이다. - Organizará la hoja de ruta.

7620. 준비됐어? - ¿Estás preparado?

7621. 네, 됐어. - Sí, estoy preparado.

7622. 마련하다 - organizar

7623. 그들은 자금을 마련했다. - Ellos organizaron los fondos.

7624. 나는 자리를 마련한다. - Yo organizaré un asiento.

7625. 너는 기회를 마련할 것이다. - Tú arreglarás la oportunidad.

7626. 다 됐어? - ¿Terminamos?

7627. 네, 됐어. - Sí, está listo.

7628. 갖추다 - equipar

7629. 그녀는 용기를 갖췄다. - Ella está equipada con coraje.

7630. 우리는 장비를 갖춘다. - Estamos equipados.

7631. 당신들은 자격을 갖출 것이다. - Estará equipada.

7632. 준비됐어? - ¿Estás preparado?

7633. 네, 됐어. - Sí, estoy preparada.

7634. 장비하다 - equipar

7635. 나는 실험실을 장비했다. - Equipé el laboratorio.

7636. 너는 컴퓨터를 장비한다. - Equipará el ordenador.

7637. 그는 연구소를 장비할 것이다. - Equipará el laboratorio.

7638. 필요한 거 있어? - ¿Necesitas algo?

7639. 아니, 없어. - No, no necesito nada.

7640. 갖다 - Traer

7641. 그들은 선물을 갖다 주었다. - Trajeron regalos.

7642. 나는 정보를 갖다 준다. - Yo traigo información.

7643. 너는 소식을 갖다 줄 것이다. - Tú traerás las noticias.

7644. 도착했어? - ¿Habéis llegado?

7645. 네, 도착했어. - Sí, hemos llegado.

7646. 전하다 - entregar

7647. 그녀는 소식을 전했다. - Ella entregó la noticia.

7648. 우리는 메시지를 전한다. - Nosotros entregamos el mensaje.

7649. 당신들은 경고를 전할 것이다. - Usted entregará el aviso.

7650. 알려줄까? - ¿Le informo?

7651. 네, 알려줘. - Sí, avísame.

7652. 싣다 - Cargar

7653. 나는 차에 짐을 실었다. - Cargué el coche.

7654. 너는 배에 화물을 싣는다. - Usted carga la mercancía en un barco.

7655. 그는 트럭에 상품을 실을 것이다. - Cargará el camión con mercancías.

7656. 무거워? - ¿Es pesado?

7657. 아니, 괜찮아. - No, está bien.

7658. 86. 명사 단어들 외우기, 필수 10개 동사의 단어들을 가지고 50문장 연습하기 - 86. Memoriza palabras sustantivas, practica 50 frases con las 10 palabras verbales esenciales

7659. 신제품 - nuevo producto

7660. 제안 - propuesta

7661. 보고서 - informe

7662. 앞줄 - primera fila

7663. 중앙 - centro

7664. 위치 - ubicación

7665. 결과 - resultado

7666. 휴가 - vacaciones

7667. 성공 - éxito

7668. 포스터 - cartel

7669. 사진 - foto

7670. 장식 - decoración

7671. 목도리 - silenciador

7672. 리본 - cinta

7673. 배지 - insignia

7674. 오해 - malentendido

7675. 상황 - situación

7676. 문제 - problema

7677. 이웃 - vecino

7678. 친구 - amigo

7679. 동료 - colega

7680. 이벤트 - acontecimiento

7681. 프로젝트 - proyecto

7682. 캠페인 - campaña

7683. 제품 - producto

7684. 서비스 - servicio

7685. 앱 - aplicación

7686. 선반 - estantería

7687. 문 - puerta

7688. 카메라 - cámara

7689. 내다 - salir

7690. 그들은 신제품을 내놓았다. - Se les ocurre un nuevo producto.

7691. 나는 제안을 낸다. - Yo saco una propuesta.

7692. 너는 보고서를 내놓을 것이다. - Usted vendrá con un informe.

7693. 성공할까? - ¿Funcionará?

7694. 네, 할 거야. - Sí, funcionará.

7695. 위치하다 - Posicionarse

7696. 그녀는 앞줄에 위치했다. - Se colocó en primera fila.

7697. 우리는 중앙에 위치한다. - Nosotros estamos en el centro.

7698. 당신들은 최적의 위치에 위치할 것이다. - Usted estará en la mejor posición.

7699. 찾았어? - ¿Lo encontraste?

7700. 네, 찾았어. - Sí, lo encontré.

7701. 기대다 - Esperar

7702. 나는 결과를 기대했다. - Esperaba un resultado.

7703. 너는 휴가를 기대한다. - Espera unas vacaciones.

7704. 그는 성공을 기대할 것이다. - Esperará un éxito.

7705. 기뻐? - ¿Se alegra?

7706. 네, 기뻐. - Sí, estoy contento.

7707. 매달다 - Colgar

7708. 그들은 포스터를 매달았다. - Colgaron el cartel.

7709. 나는 사진을 매달린다. - Yo cuelgo un cuadro.

7710. 너는 장식을 매달 것이다. - Colgarás los adornos.

7711. 예쁘게 됐어? - ¿Ha quedado bonito?

7712. 네, 됐어. - Sí, ya está hecho.

7713. 매다 - Colgar

7714. 그녀는 목도리를 맸다. - Ella colgó el chal.

7715. 우리는 리본을 맨다. - Nosotros llevaremos cintas.

7716. 당신들은 배지를 맬 것이다. - Vosotros llevaréis insignias.

7717. 추워? - ¿Tienes frío?

7718. 아니, 괜찮아. - No, estoy bien.

7719. 해명하다 - Aclarar.

7720. 나는 오해를 해명했다. - Aclare un malentendido.

7721. 너는 상황을 해명한다. - Explique la situación.

7722. 그는 문제를 해명할 것이다. - Él aclarará el problema.

7723. 이해됐어? - ¿Lo ha entendido?

7724. 네, 됐어. - Sí, comprendo.

7725. 도와주다 - Ayudar

7726. 그들은 이웃을 도와주었다. - Ellos ayudaron a su vecino.

7727. 나는 친구를 도와준다. - Yo ayudo a mi amigo.

7728. 너는 동료를 도와줄 것이다. - Tú ayudarás a tus compañeros de trabajo.

7729. 필요해? - ¿Lo necesitas?

7730. 아니, 괜찮아. - No, gracias.

7731. 홍보하다 - promocionar

7732. 그녀는 이벤트를 홍보했다. - Ella promocionó el evento.

7733. 우리는 프로젝트를 홍보한다. - Nosotros promovemos el proyecto.

7734. 당신들은 캠페인을 홍보할 것이다. - Ustedes promocionarán la campaña.

7735. 봤어? - ¿Viste eso?

7736. 네, 봤어. - Sí, lo he visto.

7737. 광고하다 - publicitar

7738. 나는 제품을 광고했다. - Yo anuncié un producto.

7739. 너는 서비스를 광고한다. - Anunciará un servicio.

7740. 그는 앱을 광고할 것이다. - Anunciará una aplicación.

7741. 효과 있어? - ¿Funciona?

7742. 네, 있어. - Sí, funciona.

7743. 고정하다 - Para arreglar

7744. 그들은 선반을 고정했다. - Arreglaron los estantes.

7745. 나는 문을 고정한다. - Yo arreglo la puerta.

7746. 너는 카메라를 고정할 것이다. - Tú fijas la cámara.

7747. 단단해? - ¿Es sólida?

7748. 네, 단단해. - Sí, es sólida.

7749. 87. 명사 단어들 외우기, 필수 10개 동사의 단어들을 가지고 50문장 연습하기 - 87. memorizar palabras sustantivas, practicar 50 frases con las palabras de los 10 verbos esenciales

7750. 문 - puerta

7751. 창문 - ventana

7752. 자전거 - bicicleta

7753. 컴퓨터 - ordenador

7754. 음료 - bebida

7755. 시스템 - sistema

7756. 기계 - máquina

7757. 부품 - pieza

7758. 장난감 - juguete

7759. 종이 - papel

7760. 플라스틱 - plástico

7761. 금속 - metal

7762. 엔진 - motor

7763. 장치 - Dispositivo

7764. 상품 - Mercancías

7765. 편지 - carta

7766. 상 - premio

7767. 영화 - película

7768. 제품 - producto

7769. 서비스 - servicio

7770. 집 - casa

7771. 차 - coche

7772. 휴대폰 - móvil

7773. 책 - libro

7774. 의류 - ropa

7775. 예술작품 - obra de arte

7776. 잠그다 - cerrar

7777. 그녀는 문을 잠갔다. - Ella cerró la puerta.

7778. 우리는 창문을 잠근다. - Cerramos con llave las ventanas.

7779. 당신들은 자전거를 잠글 것이다. - Tú cerrarás con llave tu bicicleta.

7780. 안전해? - ¿Es seguro?

7781. 네, 안전해. - Sí, es seguro.

7782. 냉각하다 - enfriar

7783. 나는 컴퓨터를 냉각했다. - He enfriado el ordenador.

7784. 너는 음료를 냉각한다. - Enfriarás la bebida.

7785. 그는 시스템을 냉각할 것이다. - Enfriará el sistema.

7786. 충분해? - ¿Es suficiente?

7787. 네, 충분해. - Sí, es suficiente.

7788. 재조립하다 - Para volver a montar

7789. 그들은 기계를 재조립했다. - Ellos reensamblaron la máquina.

7790. 나는 부품을 재조립한다. - Yo reensamblo las piezas.

7791. 너는 장난감을 재조립할 것이다. - Tú reensamblarás el juguete.

7792. 어려워? - ¿Es difícil?

7793. 아니, 쉬워. - No, es fácil.

7794. 재활용하다 - Reciclar

7795. 그녀는 종이를 재활용했다. - Ella recicló el papel.

7796. 우리는 플라스틱을 재활용한다. - Nosotros reciclamos el plástico.

7797. 당신들은 금속을 재활용할 것이다. - Vosotros vais a reciclar metal.

7798. 좋은 생각이야? - ¿Es una buena idea?

7799. 네, 좋아. - Sí, es una buena idea.

7800. 구동하다 - conducir

7801. 나는 기계를 구동했다. - Yo conduje la máquina.

7802. 너는 시스템을 구동한다. - Tú conduces el sistema.

7803. 그는 엔진을 구동할 것이다. - Él conducirá el motor.

7804. 작동 돼? - ¿Funciona?

7805. 네, 작동돼. - Sí, funciona.

7806. 부팅하다 - arrancar

7807. 그녀는 컴퓨터를 부팅했다. - Ella arrancó el ordenador.

7808. 우리는 시스템을 부팅한다. - Arrancamos el sistema.

7809. 당신들은 장치를 부팅할 것이다. - Ustedes van a arrancar el aparato.

7810. 켜졌어? - ¿Está encendido?

7811. 네, 켜졌어. - Sí, está encendido.

7812. 수령하다 - recibir

7813. 나는 상품을 수령했다. - Recibí la mercancía.

7814. 너는 편지를 수령한다. - Recibirá la carta.

7815. 그는 상을 수령할 것이다. - Recogerá el premio.

7816. 도착했어? - ¿Llegó?

7817. 네, 도착했어. - Sí, llegó.

7818. 리뷰하다 - revisar

7819. 그들은 영화를 리뷰했다. - Revisaron la película.

7820. 나는 제품을 리뷰한다. - Yo reviso un producto.

7821. 너는 서비스를 리뷰할 것이다. - Tú reseñarás un servicio.

7822. 좋았어? - ¿Estuvo bien?

7823. 네, 좋았어. - Sí, estuvo bien.

7824. 구매하다 - Comprar

7825. 그녀는 집을 구매했다. - Ella compró una casa.

7826. 우리는 차를 구매한다. - Nosotros vamos a comprar un coche.

7827. 당신들은 휴대폰을 구매할 것이다. - Vosotros vais a comprar un móvil.

7828. 필요해? - ¿Lo necesitas?

7829. 네, 필요해. - Sí, lo necesito.

7830. 판매하다 - Vender

7831. 나는 책을 판매했다. - Yo vendí un libro.

7832. 너는 의류를 판매한다. - Usted vende ropa.

7833. 그는 예술작품을 판매할 것이다. - Venderá obras de arte.

7834. 잘 팔려? - ¿Se venden bien?

7835. 네, 잘 팔려. - Sí, se está vendiendo bien.

7836. 88. 명사 단어들 외우기, 필수 10개 동사의 단어들을 가지고 50문장 연습하기 - 88. Memoriza las palabras sustantivas, practica 50 frases con las 10 palabras verbales esenciales

7837. 물건 - cosa

7838. 옷 - ropa

7839. 기기 - aparato

7840. 티켓 - billete

7841. 비용 - gasto

7842. 등록금 - matrícula

7843. 자전거 - bicicleta

7844. 책 - libro

7845. 카메라 - cámara

7846. 도서 - libros

7847. 장비 - equipo

7848. 노트북 - ordenador portátil

7849. 계좌 - cuenta

7850. 전화선 - línea telefónica

7851. 인터넷 - Internet

7852. 계정 - cuenta

7853. 상점 - tienda

7854. 공장 - fábrica

7855. 파일 - archivo

7856. 시계 - reloj

7857. 시스템 - sistema

7858. 문제 - problema

7859. 아이디어 - idea

7860. 방법 - método

7861. 문서 - documento

7862. 규정 - Regla

7863. 자료 - datos

7864. 사진 - imagen

7865. 보고서 - informe

7866. 반환하다 - Devolver

7867. 그들은 물건을 반환했다. - Devuelven la mercancía.

7868. 나는 옷을 반환한다. - Devuelvo la ropa.

7869. 너는 기기를 반환할 것이다. - Devolverás el aparato.

7870. 가능해? - ¿Es posible?

7871. 네, 가능해. - Sí, es posible.

7872. 환불하다 - Devolver

7873. 그녀는 티켓을 환불받았다. - Le devolvieron el billete.

7874. 우리는 비용을 환불받는다. - Nos devuelven el dinero.

7875. 당신들은 등록금을 환불받을 것이다. - Le devolverán el dinero de la matrícula.

7876. 받을 수 있어? - ¿Puedes conseguirlo?

7877. 네, 받을 수 있어. - Sí, puedes conseguirlo.

7878. 대여하다 - alquilar

7879. 나는 자전거를 대여했다. - Alquilé una bicicleta.

7880. 너는 책을 대여한다. - Usted alquila un libro.

7881. 그는 카메라를 대여할 것이다. - Alquilará una cámara.

7882. 빌릴까? - ¿Me la prestas?

7883. 네, 빌려. - Sí, prestar.

7884. 반납하다 - Devolver

7885. 그들은 도서를 반납했다. - Devuelven el libro.

7886. 나는 장비를 반납한다. - Devuelvo el equipo.

7887. 너는 노트북을 반납할 것이다. - Devolverás el portátil.

7888. 시간 됐어? - ¿Es la hora?

7889. 네, 됐어. - Sí, estoy listo.

7890. 개통하다 - abrir

7891. 그녀는 계좌를 개통했다. - Ella abrió una cuenta.

7892. 우리는 전화선을 개통한다. - Abriremos la línea telefónica.

7893. 당신들은 인터넷을 개통할 것이다. - Ustedes van a abrir el internet.

7894. 준비됐어? - ¿Estáis listos?

7895. 네, 준비됐어. - Sí, estoy listo.

7896. 폐쇄하다 - Para cerrar

7897. 나는 계정을 폐쇄했다. - Cerré mi cuenta.

7898. 너는 상점을 폐쇄한다. - Va a cerrar la tienda.

7899. 그는 공장을 폐쇄할 것이다. - Cerrará la fábrica.

7900. 닫혔어? - ¿Está cerrada?

7901. 네, 닫혔어. - Sí, está cerrada.

7902. 동기화하다 - Sincronizar

7903. 그녀는 파일을 동기화했다. - Sincronizó sus archivos.

7904. 우리는 시계를 동기화한다. - Sincronizamos nuestros relojes.

7905. 당신들은 시스템을 동기화할 것이다. - Ustedes van a sincronizar sus sistemas.

7906. 맞춰졌어? - ¿Está sincronizado?

7907. 네, 맞춰졌어. - Sí, está sincronizado.

7908. 예시하다 - ejemplificar

7909. 나는 문제를 예시했다. - Yo ejemplifiqué un problema.

7910. 너는 아이디어를 예시한다. - Usted ejemplifique una idea.

7911. 그는 방법을 예시할 것이다. - Él ejemplificará un método.

7912. 이해됐어? - ¿Tiene sentido?

7913. 네, 이해됐어. - Sí, lo entiendo.

7914. 참조하다 - Refer to

7915. 그들은 문서를 참조했다. - Se referían al documento.

7916. 나는 규정을 참조한다. - Yo me remito al reglamento.

7917. 너는 자료를 참조할 것이다. - Usted se referirá a los materiales.

7918. 봤어? - ¿Lo ha visto?

7919. 네, 봤어. - Sí, lo vi.

7920. 첨부하다 - Adjuntar

7921. 그녀는 사진을 첨부했다. - Adjuntó una foto.

7922. 우리는 파일을 첨부한다. - Adjuntamos el archivo.

7923. 당신들은 보고서를 첨부할 것이다. - Adjuntamos el informe.

7924. 붙었어? - ¿Lo has adjuntado?

7925. 네, 붙었어. - Sí, lo he adjuntado.

7926. 89. 명사 단어들 외우기, 필수 10개 동사의 단어들을 가지고 50문장 연습하기 - 89. Memorizar palabras sustantivas, practicar 50 frases con las 10 palabras verbales esenciales

7927. 소프트웨어 - software

7928. 기능 - función

7929. 제품 - producto

7930. 코드 - código

7931. 시스템 - sistema

7932. 애플리케이션 - aplicación

7933. 은행 - banco

7934. 자금 - fondos

7935. 주택 대출 - préstamo hipotecario

7936. 빚 - deuda

7937. 대출 - préstamo

7938. 융자 - préstamo

7939. 돈 - dinero

7940. 금액 - importe

7941. 재산 - propiedad

7942. 주식 - acciones

7943. 사업 - negocio

7944. 부동산 - bienes inmuebles

7945. 친구 - amigo

7946. 가족 - familia

7947. 회사 - empresa

7948. 계좌 - cuenta

7949. 자동화기기 - equipo de automatización

7950. 급여 - salario

7951. 테스트하다 - probar

7952. 나는 소프트웨어를 테스트했다. - Pruebe el software.

7953. 너는 기능을 테스트한다. - Usted prueba la funcionalidad.

7954. 그는 제품을 테스트할 것이다. - Él probará el producto.

7955. 잘 돼? - ¿Va bien?

7956. 네, 잘 돼. - Sí, va bien.

7957. 디버그(오류수정)하다 - to Debug (corregir errores)

7958. 그들은 코드를 디버그했다. - Ellos depuran el código.

7959. 나는 시스템을 디버그한다. - Yo depuro el sistema.

7960. 너는 애플리케이션을 디버그할 것이다. - Tú depurabas la aplicación.

7961. 고쳤어? - ¿Lo has arreglado?

7962. 네, 고쳤어. - Sí, lo arreglé.

7963. 대출하다 - pedir prestado

7964. 그녀는 은행에서 대출받았다. - Pidió un préstamo al banco.

7965. 우리는 자금을 대출받는다. - Pedimos dinero prestado.

7966. 당신들은 주택 대출을 받을 것이다. - Vais a pedir un préstamo hipotecario.

7967. 필요해? - ¿Lo necesitas?

7968. 네, 필요해. - Sí, lo necesito.

7969. 상환하다 - devolver

7970. 나는 빚을 상환했다. - He devuelto la deuda.

7971. 너는 대출을 상환한다. - Pagará el préstamo.

7972. 그는 융자를 상환할 것이다. - Pagará el préstamo.

7973. 끝났어? - ¿Está hecho?

7974. 네, 끝났어. - Sí, está hecho.

7975. 저축하다 - Ahorrar

7976. 그들은 돈을 저축했다. - Ahorraron el dinero.

7977. 나는 금액을 저축한다. - Ahorro una cantidad de dinero.

7978. 너는 재산을 저축할 것이다. - Ahorrarás una fortuna.

7979. 모았어? - ¿Ahorraste?

7980. 네, 모았어. - Sí, lo ahorré.

7981. 투자하다 - invertir

7982. 그녀는 주식에 투자했다. - Invirtió en acciones.

7983. 우리는 사업에 투자한다. - Invertimos en un negocio.

7984. 당신들은 부동산에 투자할 것이다. - Invertirás en bienes inmuebles.

7985. 이득 봤어? - ¿Has obtenido beneficios?

7986. 네, 이득 봤어. - Sí, obtuve beneficios.

7987. 송금하다 - transferir dinero

7988. 나는 친구에게 송금했다. - Envié dinero a un amigo.

7989. 너는 가족에게 송금한다. - Enviará dinero a su familia.

7990. 그는 회사에 송금할 것이다. - Enviará dinero a la empresa.

7991. 받았어? - ¿Lo recibiste?

7992. 네, 받았어. - Sí, lo recibí.

7993. 예치하다 - Depositar

7994. 그들은 돈을 예치했다. - Depositaron el dinero.

7995. 나는 계좌에 예치한다. - Hago un depósito en la cuenta.

7996. 너는 자금을 예치할 것이다. - Tú depositarás los fondos.

7997. 넣었어? - ¿Lo depositaste?

7998. 네, 넣었어. - Sí, lo deposité.

7999. 인출하다 - retirar

8000. 그녀는 은행에서 인출했다. - Retiró dinero del banco.

8001. 우리는 자동화기기에서 인출한다. - Retiramos del cajero automático.

8002. 당신들은 계좌에서 인출할 것이다. - Retirará de su cuenta.

8003. 뺐어? - ¿Lo retiró?

8004. 네, 뺐어. - Sí, retiré.

8005. 이체하다 - transferir

8006. 나는 계좌로 이체했다. - Transferí a la cuenta.

8007. 너는 돈을 이체한다. - Usted transfiere dinero.

8008. 그는 급여를 이체할 것이다. - Transferirá su sueldo.

8009. 보냈어? - ¿Lo enviaste?

8010. 네, 보냈어. - Sí, lo envié.

8011. 90. 명사 단어들 외우기, 필수 10개 동사의 단어들을 가지고 50문장 연습하기 - 90. Memorizar palabras sustantivas, practicar 50 frases con palabras de los 10 verbos esenciales

8012. 신용카드 - Tarjeta de crédito

8013. 현금 - efectivo

8014. 모바일 - móvil

8015. 주식 - stock

8016. 물건 - cosa

8017. 부동산 - inmobiliaria

8018. 팀 - equipo

8019. 회사 - empresa

8020. 학급 - clase

8021. 시장 - mercado

8022. 결정 - decisión

8023. 결과 - resultado

8024. 날씨 - tiempo

8025. 소식 - Noticias

8026. 경제 - economía

8027. 목록 - Lista

8028. 예외 - excepción

8029. 조항 - artículo

8030. 요청 - solicitar

8031. 접근 - Acceso

8032. 변경 - cambiar

8033. 토론 - debate

8034. 생각 - pensamiento

8035. 결론 - conclusión

8036. 웃음 - risa

8037. 호기심 - curiosidad

8038. 혼란 - confusión

8039. 투자 - invertir

8040. 관광객 - turista

8041. 회원 - miembro

8042. 결제하다 - pagar

8043. 그들은 신용카드로 결제했다. - Pagaron con tarjeta de crédito.

8044. 나는 현금으로 결제한다. - Pago con efectivo.

8045. 너는 모바일로 결제할 것이다. - Usted pagará con su móvil.

8046. 됐어? - ¿Está bien?

8047. 네, 됐어. - Sí, estoy bien.

8048. 거래하다 - Para comerciar

8049. 그는 주식을 거래했다. - Comerció con acciones.

8050. 우리는 물건을 거래한다. - Nosotros comerciamos cosas.

8051. 당신들은 부동산을 거래할 것이다. - Ustedes van a comerciar bienes raíces.

8052. 필요한 거 있어? - ¿Necesitas algo?

8053. 아니, 괜찮아. - No, estoy bien.

8054. 대표하다 - Representar

8055. 그녀는 팀을 대표했다. - Ella representaba al equipo.

8056. 나는 회사를 대표한다. - Yo represento a la empresa.

8057. 너는 학급을 대표할 것이다. - Tú representarás a la clase.

8058. 준비됐어? - ¿Estás preparado?

8059. 네, 준비됐어. - Sí, estoy preparado.

8060. 영향을 주다 - Influir

8061. 그들은 시장에 영향을 주었다. - Influyeron en el mercado.

8062. 나는 결정에 영향을 준다. - Yo influyo en la decisión.

8063. 너는 결과에 영향을 줄 것이다. - Tú influirás en el resultado.

8064. 변화됐어? - ¿Ha cambiado?

8065. 네, 변화됐어. - Sí, ha cambiado.

8066. 영향을 받다 - verse afectado por

8067. 나는 날씨에 영향을 받았다. - Me ha afectado el tiempo.

8068. 너는 소식에 영향을 받는다. - Le afectan las noticias.

8069. 그는 경제에 영향을 받을 것이다. - Le afectará la economía.

8070. 괜찮아? - ¿Se encuentra bien?

8071. 네, 괜찮아. - Sí, estoy bien.

8072. 제외하다 - excluir

8073. 그녀는 목록에서 제외됐다. - La excluimos de la lista.

8074. 우리는 예외를 제외한다. - Excluimos la excepción.

8075. 당신들은 조항을 제외할 것이다. - Excluiremos la cláusula.

8076. 빠진 거 있어? - ¿Me he perdido algo?

8077. 아니, 없어. - No, nada.

8078. 허용하다 - Permitir

8079. 그는 요청을 허용했다. - Permitió la solicitud.

8080. 나는 접근을 허용한다. - Permitiré el acceso.

8081. 너는 변경을 허용할 것이다. - Permitirá el cambio.

8082. 가능해? - ¿Es posible?

8083. 네, 가능해. - Sí, es posible.

8084. 유도하다 - Provocar

8085. 그들은 토론을 유도했다. - Provocaron una discusión.

8086. 나는 생각을 유도한다. - Provoco un pensamiento.

8087. 너는 결론을 유도할 것이다. - Provocarás una conclusión.

8088. 알겠어? - ¿Entiendes?

8089. 네, 알겠어. - Sí, lo entiendo.

8090. 유발하다 - Provocar

8091. 그녀는 웃음을 유발했다. - Ella provocó la risa.

8092. 우리는 호기심을 유발한다. - Nosotros provocamos curiosidad.

8093. 당신들은 혼란을 유발할 것이다. - Ustedes provocarán confusión.

8094. 웃겼어? - ¿Fue gracioso?

8095. 네, 웃겼어. - Sí, fue gracioso.

8096. 유치하다 - atraer

8097. 나는 투자를 유치했다. - Yo atraje inversiones.

8098. 너는 관광객을 유치한다. - Tú atraes turistas.

8099. 그는 회원을 유치할 것이다. - Atraerá socios.

8100. 성공했어? - ¿Tuvo éxito?

8101. 네, 성공했어. - Sí, lo he conseguido.

8102. 91. 명사 단어들 외우기, 필수 10개 동사의 단어들을 가지고 50문장 연습하기 - 91. memorizar palabras sustantivas, practicar 50 frases con las 10 palabras verbales esenciales

8103. 프로젝트 - proyecto

8104. 팀 - equipo

8105. 운동 - trabajo

8106. 결혼 생활 - matrimonio vida

8107. 과거 - pasado

8108. 문제 - problema

8109. 방문객 - visitante

8110. 길 - carretera

8111. 미래 - futuro

8112. 땅 - tierra

8113. 계획 - plan

8114. 성공 - éxito

8115. 관심 - interés

8116. 변화 - cambiar

8117. 학교 - escuela

8118. 대학 - universidad

8119. 고등학교 - instituto

8120. 경험 - experiencia

8121. 지식 - conocimiento

8122. 환경 - entorno

8123. 사회 - sociedad

8124. 줄 - línea

8125. 기회 - oportunidad

8126. 사과 - disculpa

8127. 피자 - pizza

8128. 과자 - merienda

8129. 이끌다 - liderar

8130. 그들은 프로젝트를 이끌었다. - Ellos lideraron el proyecto.

8131. 나는 팀을 이끈다. - Yo lidero el equipo.

8132. 너는 운동을 이끌 것이다. - Tú liderarás un entrenamiento.

8133. 준비됐니? - ¿Estás preparado?

8134. 네, 준비됐어. - Sí, estoy listo.

8135. 이혼하다 - Para divorciarse

8136. 그녀는 결혼 생활을 이혼했다. - Ella se divorció de su matrimonio.

8137. 나는 과거를 이혼한다. - Yo me divorcio del pasado.

8138. 너는 문제에서 이혼할 것이다. - Te divorciarás del problema.

8139. 괜찮니? - ¿Estás bien?

8140. 네, 괜찮아. - Sí, estoy bien.

8141. 인도하다 - guiar

8142. 그는 방문객을 인도했다. - Guió al visitante.

8143. 우리는 새로운 길을 인도한다. - Guiamos hacia un nuevo camino.

8144. 당신들은 미래로 인도할 것이다. - Guiarás el camino hacia el futuro.

8145. 맞는 길이야? - ¿Es este el camino correcto?

8146. 네, 맞아. - Sí, lo es.

8147. 일구다 - Trabajar

8148. 그들은 땅을 일궜다. - Trabajaron la tierra.

8149. 나는 계획을 일군다. - Construyo un plan.

8150. 너는 성공을 일굴 것이다. - Trabajarás el éxito.

8151. 진행됐어? - ¿Funcionó?

8152. 네, 진행됐어. - Sí, está sucediendo.

8153. 일으키다 - causar

8154. 그녀는 관심을 일으켰다. - Ella causó interés.

8155. 우리는 문제를 일으킨다. - Nosotros causamos problemas.

8156. 당신들은 변화를 일으킬 것이다. - Tú causarás el cambio.

8157. 뭐야 그거? - ¿Qué es eso?

8158. 중요한 거야. - Eso es importante.

8159. 입학하다 - entrar

8160. 나는 학교에 입학했다. - Entré en la universidad.

8161. 너는 대학에 입학한다. - Entrará en la universidad.

8162. 그는 고등학교에 입학할 것이다. - Entrará en el instituto.

8163. 준비됐어? - ¿Estás listo?

8164. 네, 준비됐어. - Sí, estoy listo.

8165. 자라다 - Para crecer

8166. 그들은 함께 자랐다. - Crecieron juntos.

8167. 나는 경험으로 자란다. - Yo crezco con la experiencia.

8168. 너는 지식으로 자랄 것이다. - Crecerás en conocimiento.

8169. 컸니? - ¿Creciste?

8170. 네, 컸어. - Sí, crecí.

8171. 작용하다 - actuar

8172. 그녀는 팀에 작용했다. - Ella actuó en el equipo.

8173. 우리는 환경에 작용한다. - Actuamos sobre el medio ambiente.

8174. 당신들은 사회에 작용할 것이다. - Tú actuarás sobre la sociedad.

8175. 느꼈어? - ¿Lo sentiste?

8176. 네, 느꼈어. - Sí, lo sentí.

8177. 잡아당기다 - tirar

8178. 나는 줄을 잡아당겼다. - Tiré de la cuerda.

8179. 너는 관심을 잡아당긴다. - Tira de la atención.

8180. 그는 기회를 잡아당길 것이다. - Tirará de la oportunidad.

8181. 성공했니? - ¿Tuviste éxito?

8182. 네, 성공했어. - Sí, lo he conseguido.

8183. 잡아먹다 - comer

8184. 나는 사과를 잡아먹었다. - He cogido una manzana.

8185. 너는 피자를 잡아먹는다. - Se comerá la pizza.

8186. 그는 과자를 잡아먹을 것이다. - Merendará dulces.

8187. 배고파? - ¿Tienes hambre?

8188. 네, 배고파. - Sí, tengo hambre.

8189. 92. 명사 단어들 외우기, 필수 10개 동사의 단어들을 가지고 50문장 연습하기 - 92. Memoriza las palabras sustantivas, practica 50 frases con las 10 palabras verbales esenciales

8190. 공 - pelota

8191. 기회 - oportunidad

8192. 순간 - Momento

8193. 상황 - situación

8194. 시장 - mercado

8195. 분위기 - atmósfera

8196. 카메라 - cámara

8197. 배터리 - batería

8198. 부품 - pieza

8199. 논쟁 - argumento

8200. 소음 - ruido

8201. 갈등 - conflicto

8202. 권리 - derecha

8203. 위치 - ubicación

8204. 우승 - Campeonato

8205. 집 - casa

8206. 차 - coche

8207. 자산 - activo

8208. 손 - mano

8209. 발 - pie

8210. 어깨 - hombro

8211. 약속 - promesa

8212. 계획 - plan

8213. 기계 - máquina

8214. 데이터 - datos

8215. 시스템 - sistema

8216. 도시 - ciudad

8217. 영역 - zona

8218. 지역 - región

8219. 잡아채다 - atrapar

8220. 그는 공을 잡아챘다. - Atrapó la pelota.

8221. 그녀는 기회를 잡아챈다. - Aprovechó la oportunidad.

8222. 우리는 순간을 잡아챌 것이다. - Aprovecharemos el momento.

8223. 봤어? - ¿Viste eso?

8224. 아니, 못 봤어. - No, no lo vi.

8225. 장악하다 - Tomar el control de

8226. 그녀는 상황을 장악했다. - Ella tomó el control de la situación.

8227. 우리는 시장을 장악한다. - Nosotros controlamos el mercado.

8228. 당신들은 분위기를 장악할 것이다. - Tú controlarás el ambiente.

8229. 준비됐어? - ¿Estás listo?

8230. 네, 준비됐어. - Sí, estoy listo.

8231. 장착하다 - montar

8232. 나는 카메라를 장착했다. - He montado la cámara.

8233. 너는 배터리를 장착한다. - Tú montarás la batería.

8234. 그는 부품을 장착할 것이다. - Él montará las piezas.

8235. 맞아? - ¿Es correcto?

8236. 네, 맞아. - Sí, así es.

8237. 잦아들다 - dejar de discutir

8238. 그는 논쟁이 잦아들었다. - Ha dejado de discutir.

8239. 그녀는 소음이 잦아든다. - Dejará de hacer ruido.

8240. 우리는 갈등이 잦아들 것이다. - Tendremos menos conflictos.

8241. 끝났어? - ¿Se ha acabado?

8242. 아니, 안 끝났어. - No, no se ha acabado.

8243. 쟁기다 - Arar

8244. 그녀는 권리를 쟁겼다. - Ella aró por los derechos.

8245. 우리는 위치를 쟁긴다. - Araremos por la posición.

8246. 당신들은 우승을 쟁길 것이다. - Ararás para ganar.

8247. 이겼어? - ¿Ganaste?

8248. 네, 이겼어. - Sí, gané.

8249. 저당잡히다 - Hipotecarse

8250. 나는 집이 저당잡혔다. - Hipotecé mi casa.

8251. 너는 차가 저당잡힌다. - Hipotecará su coche.

8252. 그는 자산이 저당잡힐 것이다. - Hipotecará sus bienes.

8253. 괜찮아? - ¿Está usted bien?

8254. 아니, 안 괜찮아. - No, no estoy bien.

8255. 저리다 - Tengo hormigueo.

8256. 나는 손이 저렸다. - Tengo las manos entumecidas.

8257. 너는 발이 저린다. - Tiene hormigueo en los pies.

8258. 그는 어깨가 저릴 것이다. - Tendrá un hormigueo en el hombro.

8259. 아파? - ¿Le duele?

8260. 네, 아파. - Sí, duele.

8261. 저버리다 - Renunciar

8262. 그녀는 약속을 저버렸다. - Renunció a su promesa.

8263. 우리는 계획을 저버린다. - Abandonamos nuestros planes.

8264. 당신들은 기회를 저버릴 것이다. - Desperdiciarás una oportunidad.

8265. 실망했어? - ¿Estás decepcionado?

8266. 네, 실망했어. - Sí, estoy decepcionado.

8267. 점검하다 - comprobar

8268. 그는 기계를 점검했다. - Comprueba la máquina.

8269. 그녀는 데이터를 점검한다. - Comprueba los datos.

8270. 우리는 시스템을 점검할 것이다. - Comprobaremos el sistema.

8271. 문제 있어? - ¿Hay algún problema?

8272. 아니, 문제 없어. - No, no hay ningún problema.

8273. 점령하다 - Ocupar

8274. 그들은 도시를 점령했다. - Capturaron la ciudad.

8275. 당신들은 영역을 점령한다. - Usted toma el territorio.

8276. 그는 지역을 점령할 것이다. - Él capturará el territorio.

8277. 성공했어? - ¿Tuvieron éxito?

8278. 네, 성공했어. - Sí, tuvimos éxito.

8279. 93. 명사 단어들 외우기, 필수 10개 동사의 단어들을 가지고 50문장 연습하기 - 93. Memorizar palabras sustantivas, practicar 50 frases con las 10 palabras verbales requeridas

8280. 목표 - objetivo

8281. 위치 - lugar

8282. 대상 - Objetivo

8283. 신청서 - aplicación

8284. 문의 - consulta

8285. 요청 - solicitud

8286. 고객 - cliente

8287. 팀 - equipo

8288. 파트너 - socio

8289. 산 - montaña

8290. 과제 - encargo

8291. 도전 - desafío

8292. 시스템 - sistema

8293. 상황 - situación

8294. 관계 - relación

8295. 도시 - ciudad

8296. 직장 - rectal

8297. 커뮤니티 - comunidad

8298. 계획 - plan

8299. 날짜 - fecha

8300. 의문 - pregunta

8301. 이슈 - asunto

8302. 문제 - problema

8303. 차 - coche

8304. 속도 - velocidad

8305. 진행 - progreso

8306. 반대 - el contrario

8307. 상대 - oponente

8308. 점찍다 - señalar

8309. 그녀는 목표를 점찍었다. - Señala la portería.

8310. 우리는 위치를 점찍는다. - Nosotros señalaremos el lugar.

8311. 당신들은 대상을 점찍을 것이다. - Tú señalarás el objetivo.

8312. 확실해? - ¿Estás seguro?

8313. 네, 확실해. - Sí, estoy seguro.

8314. 접수하다 - recibir

8315. 나는 신청서를 접수했다. - Recibí la solicitud.

8316. 너는 문의를 접수한다. - Recibirá la solicitud.

8317. 그는 요청을 접수할 것이다. - Recibirá la solicitud.

8318. 받았어? - ¿La recibió?

8319. 네, 받았어. - Sí, la he recibido.

8320. 접촉하다 - establecer contacto

8321. 그는 고객과 접촉했다. - Se puso en contacto con el cliente.

8322. 그녀는 팀과 접촉한다. - Se pondrá en contacto con el equipo.

8323. 우리는 파트너와 접촉할 것이다. - Se pondrá en contacto con el socio.

8324. 준비됐어? - ¿Está preparado?

8325. 네, 준비됐어. - Sí, estoy preparado.

8326. 정복하다 - conquistar

8327. 그들은 산을 정복했다. - Conquistaron la montaña.

8328. 당신들은 과제를 정복한다. - Conquista la tarea.

8329. 그는 도전을 정복할 것이다. - Conquistará el desafío.

8330. 가능해? - ¿Puede hacerlo?

8331. 네, 가능해. - Sí, es posible.

8332. 정상화하다 - normalizar

8333. 나는 시스템을 정상화했다. - Yo normalicé el sistema.

8334. 너는 상황을 정상화한다. - Normalice la situación.

8335. 그는 관계를 정상화할 것이다. - Normalizará la relación.

8336. 해결됐어? - ¿Ha funcionado?

8337. 네, 해결됐어. - Sí, se normalizó.

8338. 정착하다 - asentarse

8339. 그녀는 새 도시에 정착했다. - Se asentó en una nueva ciudad.

8340. 우리는 직장에 정착한다. - Nos asentamos en nuestros trabajos.

8341. 당신들은 커뮤니티에 정착할 것이다. - Te asentarás en la comunidad.

8342. 편해? - ¿Estás cómodo?

8343. 네, 편해. - Sí, estoy cómodo.

8344. 정하다 - asentarse

8345. 나는 목표를 정했다. - Me fijo un objetivo.

8346. 너는 계획을 정한다. - Fija un plan.

8347. 그는 날짜를 정할 것이다. - Fijará una fecha.

8348. 결정했어? - ¿Has decidido?

8349. 네, 결정했어. - Sí, lo he decidido.

8350. 제기하다 - Plantear una pregunta.

8351. 그는 의문을 제기했다. - Él plantea una cuestión.

8352. 그녀는 이슈를 제기한다. - Ella plantea una cuestión.

8353. 우리는 문제를 제기할 것이다. - Plantearemos la cuestión.

8354. 맞아? - ¿Es correcto?

8355. 네, 맞아. - Sí, así es.

8356. 제동하다 - frenar

8357. 나는 차를 제동했다. - Frené el coche.

8358. 너는 속도를 제동한다. - Frena la velocidad.

8359. 그는 진행을 제동할 것이다. - Frenará su avance.

8360. 멈췄어? - ¿Frenaste?

8361. 네, 멈췄어. - Sí, me detuve.

8362. 제압하다 - someter

8363. 그들은 반대를 제압했다. - Sometieron a la oposición.

8364. 당신들은 문제를 제압한다. - Tú sometes el problema.

8365. 그는 상대를 제압할 것이다. - Él someterá a su oponente.

8366. 이겼어? - ¿Ganaste?

8367. 네, 이겼어. - Sí, gané.

8368. 94. 명사 단어들 외우기, 필수 10개 동사의 단어들을 가지고 50문장 연습하기 - 94. Memoriza las palabras sustantivas, practica 50 frases con las 10 palabras verbales esenciales

8369. 건너갈 때 - Al cruzar

8370. 사용할 때 - Al usar

8371. 말할 때 - Al hablar

8372. 압박 - presión

8373. 긴장 - nervioso

8374. 시간 - hora

8375. 연구 - investigación

8376. 교육 - educación

8377. 상담 - consulta

8378. 실패 - fracaso

8379. 장애 - obstáculo

8380. 거부 - rechazo

8381. 프로젝트 - proyecto

8382. 회의 - reunión

8383. 혁신 - innovación

8384. 음식 - alimentos

8385. 상품 - Productos

8386. 서비스 - servicio

8387. 피곤 - cansado

8388. 슬픔 - tristeza

8389. 부담 - Carga

8390. 문 - puerta

8391. 창문 - ventana

8392. 뚜껑 - tapa

8393. 체중 - peso

8394. 관심 - interés

8395. 거리 - distancia

8396. 소음 - ruido

8397. 비용 - gasto

8398. 조심하다 - tener cuidado

8399. 나는 건너갈 때 조심했다. - Tuve cuidado al cruzar.

8400. 너는 사용할 때 조심한다. - Ten cuidado cuando lo uses.

8401. 그는 말할 때 조심할 것이다. - Tendrá cuidado cuando hable.

8402. 괜찮아? - ¿Se encuentra bien?

8403. 네, 괜찮아. - Sí, estoy bien.

8404. 조여오다 - apretar

8405. 그는 압박이 조여왔다. - Siente que la tensión aprieta.

8406. 그녀는 긴장이 조여온다. - Siente que la tensión aprieta.

8407. 우리는 시간이 조여올 것이다. - Vamos a tener un apuro de tiempo.

8408. 버틸 수 있어? - ¿Puede aguantar?

8409. 네, 버텨. - Sí, aguantar.

8410. 종사하다 - estar ocupado en

8411. 나는 연구에 종사했다. - Me dediqué a la investigación.

8412. 너는 교육에 종사한다. - Usted se dedica a la enseñanza.

8413. 그는 상담에 종사할 것이다. - Él se dedicará al asesoramiento.

8414. 좋아해? - ¿Te gusta?

8415. 네, 좋아해. - Sí, me gusta.

8416. 좌절하다 - Estar frustrado

8417. 그녀는 실패에 좌절했다. - Estaba frustrada por su fracaso.

8418. 우리는 장애에 좌절한다. - Nos frustran los obstáculos.

8419. 당신들은 거부에 좌절할 것이다. - Te frustrará el rechazo.

8420. 힘들어? - ¿Es duro?

8421. 네, 힘들어. - Sí, es duro.

8422. 주도하다 - Liderar

8423. 나는 프로젝트를 주도했다. - Yo dirigí el proyecto.

8424. 너는 회의를 주도한다. - Usted lidera las reuniones.

8425. 그는 혁신을 주도할 것이다. - Él liderará la innovación.

8426. 준비됐어? - ¿Estás preparado?

8427. 네, 준비됐어. - Sí, estoy preparado.

8428. 주문하다 - Para pedir

8429. 그녀는 음식을 주문했다. - Ella pide comida.

8430. 우리는 상품을 주문한다. - Nosotros pedimos bienes.

8431. 당신들은 서비스를 주문할 것이다. - Usted ordenará un servicio.

8432. 뭐 주문할까? - ¿Qué pedimos?

8433. 피자 좋아. - Me gusta la pizza.

8434. 주저앉다 - desplomarse

8435. 나는 피곤에 주저앉았다. - Estoy cansado.

8436. 너는 슬픔에 주저앉는다. - Le invade la tristeza.

8437. 그는 부담에 주저앉을 것이다. - Vacilará bajo presión.

8438. 힘들어? - ¿Estás cansado?

8439. 네, 많이. - Sí, mucho.

8440. 죄다 - Mucho.

8441. 그는 문을 죄었다. - Echará el cerrojo.

8442. 그녀는 창문을 죈다. - Apretará la ventana.

8443. 우리는 뚜껑을 죌 것이다. - Atornillaremos la tapa.

8444. 닫혔어? - ¿Está cerrada?

8445. 네, 닫혔어. - Sí, está cerrada.

8446. 줄다 - Adelgazar

8447. 나는 체중이 줄었다. - He perdido peso.

8448. 너는 관심이 줄었다. - Ha perdido interés.

8449. 그는 거리가 줄 것이다. - Tendrá menos distancia.

8450. 작아졌어? - ¿Has adelgazado?

8451. 네, 조금. - Sí, un poco.

8452. 줄이다 - reducir

8453. 그녀는 소음을 줄였다. - Redujo el ruido.

8454. 우리는 비용을 줄인다. - Reducimos nuestros gastos.

8455. 당신들은 시간을 줄일 것이다. - Reducirás el tiempo.

8456. 줄일까? - ¿Reducir?

8457. 좋은 생각이야. - Es una buena idea.

8458. 95. 명사 단어들 외우기, 필수 10개 동사의 단어들을 가지고 50문장 연습하기 - 95. memorizar palabras sustantivas, practicar 50 frases con las 10 palabras verbales esenciales

8459. 결정 - decisión

8460. 일 - Día

8461. 관계 - relación

8462. 약속 - promesa

8463. 행동 - acción

8464. 문제 - problema

8465. 상황 - situación

8466. 건강 - salud

8467. 방 - habitación

8468. 책상 - tabla

8469. 자료 - datos

8470. 반복 - repetir

8471. 음식 - comida

8472. 기다림 - esperar

8473. 목표 - objetivo

8474. 꿈 - sueño

8475. 성공 - éxito

8476. 좋고 나쁨 - bueno y malo

8477. 진실과 거짓 - verdad y mentira

8478. 중요한 것 - mucho

8479. 우연히 - por casualidad

8480. 친구 - amigo

8481. 기회 - oportunidad

8482. 도전 - desafío

8483. 위험 - peligro

8484. 변화 - cambiar

8485. 적 - enemigo

8486. 중요하다 - Importante

8487. 그는 결정이 중요했다. - Su decisión fue importante.

8488. 그녀는 일이 중요하다. - Su trabajo es importante.

8489. 우리는 관계가 중요할 것이다. - Nuestra relación será importante.

8490. 중요해? - ¿Importante?

8491. 네, 매우. - Sí, mucho.

8492. 지체하다 - Llegar tarde

8493. 나는 약속에 지체했다. - Llegué tarde a una cita.

8494. 너는 결정에 지체한다. - Llega tarde a su decisión.

8495. 그는 행동에 지체할 것이다. - Tardará en actuar.

8496. 늦었어? - ¿Llegas tarde?

8497. 조금 늦었어. - Llego un poco tarde.

8498. 진단하다 - diagnosticar

8499. 그녀는 문제를 진단했다. - Ella diagnosticó el problema.

8500. 우리는 상황을 진단한다. - Diagnosticamos la situación.

8501. 당신들은 건강을 진단할 것이다. - Diagnosticarás tu salud.

8502. 건강해? - ¿Estás sano?

8503. 네, 괜찮아. - Sí, estoy bien.

8504. 질러놓다 - desordenar

8505. 나는 방을 질러놓았다. - Yo limpio la habitación.

8506. 너는 책상을 질러놓는다. - Despejará el escritorio.

8507. 그는 자료를 질러놓을 것이다. - Guardará los materiales.

8508. 정리할까? - ¿Limpiamos?

8509. 나중에 할게. - Yo lo haré más tarde.

8510. 질리다 - Cansarse de

8511. 그는 반복에 질렸다. - Está cansado de la repetición.

8512. 그녀는 음식에 질린다. - Se aburre con la comida.

8513. 우리는 기다림에 질릴 것이다. - Nos cansaremos de esperar.

8514. 질렸어? - ¿Te has cansado?

8515. 아직 아냐. - Todavía no.

8516. 질주하다 - Esprintar

8517. 나는 목표를 향해 질주했다. - Esprinté hacia mi meta.

8518. 너는 꿈을 향해 질주한다. - Esprinta hacia tus sueños.

8519. 그는 성공을 향해 질주할 것이다. - Esprintará hacia el éxito.

8520. 빠르게? - ¿Rápido?

8521. 최선을 다해. - Tan rápido como pueda.

8522. 분별하다 - discernir

8523. 그녀는 좋고 나쁨을 분별했다. - Discierne entre lo bueno y lo malo.

8524. 우리는 진실과 거짓을 분별한다. - Discernimos entre la verdad y la falsedad.

8525. 당신들은 중요한 것을 분별할 것이다. - Discernirás lo que es importante.

8526. 알아볼 수 있어? - ¿Puedes reconocerlo?

8527. 시도해볼게. - Lo intentaré.

8528. 마주치다 - to run into

8529. 나는 우연히 그와 마주쳤다. - Me lo encontré por casualidad.

8530. 너는 친구와 마주친다. - Se topará con un amigo.

8531. 그는 기회와 마주칠 것이다. - Se topará con una oportunidad.

8532. 누구 만났어? - ¿Con quién te has topado?

8533. 옛 친구야. - A un viejo amigo.

8534. 직면하다 - Enfrentarse

8535. 그는 도전과 직면했다. - Se enfrenta a un reto.

8536. 그녀는 위험과 직면한다. - Se enfrenta al peligro.

8537. 우리는 변화와 직면할 것이다. - Nos enfrentaremos al cambio.

8538. 겁났어? - ¿Tienes miedo?

8539. 조금, 그래. - Un poco, sí.

8540. 대면하다 - Enfrentarse

8541. 나는 문제를 대면했다. - Me enfrento al problema.

8542. 너는 상황을 대면한다. - Se enfrenta a la situación.

8543. 그는 적을 대면할 것이다. - Se enfrentará al enemigo.

8544. 준비됐어? - ¿Está listo?

8545. 네, 준비됐어. - Sí, estoy listo.

8546. 96. 명사 단어들 외우기, 필수 10개 동사의 단어들을 가지고 50문장 연습하기 - 96. Memoriza palabras sustantivas, practica 50 frases con las 10 palabras verbales esenciales

8547. 기술 - tecnología

8548. 이슈 - tema

8549. 감정 - emoción

8550. 동아리 - club

8551. 커뮤니티 - comunidad

8552. 프로젝트 - proyecto

8553. 전략 - estrategia

8554. 생각 - pensamiento

8555. 의견 - opinión

8556. 지지 - apoyo

8557. 친구 - amigo

8558. 팀 - equipo

8559. 선수 - jugador

8560. 동생 - Hermano

8561. 동료 - colega

8562. 정보 - información

8563. 자료 - datos

8564. 증거 - pruebas

8565. 용기 - valor

8566. 사람들 - personas

8567. 자금 - fondos

8568. 가족 - familia

8569. 상대방 - oponente

8570. 위험 - peligro

8571. 도전 - desafío

8572. 실패 - fracaso

8573. 다루다 - tratar

8574. 그녀는 기술을 다루었다. - Se ocupó de la tecnología.

8575. 우리는 이슈를 다룬다. - Nosotros nos ocupamos de los problemas.

8576. 당신들은 감정을 다룰 것이다. - Usted se ocupará de las emociones.

8577. 어려워? - ¿Difícil?

8578. 조금 어려워. - Un poco difícil.

8579. 활동하다 - ser activo

8580. 나는 동아리에서 활동했다. - Yo era activo en un club.

8581. 너는 커뮤니티에서 활동한다. - Usted es activo en la comunidad.

8582. 그는 프로젝트에서 활동할 것이다. - Será activo en el proyecto.

8583. 재밌어? - ¿Te diviertes?

8584. 네, 많이. - Sí, mucho.

8585. 진화하다 - Evolucionar

8586. 그는 전략을 진화시켰다. - Evoluciona su estrategia.

8587. 그녀는 생각을 진화시킨다. - Evoluciona su forma de pensar.

8588. 우리는 기술을 진화시킬 것이다. - Evolucionamos nuestra tecnología.

8589. 변했어? - ¿Ha cambiado?

8590. 많이 변했어. - Ha cambiado mucho.

8591. 표시하다 - mostrar

8592. 나는 감정을 표시했다. - Marqué mis sentimientos.

8593. 너는 의견을 표시한다. - Expresa una opinión.

8594. 그는 지지를 표시할 것이다. - Mostrará su apoyo.

8595. 보여줄까? - ¿Te lo muestro?

8596. 좋아, 보여줘. - De acuerdo, muéstrame.

8597. 응원하다 - Para animar

8598. 그녀는 친구를 응원했다. - Ella animó a su amiga.

8599. 우리는 팀을 응원한다. - Animamos al equipo.

8600. 당신들은 선수를 응원할 것이다. - Tú animarás al atleta.

8601. 같이 갈래? - ¿Quieres venir conmigo?

8602. 네, 가자. - Sí, vamos.

8603. 주의를 주다 - prestar atención a

8604. 나는 동생에게 주의를 주었다. - Presté atención a mi hermano.

8605. 너는 친구에게 주의를 준다. - Tú le prestas atención a tu amigo.

8606. 그는 동료에게 주의를 줄 것이다. - Le dará atención a su compañero de trabajo.

8607. 필요해? - ¿Lo necesitas?

8608. 네, 조심해. - Sí, ten cuidado.

8609. 수집하다 - recopilar

8610. 그녀는 정보를 수집했다. - Ella recogía información.

8611. 우리는 자료를 수집한다. - Nosotros recogemos materiales.

8612. 당신들은 증거를 수집할 것이다. - Usted recogerá pruebas.

8613. 찾았어? - ¿La encontraste?

8614. 네, 찾았어. - Sí, la encontré.

8615. 모으다 - reunir

8616. 나는 용기를 모았다. - Reuní valor.

8617. 너는 사람들을 모은다. - Reunirá gente.

8618. 그는 자금을 모을 것이다. - Reunirá fondos.

8619. 준비됐어? - ¿Están listos?

8620. 거의 다 됐어. - Ya casi estamos.

8621. 속이다 - Engañar

8622. 그는 친구를 속였다. - Engaña a sus amigos.

8623. 그녀는 가족을 속인다. - Engaña a su familia.

8624. 우리는 상대방을 속일 것이다. - Engañaremos a la otra persona.

8625. 알아챘어? - ¿Lo entiendes?

8626. 아니, 몰라. - No, no lo entiendo.

8627. 꺼리다 - a Reticente

8628. 나는 위험을 꺼렸다. - Era reacio a asumir riesgos.

8629. 너는 도전을 꺼린다. - Es reacio a asumir retos.

8630. 그는 실패를 꺼릴 것이다. - Será reacio a fracasar.

8631. 두려워? - ¿Miedo?

8632. 조금, 그래. - Un poco, sí.

8633. 97. 명사 단어들 외우기, 필수 10개 동사의 단어들을 가지고 50문장 연습하기 - 97. memorizar palabras sustantivas, practicar 50 frases con las 10 palabras verbales esenciales

8634. 소식 - Noticias

8635. 상황 - situación

8636. 결과 - resultado

8637. 성공 - éxito

8638. 달성 - logro

8639. 지연 - retraso

8640. 소음 - ruido

8641. 불편 - Inconveniente

8642. 실수 - error

8643. 성취 - logro

8644. 팀 - equipo

8645. 성과 - resultado

8646. 늦음 - retraso

8647. 오해 - malentendido

8648. 친구의 성공 - éxito de un amigo

8649. 동료의 기회 - oportunidad de un colega

8650. 이웃의 행복 - felicidad de los vecinos

8651. 동생의 인기 - popularidad del hermano pequeño

8652. 친구의 재능 - talento de un amigo

8653. 동료의 성공 - éxito de un colega

8654. 의견 - opinión

8655. 규칙 - regla

8656. 선택 - seleccionar

8657. 계획 - planear

8658. 슬프다 - entristecer

8659. 그녀는 소식에 슬퍼했다. - Le entristeció la noticia.

8660. 우리는 상황에 슬퍼한다. - Nos entristece la situación.

8661. 당신들은 결과에 슬퍼할 것이다. - Te entristecerá el resultado.

8662. 괜찮아? - ¿Se encuentra bien?

8663. 아니, 슬퍼. - No, estoy triste.

8664. 기쁘다 - Estoy contenta.

8665. 나는 성공에 기뻐했다. - Me alegro del éxito.

8666. 너는 소식에 기뻐한다. - Se alegrará por la noticia.

8667. 그는 달성에 기뻐할 것이다. - Se alegrará por el logro.

8668. 행복해? - ¿Está contento?

8669. 네, 매우. - Sí, mucho.

8670. 짜증나다 - Molestar

8671. 그는 지연에 짜증났다. - Le molestó el retraso.

8672. 그녀는 소음에 짜증난다. - Le molesta el ruido.

8673. 우리는 불편에 짜증날 것이다. - Nos molestarán las molestias.

8674. 짜증나? - ¿Molesto?

8675. 네, 많이. - Sí, mucho.

8676. 부끄럽다 - a Avergonzado

8677. 나는 실수에 부끄러워했다. - Me avergonzó el error.

8678. 너는 상황에 부끄러워한다. - Usted está avergonzado por la situación.

8679. 그는 결과에 부끄러워할 것이다. - Se sentirá avergonzado por el resultado.

8680. 어색해? - ¿Avergonzado?

8681. 네, 조금. - Sí, un poco.

8682. 자랑스럽다 - a Orgullosa

8683. 그녀는 성취에 자랑스러워했다. - Estaba orgullosa de su logro.

8684. 우리는 팀에 자랑스러워한다. - Estamos orgullosos del equipo.

8685. 당신들은 성과에 자랑스러워할 것이다. - Deberías estar orgullosa de

tus logros.

8686. 뿌듯해? - ¿Orgullosa?

8687. 네, 많이. - Sí, mucho.

8688. 미안하다 - a Lo siento

8689. 나는 실수로 미안했다. - Lamento mi error.

8690. 너는 늦음에 미안하다. - Lamentas haber llegado tarde.

8691. 그는 오해에 미안할 것이다. - Lamentará el malentendido.

8692. 사과할래? - ¿Quieres disculparte?

8693. 네, 사과할게. - Sí, me disculparé.

8694. 부러워하다 - Envidiar

8695. 그는 친구의 성공을 부러워했다. - Envidia el éxito de su amigo.

8696. 그녀는 동료의 기회를 부러워한다. - Envidia las oportunidades de su colega.

8697. 우리는 이웃의 행복을 부러워할 것이다. - Envidiaremos la felicidad de nuestro vecino.

8698. 부럽지? - Envidiar, ¿verdad?

8699. 응, 부럽다. - Sí, envidia.

8700. 질투하다 - Tener celos.

8701. 나는 동생의 인기를 질투했다. - Estaba celoso de la popularidad de mi hermano.

8702. 너는 친구의 재능을 질투한다. - Usted está celoso del talento de su amigo.

8703. 그는 동료의 성공을 질투할 것이다. - Estará celoso del éxito de su colega.

8704. 질투해? - ¿Celoso?

8705. 좀, 그래. - Un poco, sí.

8706. 강요하다 - Imponer

8707. 그녀는 의견을 강요했다. - Ella impuso su opinión.

8708. 우리는 규칙을 강요한다. - Nosotros imponemos reglas.

8709. 당신들은 선택을 강요할 것이다. - Usted impondrá una elección.

8710. 필요해? - ¿Lo necesitas?

8711. 아니, 선택해. - No, tú eliges.

8712. 공표하다 - promulgar

8713. 나는 계획을 공표했다. - Yo promulgo un plan.

8714. 너는 의견을 공표한다. - Declarará una opinión.

8715. 그는 결과를 공표할 것이다. - Publicará los resultados.

8716. 알렸어? - ¿Lo ha anunciado?

8717. 네, 모두에게. - Sí, a todo el mundo.

8718. 98. 명사 단어들 외우기, 필수 10개 동사의 단어들을 가지고 50문장 연습하기 - 98. Memoriza las palabras sustantivas, practica 50 frases con las palabras de los 10 verbos esenciales

8719. 억압 - supresión

8720. 부정 - negación

8721. 위협 - Amenaza

8722. 분쟁 - disputa

8723. 갈등 - conflicto

8724. 문제 - problema

8725. 조건 - condición

8726. 요구 - solicitud

8727. 계획 - plan

8728. 신호 - señal

8729. 경고 - advertencia

8730. 증거 - prueba

8731. 우정 - amistad

8732. 건강 - salud

8733. 지식 - conocimiento

8734. 기회 - oportunidad

8735. 관계 - relación

8736. 추억 - memoria

8737. 명령 - mando

8738. 자료 - datos

8739. 자금 - fondos

8740. 환자 - paciente

8741. 위험 - peligro

8742. 감염 - infección

8743. 위기 - Peligro

8744. 도전 - desafío

8745. 대항하다 - levantarse contra

8746. 그는 억압에 대항했다. - Se levanta contra la opresión.

8747. 그녀는 부정에 대항한다. - Ella se levanta contra la injusticia.

8748. 우리는 위협에 대항할 것이다. - Nosotros nos levantaremos contra la amenaza.

8749. 이겼어? - ¿Ganaste?

8750. 아직 모르겠어. - Aún no lo sé.

8751. 중재하다 - Mediar

8752. 나는 분쟁을 중재했다. - Yo medié en el conflicto.

8753. 너는 갈등을 중재한다. - Usted mediará el conflicto.

8754. 그는 문제를 중재할 것이다. - Mediará el problema.

8755. 해결됐어? - ¿Está resuelto?

8756. 네, 해결됐어. - Sí, está resuelto.

8757. 타협하다 - to Compromise

8758. 그녀는 조건에 타협했다. - Ella transigió en los términos.

8759. 우리는 요구에 타협한다. - Transigimos en nuestras demandas.

8760. 당신들은 계획에 타협할 것이다. - Se compromete en el plan.

8761. 동의해? - ¿Está de acuerdo?

8762. 네, 동의해. - Sí, estoy de acuerdo.

8763. 간과하다 - pasar por alto

8764. 나는 신호를 간과했다. - Pasé por alto la señal.

8765. 너는 경고를 간과한다. - Usted pasa por alto la advertencia.

8766. 그는 증거를 간과할 것이다. - Pasará por alto la evidencia.

8767. 못 봤어? - ¿No lo viste?

8768. 아니, 못 봤어. - No, no la vi.

8769. 가치를 두다 - valorar

8770. 그녀는 우정에 가치를 두었다. - Ella valoraba su amistad.

8771. 우리는 건강에 가치를 둔다. - Valoramos nuestra salud.

8772. 당신들은 지식에 가치를 둘 것이다. - Valorarás el conocimiento.

8773. 중요해? - ¿Es importante?

8774. 네, 매우. - Sí, mucho.

8775. 소중히 여기다 - valorar

8776. 나는 기회를 소중히 여겼다. - Valoro la oportunidad.

8777. 너는 관계를 소중히 여긴다. - Valorará las relaciones.

8778. 그는 추억을 소중히 여길 것이다. - Atesorará los recuerdos.

8779. 소중해? - ¿Atesorados?

8780. 네, 매우 소중해. - Sí, muy preciados.

8781. 대기하다 - Esperar

8782. 나는 명령을 대기했다. - Esperé la orden.

8783. 너는 신호를 대기한다. - Esperará una señal.

8784. 그는 기회를 대기할 것이다. - Esperará la oportunidad.

8785. 준비됐어? - ¿Estás listo?

8786. 네, 됐어. - Sí, estoy listo.

8787. 예비하다 - Preparar

8788. 그는 자료를 예비했다. - Preparó los materiales.

8789. 그녀는 계획을 예비한다. - Preparará un plan.

8790. 우리는 자금을 예비할 것이다. - Reservaremos los fondos.

8791. 준비할까? - ¿Nos preparamos?

8792. 네, 해야 해. - Sí, deberíamos

8793. 격리하다 - aislar

8794. 그녀는 환자를 격리했다. - Ella aisló al paciente.

8795. 우리는 위험을 격리한다. - Aislamos el riesgo.

8796. 당신들은 감염을 격리할 것이다. - Aislarás la infección.

8797. 안전해? - ¿Es seguro?

8798. 네, 안전해. - Sí, es seguro.

8799. 대처하다 - hacer frente

8800. 나는 위기를 대처했다. - Yo lidié con la crisis.

8801. 너는 문제를 대처한다. - Usted lidiará con el problema.

8802. 그는 도전을 대처할 것이다. - Él lidiará con el desafío.

8803. 가능해? - ¿Es posible?

8804. 네, 가능해. - Sí, es posible.

8805. 99. 명사 단어들 외우기, 필수 10개 동사의 단어들을 가지고 50문장 연습하기 - 99. Memoriza palabras sustantivas, practica 50 frases con las 10 palabras verbales esenciales

8806. 적 - enemigo

8807. 위협 - Amenaza

8808. 경쟁 - competir

8809. 함정 - trampa

8810. 오해 - malentendido

8811. 위기 - Peligro

8812. 자리 - asiento

8813. 의견 - opinión

8814. 기회 - oportunidad

8815. 운명 - destino

8816. 도전 - desafío

8817. 이해관계 - intereses

8818. 상대 - oponente

8819. 세부사항 - Detalle

8820. 약속 - promesa

8821. 하늘 - cielo

8822. 그림 - pintura

8823. 전망 - Ver

8824. 비밀 - secreto

8825. 조언 - consejo

8826. 계획 - plan

8827. 기쁨 - placer

8828. 슬픔 - tristeza

8829. 승리 - Victoria

8830. 사과 - disculparse

8831. 의문 - pregunta

8832. 정보 - información

8833. 맞서다 - enfrentarse

8834. 그는 적을 맞섰다. - Se enfrentó al enemigo.

8835. 그녀는 위협을 맞선다. - Se enfrentó a la amenaza.

8836. 우리는 경쟁을 맞설 것이다. - Nos enfrentaremos a la competencia.

8837. 두려워? - ¿Tienes miedo?

8838. 아니, 안 두려워. - No, no tengo miedo.

8839. 빠지다 - Caer en

8840. 그녀는 함정에 빠졌다. - Ella cae en una trampa.

8841. 우리는 오해에 빠진다. - Caemos en un malentendido.

8842. 당신들은 위기에 빠질 것이다. - Caerás en una crisis.

8843. 괜찮아? - ¿Estás bien?

8844. 네, 괜찮아. - Sí, estoy bien.

8845. 양보하다 - ceder

8846. 나는 자리를 양보했다. - Cedo mi asiento.

8847. 너는 의견을 양보한다. - Usted cede su opinión.

8848. 그는 기회를 양보할 것이다. - Cederá la oportunidad.

8849. 필요해? - ¿La necesita?

8850. 아니, 괜찮아. - No, estoy bien.

8851. 맞다 - a la derecha

8852. 그는 운명을 맞았다. - Él encuentra su destino.

8853. 그녀는 기회를 맞는다. - Ella tiene una oportunidad.

8854. 우리는 도전을 맞을 것이다. - Seremos desafiados.

8855. 준비됐어? - ¿Estás listo?

8856. 네, 준비됐어. - Sí, estoy listo.

8857. 충돌하다 - chocar

8858. 나는 의견이 충돌했다. - Tengo un conflicto de opinión.

8859. 너는 이해관계가 충돌한다. - Usted tiene un conflicto de intereses.

8860. 그는 상대와 충돌할 것이다. - Entrará en conflicto con su oponente.

8861. 괜찮아? - ¿Está usted bien?

8862. 네, 괜찮아. - Sí, estoy bien.

8863. 놓치다 - desaprovechar

8864. 그녀는 기회를 놓쳤다. - Se perdió la oportunidad.

8865. 우리는 세부사항을 놓친다. - Nos perdemos los detalles.

8866. 당신들은 약속을 놓칠 것이다. - Se perderá la cita.

8867. 걱정돼? - ¿Está preocupado?

8868. 아니, 괜찮아. - No, estoy bien.

8869. 쳐다보다 - a Mirar hacia arriba

8870. 나는 하늘을 쳐다보았다. - Miro fijamente al cielo.

8871. 너는 그림을 쳐다본다. - Mirará fijamente el cuadro.

8872. 그는 전망을 쳐다볼 것이다. - Se queda mirando la vista.

8873. 예쁘지? - ¿No es bonito?

8874. 네, 예뻐. - Sí, es bonito.

8875. 속삭이다 - Susurrar

8876. 그는 비밀을 속삭였다. - Susurra un secreto.

8877. 그녀는 조언을 속삭인다. - Ella susurra consejos.

8878. 우리는 계획을 속삭일 것이다. - Susurraremos planes.

8879. 들렸어? - ¿Lo has oído?

8880. 아니, 못 들었어. - No, no lo he oído.

8881. 외치다 - Gritar.

8882. 나는 기쁨을 외쳤다. - Grité de alegría.

8883. 너는 슬픔을 외친다. - Tú gritas tristeza.

8884. 그는 승리를 외칠 것이다. - Él gritará victoria.

8885. 들려? - ¿Lo oyes?

8886. 네, 들려. - Sí, lo oigo.

8887. 물다 - Morder

8888. 그녀는 사과를 물었다. - Ella pidió una manzana.

8889. 우리는 의문을 물는다. - Hacemos preguntas.

8890. 당신들은 정보를 물을 것이다. - Pedirás información.

8891. 아파? - ¿Te duele?

8892. 아니, 안 아파. - No, no duele.

8893. 100. 명사 단어들 외우기, 필수 10개 동사의 단어들을 가지고 50문장 연습하기 - 100. memorizar palabras sustantivas, practicar 50 frases con las palabras de los 10 verbos esenciales

8894. 사과 - pedir disculpas

8895. 껌 - chicle

8896. 채소 - verdura

8897. 커피 - café

8898. 곡물 - grano

8899. 향신료 - especias

8900. 스프 - sopa

8901. 샐러드 - ensalada

8902. 소스 - salsa

8903. 빵 - pan

8904. 과일 - fruta

8905. 김치 - kimchi

8906. 맥주 - cerveza

8907. 빵 반죽 - masa de pan

8908. 치즈 - queso

8909. 와인 - vino

8910. 고기 - carne

8911. 길 - carretera

8912. 다리 - pierna

8913. 강 - río

8914. 집 - casa

8915. 시작점 - punto de partida

8916. 고향 - ciudad natal

8917. 씹다 - masticar

8918. 나는 사과를 씹었다. - He masticado una manzana.

8919. 너는 껌을 씹는다. - Mastica chicle.

8920. 그는 채소를 씹을 것이다. - Masticará sus verduras.

8921. 맛있어? - ¿Está sabroso?

8922. 네, 맛있어. - Sí, está delicioso.

8923. 갈다 - Moler

8924. 그녀는 커피를 갈았다. - Ella muele el café.

8925. 우리는 곡물을 간다. - Nosotros moleremos los granos.

8926. 당신들은 향신료를 갈 것이다. - Ustedes molerán las especias.

8927. 준비됐어? - ¿Están listos?

8928. 네, 준비됐어. - Sí, estoy listo.

8929. 분쇄하다 - moler

8930. 나는 약을 분쇄했다. - Yo molí la medicina.

8931. 너는 돌을 분쇄한다. - Moler las piedras.

8932. 그는 씨앗을 분쇄할 것이다. - Triturará las semillas.

8933. 필요해? - ¿Lo necesitas?

8934. 네, 필요해. - Sí, lo necesito.

8935. 휘젓다 - Remover

8936. 그녀는 스프를 휘저었다. - Ella revuelve la sopa.

8937. 우리는 샐러드를 휘젓는다. - Nosotros batimos la ensalada.

8938. 당신들은 소스를 휘젓을 것이다. - Ustedes van a batir la salsa.

8939. 잘 섞였어? - ¿Está bien mezclada?

8940. 네, 잘 섞였어. - Sí, está bien mezclada.

8941. 담그다 - remojar

8942. 나는 빵을 우유에 담갔다. - He remojado el pan en leche.

8943. 너는 과일을 물에 담근다. - Remojará la fruta en agua.

8944. 그는 채소를 절임에 담글 것이다. - Él remojará las verduras en

encurtidos.

8945. 시간 됐어? - ¿Es la hora?

8946. 네, 됐어. - Sí, ya está listo.

8947. 발효시키다 - fermentar

8948. 그녀는 김치를 발효시켰다. - Fermentó el kimchi.

8949. 우리는 맥주를 발효시킨다. - Nosotros fermentamos la cerveza.

8950. 당신들은 빵 반죽을 발효시킬 것이다. - Vas a fermentar la masa de pan.

8951. 준비됐어? - ¿Está lista?

8952. 네, 준비됐어. - Sí, está lista.

8953. 숙성시키다 - envejecer

8954. 나는 치즈를 숙성시켰다. - Envejecí el queso.

8955. 너는 와인을 숙성시킨다. - Tú envejecerás el vino.

8956. 그는 고기를 숙성시킬 것이다. - Él envejecerá la carne.

8957. 맛있겠다, 안 그래? - Estará delicioso, ¿verdad?

8958. 네, 맛있겠어. - Sí, estará deliciosa.

8959. 건너가다 - cruzar la calle

8960. 그녀는 길을 건너갔다. - Cruzó la calle.

8961. 우리는 다리를 건너간다. - Vamos a cruzar el puente.

8962. 당신들은 강을 건너갈 것이다. - Vais a cruzar el río.

8963. 위험해? - ¿Es peligroso?

8964. 아니, 안 위험해. - No, no es peligroso.

8965. 되돌아가다 - Para volver

8966. 나는 집으로 되돌아갔다. - Volví a mi casa.

8967. 너는 시작점으로 되돌아간다. - Vuelve al punto de partida.

8968. 그는 고향으로 되돌아갈 것이다. - Volverá a su ciudad natal.

8969. 늦었어? - ¿Es tarde?

8970. 아니, 안 늦었어. - No, no es tarde.

MP3 파일 다운로드 - 아래 주소를 클릭하시거나, 스마트폰으로 QR코드에 접속하여 비밀번호를 입력하시면 다운로드 받으실 수 있습니다.

비밀번호 9876

https://naver.me/GsPkPllU

또는

https://www.dropbox.com/scl/fo/z1vyffzs0mqu1sjdx94m8/h?rlkey=z9ft2690Orjxs6cyfuf0zxah2&dl=0

QR코드를 스마트폰으로 스캔하시면 보실 수 있습니다. 당신의 비밀번호는 무엇입니까? 9876입니다.

1천 동사 5천 문장을 듣고 따라하면 저절로 암기되는 스페인어 회화(MP3)

발   행 | 2024년 4월 17일
저   자 | 정호칭
펴낸이 | 한건희
펴낸곳 | 주식회사 부크크
출판사등록 | 2014.07.15.(제2014-16호)
주   소 | 서울특별시 금천구 가산디지털1로 119 SK트윈타워 A동 305호
전   화 | 1670-8316
이메일 | info@bookk.co.kr

ISBN | 979-11-410-8139-3